S0-AYY-467

ESCHATOLOGIE

Bibeltheologische und philosophische Studien
zum Verhältnis von Erlösungswelt
und Wirklichkeitsbewältigung

Festschrift für Engelbert Neuhäusler
zur Emeritierung
gewidmet von Kollegen, Freunden und Schülern

Herausgegeben von
Rudolf Kilian
Klemens Funk - Peter Fassl

EOS VERLAG 8917 ST. OTTILIEN

Die Erzdiözese München/Freising
Die Diözese Augsburg
haben dank ihrer Verbundenheit mit dem Geehrten durch Zuschüsse die Drucklegung dieser Festschrift ermöglicht.

CIP-Kurztitelaufnahme der Deutschen Bibliothek

Eschatologie : bibeltheol. u. philos. Studien zum Verhältnis von Erlösungswelt und Wirklichkeitsbewältigung; Festschrift für Engelbert Neuhäusler zur Emeritierung gewidmet von Kollegen, Freunden und Schülern / hrsg. von Rudolf Kilian ... — S[ank]t Ottilien : EOS-Verlag, 1981.
ISBN 3-88096-196-4
NE: Kilian, Rudolf [Hrsg.]; Neuhäusler, Engelbert,. Festschrift

Gesamtherstellung: EOS Druck, D-8917 St. Ottilien
Foto: Christoph Müller, München

E. Neuhäusler

Inhalt

Zum Geleit

Herrn Prof. Engelbert Neuhäusler zu Ehren ist diese Festschrift gedacht.

Diese Art und Weise, einen Wissenschaftler und Lehrer zu ehren, folgt zwar einem alten akademischen Brauch und darf die Ungestörtheit eines Rituals genießen, was aber dennoch nicht die Frage ungereimt erscheinen läßt, ob es denn nicht eitel sei, einem Menschen, der sein Lebtag lang Bücher zur Hand nahm und diese um eines einzigen Buches willen aufschlug, bedachte, weglegte und dieses eine Buch sich zu Herzen zu nehmen bemüht war, einem Menschen, der *wahrhaft* zu lesen gelernt hat, wiederum ein Buch zur Hand zu geben. Durchaus mag es überflüssig sein, einem weise wissenden Menschen wie Engelbert Neuhäusler eine Festschrift zu bereiten, zumal er nie *Professor* sein wollte, ohne dabei als *Confessor* zu ringen. Aber Ehrung hat eben immer mit *Überfluß* zu tun; und dies birgt vielleicht auch den nicht deutlicher vorzutragenden Wunsch, durch den Weg des äußeren Gebens den Pfad des *Über*fließens zu finden. Die gönnende Großzügigkeit des Lehrens von Prof. Neuhäusler war es auch, die seine Kollegen und Schüler auf die Idee brachte, auf diese Weise zu danken. Freilich ist das nur eine Weise, diese Verehrung und diesen Dank sichtbar zu machen. Prof. Neuhäusler ging es eher um die Hörbarkeit, die Verkündigung, die dann nicht mehr an ihn als Lehrer erinnert, sondern die Suche nach *einem Vater* wach hält, denn *Lehrer hättet ihr unzählige* (1 Kor 4,15). Darin wollte Prof. Neuhäuslers Wirken „Schule machen" und auf einen Weg geleiten, der über die Etappen, die an seinen Namen erinnern, hinausführt. Beginnen konnte dieser Weg freilich auch im akademischen Bereich, dem Prof. Neuhäusler auch durch seine weitreichenden Interessen sein Gepräge geben konnte. Er suchte danach, selber Schüler bleiben zu können, als solcher, der nicht vorschnell nach den Früchten greift und sie einlagern will, um sich selbst schon am Glanz des mühsam nur zu Erhoffenden zu beseelen. So war er bestrebt, in die Schule der benediktinischen Bescheidung gerufen zu werden, die darauf höchstens hoffen darf, im Dienst der Ehre Gottes zu stehen — ut in omnibus glorificetur Deus: Darin aber schon sicher eine Position zu haben und mit diesem Bescheid-Wissen im Kampf des ignatianischen Komparativs — ad *maiorem* Dei gloriam — schon angetreten zu sein, dem mißtraute Prof. Neuhäusler eher.

Dem Anspruch des bescheidenden Lebensmutes dieses Lehrers kommt es also eher entgegen, ihn heimlich zu verehren und ihm damit still zu danken, daß man denkt, dorthin, wohin er auf mühsamen Holzwegen, wie M. Kähler sie nennt, nachging, dabei allein und mit Kollegen und Schülern eine Schneise weiterschlug und es seinen Schülern auch nicht übel nahm, wenn sie allzuschnell ermüdeten oder nicht so recht „mitstiegen". Auf solche bedächtig zu begehenden Wege wollen auch die zum Andenken an die Lehrtätigkeit von Prof. E. Neuhäusler entstandenen Beiträge dieser Festschrift weisen, und die Verfasser, Kollegen, Assistenten und Schüler, wollen ihm damit in ihrer Weise danken. Freilich ist zu danken eine der schwierigsten Aufgaben, nicht nur erst heute unter dem Totalanspruch der Funktionalität; und diese Schwierigkeit verschwindet auch dann nicht, wenn man sich nach und über dem Brauch bekannter Formen und geflügelter Worte der ungleich größeren Mühe des Nachdenkens und Schreibens unterzieht. So nimmt die Mühe oder gar die Unmöglichkeit zu aller Anfang ein Ritual zu Hilfe und versucht von dessen Gestik Unterstützung zu erfahren.

Einer der unwegsamsten Wege, weil er sich eben in einer letzten Gegend verlieren muß, ist wohl der in das weite „Problem"-Feld der *Eschatologie.* Und das nicht nur deshalb, weil es hier einen Weg auf „bislang" unbefestigtem Grund zu bahnen gilt, wozu es des Gelingens methodischer Innovationen bedürfte. Nein, hier ringen nicht nur Erfahrung und Erwartung, Verheißung und Erfüllung, Erinnern und Vergessen, Gestaltverlust und Stilistik des Gestaltlosen, Abkehr und Zuflucht und in beiden Vertrauen und Mißtrauen miteinander und untereinander, gleichsam in dem noch immer durch Grenzen terminierten Raum, in der Nacht, die gewohntermaßen vom dämmernden Morgenlicht abgelöst wird. Der Bann dieser letzten und endlich unendlichen *Lösung* ist der Hoffnungen letzte und erste zugleich: *Erlösung* – und das meint dann Lösung und ineins Loslösung, Befreiung auch von der Verzweiflung des beseligenden Wunsches nach Erlösung, ja Befreiung und Freiheit von dem Vor-gestell des revoltierend oder resignierend lastenden Willens. Freilich Befreiung von dem „Gestell", von den der bemessenden Vorstellung entsprechenden Maßstäblichkeiten, Befreiung also von dem Gestell und doch so über und in dieses Gestell, Befreiung als Freiheit, so daß sie nicht nur den vorgestellten und den in geleisteter Präsenz nun doch auch befangenen Blick nur widerspiegelt und den Menschen hinter aller Projektion doch schließlich wieder auf sich verweist. Vielleicht kann die Projektion gar Gefallen finden an ihrer Leistung, ja sie ist Gewinn, solange sie die Leistbarkeit und investierte Leistung vergessen hat. Das Erinnern der Genese freilich bedeutet nicht zu betäubenden Verlust, es ernötigt die Erfahrung zuerst der Notwendigkeit, sich selber demaskieren zu lassen *und* stellt dabei den bleibenden Auftrag, allem anderen bis zur nackten Sachlichkeit, ja bis zur bloßen Momenthaftigkeit die Masken abzunehmen; bis vor welche „Gestalt", vor welche vorher nicht bekannte, müßte sich diese „Erkenntnis" vorantreiben?

Die christlich religiöse Tradition nennt diese Demaskierung *Gestaltlosigkeit* und sie erfordert den Blick, dem die Freude am Stilgemäßen vergangen ist, weil er darin nichts mehr zu erblicken vermag (A. Halder), und der doch eher, aber wiederum nicht zuletzt, sich im Los der Blindheit zurechtfindet, wenngleich er auch dort „sein Recht" nicht findet. Diese Gestaltlosigkeit haftet nicht bloß dem Menschen, gleichsam wie eine Genmanipulation ratione peccati an, sie zeichnet „sogar" den Gottessohn und den diesen Sohn willentlich gezeugt habenden Vater, der ja auch nach eben dieser christlichen Tradition der Vater der Menschen, der Gestaltlos-Gewordenen, ist, der Vater derer, die nicht erst nachträglich, außerhalb des Standes geraten, zu solchen wurden, sondern die dahinein und darin Gewordene und Wesende sind. Freilich darf diese Gestaltlosigkeit dann auch nicht mehr gleich zum klassischen Stilbewußtsein Gottes und des Menschen überhöht werden, deren Blicktypik sich dann doch letztendlich alles zu erkennen gibt: Solche Stilistik könnte Verzweiflung nicht erhören, eher klingt in ihren Ohren das als Hohn und Hohngelächter, was der Tragik des bösen Spielen-Müssens nicht entrinnen kann. Wo und wie finden sich diese „Gestalten'' so, daß sie sich in ihrer je verschiedenen Gestaltlosigkeit trotzdem begegnen?

Einfacher gefragt und damit der Gefahr des Mißverständnisses ausgesetzt: Wie findet und fügt sich eine solche Hoffnung mit der Erfahrung, der Reflexion, der Perspektivik und dem Denken? Muß der Mensch — und vielleicht nicht nur der neuzeitliche — sich im Banne finden? Befindet er sich unter diesem Bann im Empfinden der Spannung des Fluches *und* des segnenden Wunsches, in der Verspannung von leistungserbrachter Projektion und selbstkritisch durchgearbeiteter Mangelerfahrung (die gerade hinter dieser Projektion manifest wird)? Steht diese Spannung an in der Erhebung in die Projektion und der Abkehr aus dem wunschgemäß Gewollten; wie kann sie sich anders er- und austragen als im Selbstvertrauen, das in der Projektion und schließlich der projektiven, operationalen Bewendung derselben gefunden zu werden verspricht? Sind die Wunden, die der Erlöste letztendlich trägt, doch nicht nur die selbstzugefügten, die der Hoffnung gleichsam nur anhaften und so die Hoffnung anzureichern und zu steigern verstehen: Wird in der Hoffnung nur dem Scheitern ein Denk- und Merkmal gesetzt, ja verführte nicht vielmehr eine solche Weihe in die Enge des traumatisch lastenden Geheges, das sich über der vielen Arbeit mit dem Ordnungswidrigen schon mit einer Platzierung des freilich nicht Ordnungsgefügigen begnügen kann? Welcher Trost aber, der über das „Gestell'' kommt, trägt nicht die zu-ver-sichtlichen Züge, die alles Gehör bis zur Taubheit des bloßen Zugehörens übertönen, um die Zuflucht in der Kreisläufigkeit des Sichtbargemachten und sichtlich zu Hörenden sicher zu stellen?

Soweit wird klar, daß das „Problem'' nicht in einer Aufgabenstellung besteht, etwa darin, dem Menschen und damit mir selber eine Hoffnung zu geben — was wiederum nur unter der Maske der Projektion gelänge —, sondern es liegt jenseits der Tätigkeit und

Leistbarkeit, die ja eben das Stigma selber ist: Die „Auf"-gabe hieße, in aller Arbeit, Leistung und Selbstleistung eine Gabe sehen, ja besser: erhören zu können. „Aufgabe" hätte dann keinen und nicht nur noch keinen Namen, die Aufgabe hieße nicht ..., sondern sie müßte zu allererst, im Anfang, in den Anfang erhört werden: und die Aufgabe, die es zu erhören gilt, müßte schließlich auch ihre Geltung und ihren Geltungsbereich erhören.

Daß dies gelingen könnte ist Wunsch und Sehnsucht zugleich. Vielleicht aber ist diese Aufgabe dem Wunsch ob seiner „Unfähigkeit" schon abgenommen und, wenn nicht ganz und gar abgestellt, so doch der Utopie gleichsam als Maxime übertragen. Wenn aber diesem Wünschen wiederum zugleich die Chance der einzigen Notwendigkeit aufgebürdet ist, dann prägt es dies als sehnsüchtigen Wunsch, als verzweifelten Willen, als bange Hoffnung. Vielleicht lebt dieser Wunsch nur dann, wenn er zugleich mit der Last der Erwartung beladen wird (R. Kilian), die dem Zu-erhörenden schon mit ihren Bildern und ihrem Blick zuvorkommt. In dieser Symbiose freilich verliert der Wunsch den Charakter des *„reinen Wünschens"*, er lebt ver-wunschen. Diese Einschränkung durch und unter dem Dache der all-einigen Erwartung, wie wenn es nur eine Lösung, eine Perspektivik, einen Willen gäbe, diese Einschränkung, die dem sehnsüchtigen Wünschen anhaftet, könnten viele Beispiele der Resignation und des erfahrenen Scheiterns belegen. Daß solcherart „reines Wünschen" in der Kraftlosigkeit und Torheit der Hoffnung gelinge, dies kann freilich eher von „außen" vermutet und d.h. wiederum erwünscht werden, als daß es in der Verläßlichkeit des eigenen „Erfahrungs"-bestandes geborgen ist. Es hat den Anschein, daß man in einer totalisierenden Rationalitätserfahrung dasjenige dem Wunsch überläßt, was man nicht mehr glauben kann oder was man aus gesichertem Erfahrungswissen für abgetan erklären kann. Damit vertraut man — und siedelt nicht auch darin noch eine Art Wunsch — dem Wunsch an, was längst und eigentlich immer schon erledigt ist, man verabschiedet also das Wünschen und Hoffen selber: Vertraut werden kann dann, wenn man es besser weiß; ohne diese Maxime hält kein Vertrauen dem Urteilsspruch der Vernunft stand, für Vertrauensseligkeit kann es kein Gnadenurteil der Vernunft geben. Vertrauen aber, das diesem Instanzenweg folgen muß, hat sich selbst schon voraus das Verhältnis des abgründigen Mißtrauens. Muß man dann nicht, worauf S. Müller in seinem Beitrag „Rationalität und Vertrauen'' hinweist, das Stigma der modernen, in permanenter Leistungsschuld stehenden – weil stets von der Überholbarkeit bedrohten – Lebenswelt darin sehen, daß jenes Vertrauen die Genetik abgründigen Mißtrauens besitzen muß: Es muß sich ja aus der Verwiesenheit ins Fremde, Ausständige, Offene zurücknehmen ins Eigene und zwar in Selbstvertrauen! Dieses Mißtrauen richtet sich aber nicht „nur'' gegen die dingliche und überdingliche Welt, sondern primär und an vorderster Front gegen die Position dessen, was es als „Selbst'' auszusondern bestrebt ist.

Daß die hier vorgetragenen Gedanken zurecht „Zum Geleit'' überschrieben sind und nicht voreilig sich im Gestrüpp verrannt haben, dies zu zeigen gelingt den folgenden Beiträgen. Die alttestamentlichen Studien (*R. Kilian, D. Kinet, W. Werner*) zeigen den Erfahrungshintergrund, der gleichermaßen geschichtlicher Erfahrungsverlust wie Erinnerungsermöglichung ist, der vor- und nachexilischen Prophetie und deren je unterschiedlicher „Eschatologie'' auf. Der Anspruch der „Schriftgemäßheit'', durch den die Erlösungsgestalt in der Verkündigung des Gottessohnes ihre Letztgültigkeit erweisen soll, wird in verschiedener Thematisierung von den neutestamentlichen Beiträgen (*H. Leroy, M. Lattke, P. Fassl*) hinterfragt, wobei gerade auf die dadurch zu leistende Weisungsfunktion als Problematik des Glaubens hingewiesen wird. Daß Soteriologie und damit alle Stilistik eschatologischer Erwartung mit Erfahrungsverlust und doch auch mit dem ernsten Willen der Nachfolge unabdingbar verknüpft ist, dies erläutert der Beitrag von *S. Hara* zu einer buddhistischen Endzeitvorstellung. Der unübersehbaren Nähe des Mappō-Gedankens zur paulinischen Rechtfertigungslehre galt überdies seit langem das Interesse von Prof. Neuhäusler. In den philosophischen Vorfragen der letzten drei Beiträge *(K. Funk, S. Müller, A. Halder)* wird die Entwicklung und Weltgestaltung der wissenschaftlich-technischen Neuzeit charakterisiert sowie in verschiedener Perspektivik auf die Schwierigkeit, wenn wohl auch nicht auf die Unmöglichkeit einer Begegnung mit der tradierten religiösen Heilsverkündigung hingewiesen.

Prof. Neuhäusler mied skeptisch all die vielen Umgehungsstraßen, die um das Dickicht der Eschatologie nach scheinbar langem Zögern inzwischen geschäftig gebaut wurden, und er bevorzugte die Perspektivik, die sich mit der geschichtlichen Entwicklung des Terminus „Eschatologie" vielleicht andeuten will: Die Bevorzugung des bis zur Wende des 19./20. Jahrhunderts gebräuchlichen Begriffs der *„Letzten Dinge"* stand in der Gefahr, die Frage nach der Letztlichkeit und daran anschließend nach der Dinglichkeit der Hoffnung gerade von der Erfahrung des Dinglichen und seiner Zeitlichkeit her zu stellen; dies bedeutet eine Gefährdung, der freilich nicht durch eine terminologische Befremdung allein zu begegnen ist. Der Grund dieser Ohnmacht liegt auch nicht nur im Selbstverständnis des systematischen Denkens, das vor den letzten Dingen die ersten kennt und dazwischen die vorläufigen und vergänglichen, die mittleren Dinge, und das nicht in seinen Blick bekommt, daß mit den „Letzten Dingen", der Eschatologie, eben die Frage aufgeworfen ist, wie *letztlich* diese *Dinge* sind: Bestätigen sie nur die ersten, erfüllen sie sinnstiftend die mittleren und wenden sie gar am Ende alles Dingliche und damit Zeitliche – oder verabschieden sie etwa die kosmologische Eschatologie, die ins Gesamt der Wirklichkeiten Mensch, Natur, Welt und als letztes „Ding" (das man aber schon gar nicht mehr so nennen möchte) – Gott – miteinbezieht? Der Grund dieser Gefährdung und Ohnmacht eröffnet sich eher in Abgründigkeit. Stehen diese letzten Dinge so nach dem Leben, der Freude, dem Leid, dem Tod und damit in *ihrem* Leben, daß sie dies alles nicht nocheinmal durchmachen in der Allversöhnung oder dem dies alles wendenden oder bewendenden Gericht, so daß sie Hoffnung sein können für das Ende und am Ende des Lebens und zugleich Hoffnung als Beendigung des Leben-wollens, welcher Wille als sein letztes Ding den Tod kennt?

Die Dinglichkeit und ihre Vorläufigkeit bahnte eben in den Augen Prof. Neuhäuslers keinen Weg *dorthin*. Eher vertraute er der Ausweglosigkeit, dem Ja dazu, daß eine Täuschung des eschatologischen Glaubens eben eine Ent-täuschung ist. Er konnte auch und gerade darin der Hoffnung Christi hoffend zustimmen, wenn oder weil dieser sich getäuscht haben sollte. Prof. Neuhäusler entzog sich darin der aufklärerischen Denkungsart, die sich durch die Korrekturleistungen der Erfahrung ihre Belehrung verspricht, er mußte dafür aber oft Verständnislosigkeit in Kauf nehmen, indem man sich seinen Worten schnell zu entziehen versuchte und sie dann, auf der breiten Straße der Lösungsangebote angekommen, schon gar nicht mehr zu hören brauchte. Auch unter solchen Erfahrungen blieb Prof. Neuhäusler ein Mensch, der es nie verlernt hat, sein Wünschen, eines besseren belehrt, an die Leistbarkeit des Willens abzutreten und es auf die Realität einzustimmen. Unstimmigkeiten ihren Raum zu gewähren, das bereitete zwar seinen Hörern manch großes Problem, doch schien ihm dies ein unabdingbares, tiefes, existentielles, religiöses Anliegen zu bergen: das Anliegen eines Menschen, der mit Leib und Seele hofft. Daß das Ziel seiner Wünsche dabei in den Sternen steht, dies ist ihm eher Trost denn Tadel; denn auch die Bilder der Apokalyptik finden über dem Terrestrischen ihre Orientierung.

Der Mut solcher Erwartung, dem auch die Erschöpfung nicht fremd blieb, prägte Prof. Neuhäuslers lebendiges, freundliches und ermutigendes Wirken. Daß die Autoren und Herausgeber dieser Festschrift für das Gelingen ihrer Arbeit sich auf die vielfältige Hilfe von Sekretärinnen, Freunden und Bekannten sowie auf die unverdrossene und geduldige Unterstützung jener Damen, die Satz und Umbruch erstellt haben, verlassen konnten, dies verdanken sie nicht zuletzt auch dem Geehrten. Aus eben diesen Gründen freundschaftlicher Verbundenheit und Dankbarkeit haben der Kardinal der Erzdiözese München/Freising, der Bischof von Augsburg, die Leitung der Universität Augsburg sowie der EOS-Verlag das Erscheinen dieser Festschrift unterstützt. Schließlich verdankt sich diese Festgabe selbst, die aus der Zusammenarbeit von Professoren, Assistenten und Studenten an einer jungen Universität hervorging, der Gabe von Wort und Antwort. Unser Dank richtet sich an sie alle, die Genannten und die vielen anderen Ungenannten, aber doch Bedachten, die für die Herausgeber des öfteren ein nötiger Hoffnungsschimmer waren.

Augsburg, im Juni 1981 Klemens Funk

Zum Lebensweg von Prof. Dr. Engelbert Neuhäusler

Diese Festschrift will an Prof. Dr. Engelbert Neuhäusler erinnern, der nach 25-jähriger Lehrtätigkeit als Exeget für Neues Testament, zuletzt an der Universität Augsburg, im Sommer 1980 emeritiert worden ist. Die Erinnerung versteht sich als dankbare Anerkennung für seine eindrucksvolle, ureigene, lebendige Art der Vermittlung: Es gelang ihm, dem von der christlichen Botschaft Betroffenen, Erschütterten, dem suchenden und fragenden Lehrer, seinen Hörern Wege ins Neue Testament zu zeigen und als Hörer des Wortes Erfahrungen mitzuteilen. Dabei war er sich auch aufgrund seiner eigenen Lebenserfahrung bewußt, daß es hierbei nicht bloß um faktische Wissensvermittlung noch um den kritisch-diagnostischen Blick noch um die allzu gelassene Übernahme gewohnter, schutzversprechender, wenngleich inzwischen auch nicht mehr so recht gemütlicher Traditionen allein gehen könne; vielmehr spürten die Hörer an der Faszination, an der Wachheit und dem aufrüttelnden Engagement dieser Verkündigung die Betroffenheit dieses Lehrers, die mit den, wenngleich recht eindrucksvollen, biographischen Daten nur von ferne vermerkt werden kann.

Wenn hier in erster Linie von Prof. Neuhäuslers Tätigkeit als Lehrer gesprochen wird, so liegt dies nicht nur an dem Blickwinkel der Herausgeber, sondern es hat dies auch einen Grund im Selbstverständnis von Prof. Neuhäusler. Er verstand sich in erster Linie als Seelsorger, wie nicht zuletzt sein, für den heutigen Universitätsbetrieb ungewöhnlicher Werdegang aufzeigt.
Engelbert Neuhäusler wurde am 18. 8. 1913 in München geboren und begann nach dem Besuch des Wittelsbachergymnasiums am 5. 11. 1932 mit dem Theologiestudium in Freising. Ende des ersten Jahres, während dessen er sich vor allem in die scholastische

Philosophie einarbeitete, erhielt er aufgrund einer Arbeit über die Analogie der Erkenntnisprozesse bei Aristoteles und der dialektischen Theologie – auf Empfehlung des Seminardirektors Engelhart – einen Freiplatz am Georgianum in München. Die nächsten Jahre waren nach eigenen Worten eine Zeit des freien und ungestörten Studierens. Dabei beanspruchte allerdings die Theologie und hier vor allem das theologisch-philosophische Studium nur einen kleinen Teil seines Stundenplanes. Nachdem E. Neuhäusler bereits in Freising bei Dürr die Grundbegriffe der ägyptischen Hieroglyphenschrift gelernt hatte, lernte er bei Falkenstein Asyrisch-Babylonisch, hörte regelmäßig theoretische Physik, Algebra und Geometrie, besuchte Vorlesungen und Seminare in Kunstgeschichte und Germanistik und studierte Japanologie, ein Interessengebiet, mit dem er sich schon seit seiner Schulzeit beschäftigte. Ende des 3. Jahres in München begann er mit einer Doktorarbeit bei Grabmann über die Gnoseologie bei Dionysius Cartesianus, welche aber während des Pastoraljahres in Freising nicht fortgesetzt werden konnte.

Nach seiner Priesterweihe am 9. 5. 1937 kam E. Neuhäusler, trotz mehrfacher Gesuche um Freistellung zur Fortsetzung seiner wissenschaftlichen Studien, zunächst als Kaplan nach Reichenhall (1937), später nach München-Thalkirchen (1938–47) und schließlich nach München-Moosach (1947–50). Neben seiner Tätigkeit als Kaplan und Krankenhausseelsorger war E. Neuhäusler, der selbst sehr musikalisch ist und Geige, Cello und Flöte spielt, Mitglied im Münchner Bachchor, studierte Japanisch und Architektur und hielt kirchenrechtliche und dogmatische Vorträge vor Laienkatechetinnen.
Hier in der Gemeindeseelsorge und in der Jugendarbeit dieser dreizehn Jahre, die Prof. Neuhäusler im nachhinein als seine schönste Zeit bezeichnet, verwurzelte sich die intensive Beschäftigung mit dem Neuen Testament.
Nach mehreren vergeblichen Versuchen, in die Japanmission zu gelangen, erhielt E. Neuhäusler – gleichsam als Abschlagszahlung – 1950 die Stelle eines Landessekretärs im Ludwig-Missions-Verein, eine reine Schreibtischarbeit, unterbrochen durch die Leitung von Pilgerzügen.

So war für ihn der Schritt zurück in die Wissenschaft zwar überraschend, aber nicht unangenehm: Auf Angebot Paschers, des Direktors des Georgianums, übernahm er Stellung und Aufgabe eines Subregens, was mit einer Stelle als wissenschaftliche Hilfskraft am dogmatischen Seminar von Schmaus verbunden war. E. Neuhäusler begann mit einer Doktorarbeit bei dem Missionstheologen Ohm aus Münster über Shinran und die paulinische Rechtfertigungslehre. Nach einem dreiviertel Jahr intensiver Übersetzungsarbeit wurden ihm sämtliche Unterlagen gestohlen, so daß er mit knapp vierzig Jahren wieder einmal am Anfang stand.
E. Neuhäusler bearbeitete daraufhin eine von Prof. Josef Schmid für das Jahr 1952/53 ausgegebene Preisarbeit über die Weisungen Jesu, welche am 8. 7. 1953 angenommen wurde, 1960 in gekürzter Form veröffentlicht und ins Amerikanische und Französische übersetzt wurde. Nach der Promotion mit dieser Arbeit am 12. 2. 1955 erhielt Dr. E. Neuhäusler am 1. 3. 55 eine wissenschaftliche Assistentenstelle und wurde auf Empfehlung Paschers am 1. 11. 1955 zum kommissarischen Vertreter des Lehrstuhls für neutestamentliche Exegese in Dillingen ernannt als einer der Nachfolger seines Lehrers Prof. J. Schmid.
Forschung und Lehre sollten nun für die nächsten 25 Jahre zunächst an der Philosophisch-Theologischen Hochschule in Dillingen und seit 1970 an der Katholisch-Theologischen Fakultät der Universität Augsburg zum neuen Arbeitsfeld werden. In Dillingen begann Neuhäusler mit dem Aufbau einer wissenschaftlichen Ansprüchen genügenden neutestamentlichen Bibliothek, was bei den gering vorhandenen Mitteln gar nicht so einfach war und sich erst mit der großzügigeren finanziellen und personellen Ausstattung in Augsburg änderte.
Prof. Neuhäusler wohnte während der ganzen Zeit weiterhin in München, betreute dort in St. Paul einen Beichtstuhl und gründete eine aus seiner Jugendarbeit als Kaplan hervorgegangene integrierte Gemeinde, mit welcher er zusammen eine Kapelle errichtete. Für die Gemeinde entwickelte er im Zuge der liturgischen Erneuerungsbewegung mit Wissen seines Freundes Kardinal Julius Döpfner neue Formen der Gottesdienstgestaltung und der Feiertagsliturgien. Daneben hielt er häufig Einkehrtage und Exerzitien, u.a. in Ettal, Maria Laach und Beuron.

Prof. Neuhäusler arbeitete auch mit Bischof Josef Stimpfle, den er noch aus dessen Dillinger Zeit als Subregens kannte, auf homiletischem Gebiet zusammen. Um den Kontakt zwischen Bischof und Theologischer Fakultät in Augsburg zu fördern, unterstützte er maßgeblich die Einführung von regelmäßigen gemeinsamen Konferenzen.

Leider scheiterten in der damaligen Aufbauphase der Theologischen Fakultät seine Bemühungen um die Errichtung eines judaistischen Instituts. Die Erforschung des neutestamentlichen Judentums in seinen mannigfaltigen Ausprägungen und seiner historischen und religionsgeschichtlichen Entwicklung war eines seiner besonderen wissenschaftlichen Anliegen.
Trotz seiner vielfältigen Tätigkeiten maß Prof. Neuhäusler den größten Stellenwert seiner Lehrtätigkeit bei: Er las über die verschiedensten Teile des Neuen Testamentes, auch wenn sein Schwerpunkt auf der Jesusverkündigung, der paulinischen Theologie und, damit verbunden, der Gnosisforschung lag. Entsprechend seinem das fachspezifische Wissen übergreifenden Interesse lud er öfters zu interdisziplinären Veranstaltungen ein.
In den letzten Jahren zog sich Neuhäusler mehr und mehr aus der administrativen Fakultätsarbeit zurück, wo er in den verschiedensten Gremien vertreten war, und widmete sich wieder vermehrt seinen buddhistischen Forschungen. Studienreisen nach Japan, die er auch auf seine Weise als missionarische Tätigkeit versteht, mit Vorträgen an den Universitäten von Tokio und Kagoshima, z.B. über das „Ich und Selbst bei Paulus, in der Gnosis und dem Mahayana-Buddhismus" knüpfen so unter veränderten Vorzeichen an seine früheren Missionspläne an.

Prof. Neuhäuslers Lebensweg und Interessen sind in vielem ungewöhnlich und facettenreich. Ihn einordnen zu wollen – konservativ : progressiv – scheiterte immer wieder, und so kann es auch hier nicht gelingen. Er hätte von seinen Interessen und Studien her Naturwissenschaftler, Architekt, Philosoph, Dogmatiker, Religionswissenschaftler und Missionar werden können. Zwei Dinge aber stehen in der Vielfalt zentral: Die Ehrfurcht vor der Bibel und, nicht zufällig, eine ganz natürliche Menschlichkeit.

E. Neuhäusler kann zuhören, auf den Hörer oder Redner eingehen, betroffen werden und betroffen machen. Er systematisierte nicht und hielt öfters Fragen offen, wenn die Fragewürdigkeit durch die Parade der Antworten eher zu verschwinden drohte.

So konnten seine Vorlesungen in manchen Punkten auch fragmentarisch bleiben, sie zeigten Schwierigkeiten auf und hatten ihr „gutes" Ende eher in dem Ansporn der Hörer zur Bereitschaft, sich selbst auf den Weg zu begeben: sie öffneten Wege, deren Begehbarkeit auch den Mut des eigenen Betretens erforderte und die eben nicht von Anfang an das lohnende Ziel in Aussicht stellten.

Daß weder die „Lehre" Jesu noch der Mensch noch beide miteinander in einem System aufgehen, dem versuchte der Lehrer und Forscher Engelbert Neuhäusler in eindrucksvoller und ansprechender Weise treu zu bleiben. So wollte und will er, gerade auch weil er als Lehrer immer auch Suchender war, unterwegs sein und dort angetroffen werden: bei dem Bestreben, *μαθητευθεὶς τῇ βασιλείᾳ* zu werden.

Augsburg, im Mai 1981 Peter Fassl

Überlegungen zur alttestamentlichen Eschatologie

Rudolf Kilian

I.

Eschatologie. Ein überaus schillernder Begriff. Er wird auch nicht viel eindeutiger, wenn man sich auf die alttestamentliche Eschatologie, auf die alttestamentlichen Aussagen vom Ende bzw. von der Zukunft, beschränkt (1). Was wird unter diesem Terminus nicht alles verhandelt (2)! Doch lassen sich trotzdem zunächst zwei Grundrichtungen ausmachen. Die eine geht aus von einer grundsätzlichen Zukunftsgerichtetheit alttestamentlicher Aussagen. So kann man dann schon in Gen 12,2f (J) eschatologische Aspekte erkennen (3), indem hier eine Abraham und seine unmittelbare Zukunft übersteigende, sich in die Ferne prolongierende Zukunft eröffnet wird, in der aller Welt Gottes Heil zukommt. Dieses Heil ereignet und verwirklicht sich in einem geschichtlichen Kontinuum. Israel wird ein großes und bedeutsames Volk, durch das die Völker Segen erlangen. In der Tat läßt sich vielleicht eine solche Linie in Israel bis zum Jahr 587 v. Chr. nachweisen, zumindest mit entsprechenden Hilfskonstruktionen vermuten. Die Hoffnung auf die Hilfe Jahwes und eine durch sie gewährleistete Zukunft im Geschichtskontinuum zeigt sich nicht zuletzt in der Heilsprophetie der Zeit zwischen 597 und 587 v. Chr..

Die Katastrophe von 587 v. Chr. zerstörte die Sicherheit einer Existenz im Heil, stellte somit auch die im Geschichtskontinuum erwartete Zukunft in Frage. Die eigenen Pläne einer Selbstverwirklichung auf Zukunft hin – natürlich immer unter Berufung auf göttliche Zusagen, wie könnte es anders sein! – waren gescheitert. Die Möglichkeiten Israels waren erschöpft. Israels Ohnmachtserfahrung in dieser Zeit, die Erfahrung der Verlorenheit in der Geschichte, führte indes zu einer Neubesinnung.

War alles zerbrochen, worauf man bislang vertraut hatte, so konnte man die Hoffnung auf Zukunft entweder aufgeben – weil die geschichtliche Erfahrung die früheren Erwartungen Lügen gestraft hatte – oder man mußte eine neue Zukunft von Gott her erwarten. Sollte es für Israel überhaupt noch sinnvoll weitergehen, dann konnte das nur noch von Gott in die Wege geleitet werden. – So erwartete man denn schließlich eine von Jahwe herbeigeführte Wende des Geschickes Israels und eine Wende der Weltgeschichte. Nur noch durch eine solche Wende konnte für Israel Zukunft eröffnet werden.

Geht man von der historischen Situation Israels nach 587 v. Chr. aus, dann kann man am ehesten jene exilischen und nachexilischen Texte verstehen, die man gemeinhin als eschatologisch bezeichnet. Und alttestamentliche Eschatologie müßte man dann in der Weise verstehen, daß in ihr von einer endgültigen Wende der bestehenden Verhältnisse die Rede ist. Es ist jedoch keine Wende, die sich einfachhin aus dem bisherigen Geschichtskontinuum ergibt, gleichsam als folgerichtige Fortsetzung des Bisherigen, vielmehr erfolgt sie durch einen direkten Neueingriff Jahwes in die Geschichte, der für das eschatologische Geschehen selbst konstitutiv ist. Ob sich dieser Neueingriff Jahwes im Rahmen üblicher Geschichte vollzieht, ob er ein ganz neues Zeitalter heraufführt oder ob er gar kosmische Dimensionen erreicht, das kann dahingestellt bleiben. Für alle diese Möglichkeiten lassen sich entsprechende Texte im Alten Testament finden, so daß sich in der alttestamentlichen Eschatologie eine bunte Vielfalt abzeichnet. Dies zeigt sich nicht zuletzt auch, um noch ein weiteres Beispiel zu nennen, im Geschick der Feinde Israels, ja der Völker insgesamt. Einerseits werden sie im Umbruch vernichtet, andererseits werden sie überhaupt nicht erwähnt, oder sie werden gar in das Heil Israels miteinbezogen. Alle diese Differenzierungen werden hier übergangen, um den Blick auf den Ursprung und das Wesen und nicht auf die verschiedenen Ausformungen israelitischer Eschatologie zu lenken, um sich nicht in den Fragen nach Herkunft und Aussage einzelner Motive zu verlieren.

Von der zuerst erwähnten Eschatologiekonzeption, die auch Zukunftshoffnungen berücksichtigt, die als solche auf eine Erfüllung und Verwirklichung im üblichen Geschichtskontinuum hinzielen – wenigstens nach dem ursprünglichen Selbstverständnis der Texte –, unterscheidet sich die nach 587 v. Chr. belegbare Zukunftserwartung dadurch, daß sie eben mit einem neuen direkten Eingriff Jahwes in den bisherigen Gang der Geschichte rechnet, der eine entscheidende Wende der gegenwärtigen Verhältnisse zur Folge hat, ohne daß das, was der Wende folgt, auch schon notwendig eine absolute Vollendung besagen müßte. Im folgenden wird, wenn sich aus dem Kontext nichts anderes ergibt, Eschatologie immer in diesem zweiten Sinn verwendet.

II.

Wenn man die alttestamentliche Eschatologie mit der Katastrophe von 587 v. Chr. und der tristen Folgezeit in Verbindung bringt und zwar in der Weise, daß erst der Fall aus der Heilssicherheit und die eigene Ohnmachtserfahrung Israel für eine neue Hoffnung aufgeschlossen haben, so ist in dieser Datierung nicht nur etwas über den historischen Ursprung alttestamentlicher Eschatologie ausgesagt, sondern wenigstens ansatzweise auch schon etwas über die anthropologischen und theologischen Voraussetzungen dieser Hoffnung auf Zukunft. Erst die Erkenntnis, daß alle eigenen Pläne zur Selbstverwirklichung und hin zur vollen Erfüllung von Gen 12,2f gescheitert sind, machte Israel reif für die andere Erkenntnis, daß man in der gegenwärtigen Situation überhaupt nur noch dann Hoffnung auf Zukunft haben kann, wenn diese Zukunft von Gott geschenkt und verwirklicht wird. So gesehen scheinen der Verlust der bisherigen Glaubens- und Heilssicherheit und die Zerstörung anscheinend bewährter Denk- und Lebensmodelle fast notwendige Voraussetzungen gewesen zu sein, damit der Glaube Israels wirkliche eschatologische Dimensionen gewinnen konnte. Erst das Zerbrechen überkommener Vorstellungen befreite Israel für eine theologische Neubesinnung, in der alles Entscheidende von Gott erwartet wird.

Andererseits muß freilich ein solcher Befund auch zu denken geben. Denn sollte es in der Tat so sein, daß Israel in exilischer Zeit in religiöser wie in nationaler Hinsicht im Grunde nur die zwei Möglichkeiten hatte, sich entweder selbst aufzugeben, zu resignieren, zu verzweifeln (daß diese Gefahr bestand, bezeugt u.a. Ezechiels Vision vom Gebeinfeld, insbesondere Ez 37,11), oder sich aber mit einem trotzigen, mutigen, vertrauensvollen Dennoch zu einer neuen Zukunft zu bekennen, eben um nicht verzweifeln zu müssen, dann drängt sich doch die Frage auf, ob die alttestamentliche Eschatologie im letzten, nämlich von ihrem eigentlichen Wesen her, nicht doch nur einem existentiell irgendwie notwendig gewordenen Wunschdenken entspringt. Wer unter widrigen Umständen zu leiden hat und die Verhältnisse selbst nicht ändern kann, der kann sich selbst aufgeben oder sich in die Zukunft flüchten. Verraten nicht die meisten Themen der alttestamentlichen Eschatologie nur allzu verständliche Erwartungen, Wünsche und Sehnsüchte? Einige dieser Themen seien wenigstens genannt: Umsturz der bestehenden Machtverhältnisse; Demütigung und/oder Vernichtung der Feinde; Befreiung aus der Macht der Babylonier; Heimkehr nach Jerusalem; Gottes sichtbare Herrschaft auf dem Zion.

Dem Verdacht, alttestamentliche Eschatologie sei nur ein allzu verständliches Wunschdenken, könnte man auf einfachste Weise dadurch begegnen, daß man nachzuweisen versucht, daß die israelitische Eschatologie nicht erst der Misere nach 587 v. Chr. entstammt, sondern schon wesentlich früher zu belegen ist, u.U. mit einem Verweis auf den Jahwisten (Gen 12,2f). Sollten nämlich die eschatologischen Erwartungen Israels schon so alt sein, sollten sie gar schon in den Glanzzeiten Israels entwickelt worden sein, dann entfällt quasi von selbst das Argument, die Notzeit nach 587 v. Chr. habe erst eine derartige Flucht in die Zukunft produziert. Ob jene Exegeten, die eine frühe Eschatologie vertreten, sich einer solchen Apologie bewußt sind, mag dahingestellt oder auch bezwei-

felt werden. Wahrscheinlich argumentieren sie — mehr oder weniger reflektiert — nur mit dem altbekannten Vorverständnis: je älter eine theologische Aussage ist, um so gewichtiger ist sie!
Ein solcher Beweisgang ist freilich nicht überzeugend. Denn wenn man vorexilische "eschatologische" Texte mit exilisch-nachexilischen eschatologischen Texten vergleicht, dann ergeben sich doch ganz erhebliche Differenzen. Nach 587 v. Chr. reden die Texte von der zu erwartenden Zukunft nicht nur in einer anderen Sprache — das Vokabular ist ein anderes, auch wenn mitunter ältere Termini aufgegriffen und verwendet werden —, sie weisen auch eine andere theologische Dimension auf. Diese steht dann allerdings im Verdacht, israelitischem Wunschdenken zu entsprechen. Wie groß die Diskrepanz zwischen vorexilischen und exilisch-nachexilischen Texten ist, wenn sie von einer möglichen oder sicheren Zukunft reden, hat am deutlichsten G. Fohrer in seinem fundamentalen Beitrag zur alttestamentlichen Eschatologie zum Ausdruck gebracht (4).

III.

Da die Ausführungen G. Fohrers leicht zugänglich sind, seine wichtigsten Positionen zudem als bekannt vorausgesetzt werden dürfen, müssen sie hier nicht wiederholt werden. Es genügen ein paar wesentliche Hinweise. Nach G. Fohrer verhält es sich so, daß die eschatologischen Propheten zwei Zeitalter unterscheiden und sie sich am Ende des einen und an der Schwelle des anderen stehen sehen (5). Die klassische vorexilische Prophetie sieht Israel ob seiner Sünde in einer grundsätzlichen Unheilssituation und stellt das Volk vor ein Entweder—Oder der Vernichtung oder der Rettung, je nachdem ob die Möglichkeit der Umkehr noch ergriffen wird, ob sie überhaupt noch ergriffen werden kann. Dagegen vollzieht die eschatologische Prophetie eine Umdeutung des Entweder—Oder in ein zeitliches Vorher—Nachher, und dies geschieht "unter dem nachwirkenden Einfluß der alten, von den großen Einzelpropheten schroff abgelehnten Heilsprophetie, die besonders in kultprophetischen Kreisen beheimatet war" (6).
Abschließend kann G. Fohrer dann feststellen: "So bildet die

eschatologische Prophetie und Theologie gewiß einen tiefen Einschnitt und eine große Umwandlung des alttestamentlichen Glaubens – wie vorher die Infragestellung der grundsätzlichen Heilssituation durch die großen Einzelpropheten und später die Verpflichtung auf das Gesetz durch Esra. Wie dieses Vorgehen Esras jedoch den alttestamentlichen Glauben verfälscht und in bedenkliche Bahnen gelenkt hat, so ist die eschatologische Prophetie das Ergebnis der epigonalen Entartung der vorexilischen Prophetie" (7).

Sosehr nun die Einzelbeobachtungen und die Materialzusammenstellungen G. Fohrers von Bedeutung und weithin auch zutreffend sind, so erhebt sich doch die Frage, ob die exilisch-nachexilische Eschatologie nur eine epigonale Entartung der vorexilischen Prophetie ist und ob sie nur im Gefolge der kultischen Heilsprophetie begriffen werden kann.

Zunächst einmal verabsolutiert G. Fohrer die Botschaft der vorexilischen Propheten, so daß sie zum letztgültigen Maßstab für die anderen alttestamentlichen Überlieferungen und Aussagen wird. Gewiß kommt den vorexilischen Schriftpropheten eine überaus große Bedeutung innerhalb des Alten Testamentes zu, aber ihre Verkündigung ist keine umfassende, objektive Wiedergabe des israelitischen Glaubens, weil sie jeweils Kritiker ihrer Zeit waren und als Kritiker sich nur mit Fehlentwicklungen befaßt haben. Zum anderen ist zu fragen, ob die eschatologische Prophetie und Theologie tatsächlich an die vorexilische Heilsprophetie, die kultisch und institutionell gebunden war, anknüpft.

Sucht man das theologische Fundament der eschatologischen Prophetie nach 587 v. Chr. auszumachen, so zeigt sich, daß ihre wesentlichen Heilserwartungen eine vorexilische Vorgeschichte haben. Diese Vorgeschichte freilich ist selbst noch nicht eschatologischer Art, auch wenn dies mitunter behauptet wird. Als Israel erfahren mußte, daß durch das Geschehen von 587 v. Chr. alles zerbrochen war, worauf man bislang gebaut und gehofft hatte – u.a. auf die anscheinend im Tempel verbürgte hilfreiche Gegenwart Jahwes, auf einen falsch verstandenen und falsch gelebten

Erwählungsglauben, auf einen geradezu automatisch oder magisch wirkenden Kult infolge einer unguten Vermischung von Jahwe- und Baals-Religion, auf eine klug abgesicherte Bündnispolitik –, als alle diese vordergründigen menschlichen Spekulationen und Absicherungen zerbrochen waren, da beriefen sich die bekannten und unbekannten eschatologischen Propheten auf die Grunddaten israelitischen Glaubens. Und allein in ihnen ist die alttestamentliche Eschatologie nach 587 v. Chr. verankert.
Wenn inhaltliche Zusammenhänge mit der vorexilischen Heilsprophetie belegbar scheinen, wenn exilisch-nachexilische Eschatologie mit der älteren kultischen Heilsprophetie übereinzustimmen scheint, so ist dabei zu beachten, daß sich auch die Heilsprophetie jener Grunddaten israelitischen Glaubens bedient hat, die dann auch in der eschatologischen Prophetie wieder aufgegriffen werden.
Damit diese Behauptung nicht ungeschützt und unbegründet im Raum steht, sei wenigstens kurz ein Beispiel angeführt. Wenn die Heilspropheten zu Jerusalem zur Zeit Zedekias dem König Erfolg, Glück und ähnliches zusagen, dann argumentieren sie de facto auf der Basis und im Rahmen der überkommenen höfischen Davidstradition, die sie auf ihre Weise aktualisieren. Im selben Traditionskreis bewegen sich nun aber auch die eschatologisch-messianischen Propheten der Spätzeit, von denen man im Anschluß an G. Fohrer annehmen müßte oder sollte, sie wären nur eine Fortsetzung der höfisch-kultischen Heilsprophetie, wie sie u.a. auch in gar manchen Königsliedern bezeugt ist.
Vergleicht man jedoch derartige höfisch-kultische Heilsprophetie mit Mi 5, um nur einen nachexilischen Text zu nennen, dann zeigt sich ein immenser Unterschied, der ergibt, daß Mi 5,1–5 eben keine Fortsetzung der vorexilischen Heilsprophetie ist. Denn in Mi 5 werden nicht einem lebenden Regenten Judas langes Leben, glückliche Herrschaft, politischer und militärischer Erfolg zugesagt, da wird nicht Bestand dem zugesichert, was jetzt zu Jerusalem ist. Nein, da geht es um einen künftigen Herrscher, der nicht die Jerusalemer Tradition fortsetzt, sondern einen Neubeginn impliziert, weil sein Ursprung nicht zu Jerusalem, sondern zu Bethlehem ist. An das Königtum zu Jerusalem anzuknüpfen empfiehlt sich zur Zeit dieser Prophetie offensichtlich nicht mehr – weil es ja gar

nicht mehr besteht –, nein, wenn es tatsächlich weitergehen soll, dann muß Gott wirklich noch einmal von vorne beginnen, bei Isai zu Bethlehem. (Dieselbe Aussage findet sich auch in Jes 11,1, wo aus dem Baumstumpf Isais ein neues Reis emporwächst.) Es ist schließlich auch nicht zu übersehen, daß in Mi 5 der Kommende gerade nicht *mäläk* genannt, sondern als *moschel* bezeichnet wird.

Zu den Traditionen, die sich in der exilisch-nachexilischen Eschatologie finden, mit denen implizit oder explizit argumentiert wird, die nicht nur bildhaft verwendet werden, sondern in ihrer Bildhaftigkeit auch in die Aussage selbst eingehen, gehören vor allem Überlieferungen aus der Moseszeit (8). Im Exodusgeschehen hatte Israel einst seinen Gott erfahren als den großen Erretter, Befreier und Führer. Weder eine politische Macht (Ägypten) noch die Naturgewalt des Meeres konnten ihn in seinem Erlöserwillen hemmen. Er überwand alle Widerstände, auch die Gefahren der Wüste. Er führte sein Volk in das ihm zugesagte Land. Diese Überlieferungen bekamen nach 587 v. Chr. für die Exilierten eine erregende Aktualität. Sie waren wie einst die Gruppe um Mose in fremdem Land, unfrei, der Willür anderer ausgeliefert. Sie hofften auf Befreiung und auf die Rückkehr in das ihnen zugesagte Land. Sie konnten so ihre Situation mit der Situation der Ägyptengeneration identifizieren. Ihre Hoffnung auf eine Wende ihres Geschickes konnte erstarken, wenn sie dessen gedachten, was der Herr damals für die Seinen getan hatte, als er unmöglich Scheinendes Wirklichkeit werden ließ. Wenn aber Jahwe einst solches getan hatte, wenn er alle Widerstände brechen, wenn er in der Wüste Wasser aus dem Felsen spenden konnte, dann hatte er damals bereits bewiesen, was in seiner Macht steht, was er erneut Wirklichkeit werden lassen kann. Der wiederholt, ja häufig anzutreffende Rekurs auf die mit dem Exodus verbundenen Ereignisse ist so nicht nur historische Reminiszenz, sondern ist Grund der Hoffnung auf eine neue Zukunft, in der auch Unmögliches möglich wird, so Jahwe noch zu den Seinen steht, so der von Israel gebrochene Bund trotzdem noch weiterbesteht.
Folgerichtig findet sich denn auch in exilisch-nachexilischer Zeit und in deren Eschatologie die Bundesüberlieferung. Israel hat nämlich nur dann noch eine Zukunft, wenn Jahwe nach wie vor zum

ehemals geschlossenen Bund steht. Wie wichtig diese Frage nach 587 v. Chr. ist – schließlich lassen der Untergang Jerusalems und die Zerstörung des Tempels, des Wohnsitzes Jahwes, des Herrn der Heerscharen, ja vermuten, daß sich Jahwe von seinem Volk losgesagt hat –, zeigt nicht zuletzt die exilische priesterliche Grundschrift, in der in Gen 17 gleich von allem Anfang an der Bund Gottes mit Israel als ewiger Bund charakterisiert wird, also ein Bund, der die Zeiten überdauert (Gen 17,7.19) (9). Wie sehr sich die Eschatologie im Rahmen des Bundesgedankens bewegt, zeigen eindeutig, um nur zwei Beispiele zu nennen, Jer 31,31–34 und Jes 50,1. Der alte Bund besteht noch oder er wird auf eine neue Weise fortgeführt. So ist auch der Bund nicht nur eine historische Reminiszenz, sondern nach wie vor eine lebendige Wirklichkeit, Jahwe hat sich nicht losgesagt, er hat keine Scheidungsurkunde ausgestellt. Weil dem so ist, kann Israel noch hoffen, hat es noch eine Zukunft. (Von der andauernden Zuneigung Jahwes zu seinem Volk sprechen denn auch Jes 49,14f, selbst wenn hier nicht direkt von einem Bund die Rede ist.)

Große Bedeutung erlangt in der Eschatologie auch die Schöpfungstradition. Dabei geht es nicht nur um Vorstellungen, die mit Paradieseszeit und Endzeit zusammenhängen, wiewohl sich auch solches in der eschatologischen Prophetie findet, viel mehr und primär handelt es sich hierbei um den großen Machterweis Jahwes, den er einst statuiert hat. Denn durch das Geschehen von 587 v. Chr. war nicht zuletzt auch die Macht Jahwes fragwürdig geworden. Sind die Götter Babylons nicht doch mächtiger, da sie ihren Heeren den Sieg über Israel schenkten? Diesem Einwand begegnet die eschatologische Prophetie u. a. damit, daß sie auf den Schöpfergott Jahwe verweist, der einst aus dem Chaos den Kosmos geschaffen hat. Der Verweis auf Chaos und Kosmos darf historisiert dann wohl auch in der Weise verstanden werden, daß Jahwe, der einst aus einem vorweltlichen Chaos einen geordneten Kosmos schaffen konnte, jetzt auch in der Lage ist, aus einem historischen Chaos für Israel einen Kosmos, einen Schalom–Zustand für Israel zu schaffen.

In diesem Zusammenhang muß schließlich auch noch auf die zahlreichen Entsprechungsmotive, die sich in der alttestamentlichen

Eschatologie finden, hingewiesen werden (10). Sie alle knüpfen an Vergangenes an. Wenn die eschatologische Prophetie solche Beispiele, solche Motive aufgreift, dann tut sie es, weil sie vom Künftigen nur reden kann in den Kategorien des bereits Erfahrenen. Das bereits Erfahrene wird zum Bild für das zukünftig zu Erwartende. Wie anders kann man sich denn Künftiges sonst vorstellen? Die Begrenztheit der bisherigen Erfahrung und der bisherigen Vorstellungen (dies gilt besonders für Schöpfungs- und Paradiesesvorstellungen) wird so notgedrungen auch zur Begrenztheit der Eschatologie.

Andererseits ist zu beachten, daß in diesen Entsprechungsmotiven auch nicht nur historische Reminiszenzen aufgewärmt werden, sondern daß hier zugleich versucht wird, im einstigen Tun Jahwes typisches Tun Jahwes zu erkennen (11). Weil Jahwe ein Gott ist, der einst und immer wieder in der Geschichte Israels die Seinen gerettet hat, sie auch aus aussichtslosen Situationen gerettet hat, deshalb ist er ein Rettergott, auf den man auch künftig vertrauen kann. Weil er sich einmal zu den Seinen in einem Bundesschluß bekannt hat, deshalb darf man vertrauen, daß er sich auch künftig zu den Seinen bekennen wird. Schließlich hat er sich den Seinen in Ex 3,14 doch kundgetan als ein Gott, der für Zukunft offen ist. "Ich bin der, als der ich mich erweisen werde" (12). Sein Offenbarungsfeld ist demnach nicht nur die vergangene, sondern auch die zukünftige Geschichte.

Zieht man aus diesen aufgezeigten Fakten nun ein Fazit, dann ergibt sich, daß kein absoluter Bruch besteht zwischen den vorexilischen Glaubenstraditionen Israels und der exilisch-nachexilischen Prophetie. Letztere baut vielmehr auf dem Vorgegebenen auf, sie aktualisiert nur das, was Israel bisher schon geglaubt hat. Neu ist zunächst nur, daß man das Künftige nicht mehr als eine Möglichkeit innerhalb des Geschichtskontinuums erwartet, sondern als einen Neueingriff Jahwes in die gegenwärtige Geschichte erhofft. Zugleich muß im Rahmen dieser Überlegungen jedoch immer festgehalten werden, daß die aufgenommenen Traditionen als solche selbst nicht eschatologischer Art sind; sie sehen kein direktes, erneutes Eingreifen Jahwes vor, durch das eine Geschichtswende herbeigeführt wird. Erst durch den Einbezug in einen neuen theologischen Kontext gewinnt das Überlieferte eine eschatologische Dimension.

IV.

Bedenkt man die Eschatologie Israels und ihren Rückgriff auf Vorgegebenes, dann ist in diese Überlegungen auch die sogenannte Relecture bzw. Neuinterpretation einzubeziehen, deren sich gerade die eschatologische Theologie in ganz besonderer Weise bedient hat (13). Relecture schafft nicht völlig frei, sondern schließt an vorgegebene Texte und Vorstellungen an, führt sie dann allerdings unter Berücksichtigung der jeweiligen historischen und theologischen Situation, in der die einzelnen Neuinterpreten stehen, weiter. Mit Hilfe der Relecture konnte die eschatologische Prophetie neue Aussagen wagen, ohne sich – nach ihrem eigenen Verständnis – von der Tradition zu trennen. Sie ermöglichte eine Aktualisierung des alten Glaubens, die dem Gegenwärtigen gerecht zu werden versuchte. Daß sie nur frühere kultische oder höfische Heilsprophetie aktualisiere, nur auf ihr aufbaue, kann zwar behauptet, aber nicht bewiesen werden. Wenn in ihr heilsprophetische Elemente begegnen, so nicht zuletzt deshalb, weil sich auch die Heilsprophetie der Überlieferung bedient und diese auf ihre Weise 'ausgeschlachtet' hat. Das Gemeinsame von Relecture und älterer Heilsprophetie ist somit nicht mittels einer direkten Abhängigkeit und Fortführung zu erklären, sondern ist zurückzuführen auf die beiden Strömungen gemeinsamen Traditionen, auf denen sie basieren. Schließlich darf nicht übersehen werden, daß zwischen der kultisch höfischen Heilsprophetie und der Relecture der eschatologischen Prophetie die Katastrophe von 587 v. Chr. liegt, die zu einer wirklichen Neubesinnung geführt hat, weil ja gerade sie die ältere Heilsprophetie nicht nur in Frage gestellt, sondern Lügen gestraft hat. Gerade die Ernüchterung von 587 v. Chr. verbietet es, Relecture und Heilsprophetie in unmittelbaren Zusammenhang zu bringen, auch wenn gewisse Gemeinsamkeiten nicht zu leugnen sind.

Ob nun die eschatologische Prophetie eine epigonale Entartung der vorexilischen Prophetie ist (14), oder ob sie nur eine zeitgerechte

Fortsetzung der überlieferten Traditionen Israels ist, die durch den totalen Zusammenbruch von 587 v. Chr. mitbedingt ist, das ist eine Frage des persönlichen Ermessens und des persönlichen Vorverständnisses von Prophetie und Theologie. Jedenfalls konnte nach 587 v. Chr. die vorexilische Prophetie so nicht mehr weitergeführt werden. Das von ihr angesagte Gericht ist eingetroffen. Ein Entweder–Oder im Sinne von G. Fohrer ist gar nicht mehr gegeben, ganz abgesehen von der Frage, ob es realiter überhaupt ein solches Entweder–Oder in der vorexilischen Prophetie gegeben hat. Der Berufungsbericht Jesajas (15) und Texte wie Jer 13,23 lassen an einer solchen Möglichkeit Zweifel aufkommen. Mehr als ein Gerichtsende haben diese Propheten für die Zukunft nicht angekündigt, sieht man einmal von Hosea und von sekundären Erweiterungen der vorexilischen Prophetie ab. Was nach dem Gericht folgen wird, darüber hat sich die vorexilische Prophetie ausgeschwiegen. Sollten die Geschichte und der Glaube Israels mit 587 v. Chr. nicht bereits ihr definitives Ende gefunden haben, sollte es wirklich weitergehen – und de facto ging es ja auch weiter, wenn freilich auch unter anderen Bedingungen –, dann konnte man nicht einfach das Alte wiederholen, dann mußte notgedrungen Neuland beschritten werden, dann mußten die überkommenen Traditionen aktualisiert, neu interpretiert werden, dann mußten sie auf eine neue Zukunft hin befragt und gedeutet werden, andernfalls hätten sie nur noch musealen Wert gehabt, wären allenfalls noch für einen nachträglichen Schuldaufweis von Nutzen gewesen. In dieser Art kann man das Deuteronomistische Geschichtswerk verstehen.

Wenn sich die eschatologische Prophetie von einem zunächst überholten Entweder–Oder (später finden sich erneute Umkehrforderungen, vgl. Sach 1,3; Mal 3,7; Joel 2,13) abwendet und den Geschenkcharakter, das Unverdiente künftigen Heils betont – Jahwe handelt so um seiner selbst willen –, dann kann man darin nur einen Abstieg oder gar eine Entartung sehen, wenn man auch den Geschenkcharakter der neutestamentlichen Erlösung entsprechend interpretiert oder gänzlich ignoriert. Zwar finden sich auch in der neutestamentlichen Tradition Umkehrforderungen, sie ändern jedoch nichts an der grundsätzlichen Geschenktheit des Heils. Die immer neuen Entscheidungen finden nun einmal — glücklicherweise — im endgültigen Heilszustand ihr Ende, und von diesem Heilszustand kündet die eschatologische Prophetie, wenn auch noch in menschlich unvollkommener Weise, weil sie Kind ihrer Zeit ist, gar nichts anderes sein kann.

V.

Die Frage nach dem Ursprung eschatologischer Prophetie im Alten Testament wurde bereits angeschnitten, aber noch nicht geklärt. Einerseits waren es gewiß die historischen Ereignisse von 587 v. Chr. und danach, die eine neue Zukunft ins Spiel brachten. Der Zusammenbruch konnte Ende oder auch Neuanfang sein. Das Alte Testament bezeugt in seinem Fortgang eine Neubesinnung und neue Hoffnung. Daß diese Zukunftserwartung u. U. nur menschlichem Wunschdenken entspricht, wurde ebenfalls schon erwähnt. Doch reichen die geschichtliche Erklärung und das Postulat 'Wunschdenken' — wiewohl natürlich solches auch und nicht zu knapp mit im Spiel ist — nicht aus, das Phänomen alttestamentlicher Eschatologie hineichend zu begründen. Denn andere Völker des Alten Orients hatten ähnliche nationale Katastrophen erlebt und haben doch keine derart dezidierte Eschatologie wie Israel entwickelt. Die Umwelt Israels hat nichts Entsprechendes hervorgebracht (16).

Allein schon aus diesen nur kurz angedeuteten Überlegungen dürfte deutlich geworden sein, daß man die israelitische Eschatologie nicht einfach von den Ereignissen um und nach 587 v. Chr. ableiten und sie auch nicht zwingend von menschlichem Wunschdenken her erklären kann. Berücksichtigt man das, was bereits oben bei der Erwähnung der Entsprechungsmotive und der Traditionen von Exodus, Bund und Schöpfung ausgeführt wurde, dann deuten diese Gegebenheiten doch eher darauf hin, daß man den Ursprung, also die letzte Verwurzelung der alttestamentlichen Eschatologie im Glauben Israels selbst zu suchen hat. Das kann jedoch nicht besagen, daß die historischen Ereignisse um und nach 587 v. Chr. und menschliches Wunschdenken bei der Genese und Entwicklung der alttestamentlichen Eschatologie keine bedeutsame Rolle gespielt hätten. Denn gerade sie dürften das auslösende Moment gewesen sein, das eine Neuorientierung und damit den Prozeß der Eschatologie in Gang gesetzt hat. Aber sie konnten wiederum nur deshalb so effektiv werden, weil der Glaube Israels selbst zukunftsgerichtet war. Zwar war er in der zurückliegenden Vergangenheit noch nicht ausgerichtet auf eine eigentlich eschatologische Zukunft, die eine Wende des Geschickes durch Jahwe erwartet, so zielte er doch auf eine Zukunft innerhalb des Geschichtskontinuums hin. War dieses Kontinuum nun einmal unterbrochen – und so wurden damals anscheinend die Ereignisse von 587 v. Chr. verstanden, man erfuhr sich als ein aus dem Heilszustand gefallenes Volk –, so war der Glaube Israels doch offen für eine neue, von Gott geschenkte Zukunft, von der Jahwe durch Deuterojesaja spricht: "Ich erschaffe jetzt etwas Neues. Schon wächst es heran, merkt ihr es nicht?" (Jes 43,19).

Wie sehr der alttestamentliche Glaube auf Zukunft ausgerichtet ist, zeigen allein schon die zahlreichen Verheißungen, die Israel auf seinem Weg durch die Geschichte begleiten, die Israel immer auf eine Zukunft hin leben lassen. Verheißungen kennzeichnen insbesondere die Väterreligion und bestimmen die Exodustraditionen. Verheißungen beschließen auch die wichtigsten Gesetzeskorpora, das Bundesbuch, das Deuteronomische Gesetz und das Heiligkeitsgesetz.

Wenn man so mehr oder weniger genötigt ist, die alttestamentliche Eschatologie auf den Glauben Israels zurückzuführen, so genügt ein Rekurs auf die bereits erwähnten Fakten und Credenda der alttestamentlichen Überlieferung doch noch nicht völlig, wiewohl sie alle bedeutsam sind. Letztlich entscheidend ist das alttestamentliche Gottesbild selbst. Was Israel von seinem Gott gedacht, wie es ihn sich vorgestellt, wie es ihn geglaubt hat, wie es ihn bislang erfahren, wie es diese Erfahrungen interpretierend weitergegeben hat, das hat als letzter und eigentlicher Ursprung israelitischer Eschatologie zu gelten. Nur weil Jahwe verstanden und geglaubt wurde als ein Gott, der die Geschichte bestimmt hat und auch weiterhin bestimmen wird, der die Seinen erwählt und geführt hat und sie auch weiterhin führen wird, der sich den Seinen auf Zukunft hin zugesagt hat, deshalb konnte dieses Volk auch noch an eine Zukunft von eschatologischer Dimension glauben, trotz der Katastrophe von 587 v. Chr., in der gar vieles in die Brüche gegangen war, in der gar manche Traditionen und Institutionen mehr als nur fragwürdig geworden waren. Der Glaube an Jahwe, den Gott Israels, der nach elohistischer Interpretation ein Gott ist, der sich nicht nur für die Geschichte Israels in der Zeit zwischen Mose und dem Elohisten als Gott erwiesen hat, sondern der sich auch künftig erweisen wird ("Ich bin der, als der ich mich erweisen werde!" Ex 3,14) (17), dieser Glaube ermöglichte eine Hoffnung auf Zukunft. Und je weniger die historische Situation eine solche Hoffnung tunlich und sinnvoll erscheinen ließ, weil die Lage nachgerade hoffnungslos verfahren schien, je mehr man sich bereits in der Todessphäre wußte (18), um so deutlicher mußte gerade der eschatologische Charakter dieser neuen Zukunft betont werden. Die Erfahrung der eigenen Ausweglosigkeit und der Glaube an Jahwe als einen Gott auch und gerade der Zukunft erschlossen und ebneten für Israel den Weg in die eschatologische Hoffnung (19).

VI.

Gegen die hier vorgelegte Konzeption der alttestamentlichen Eschatologie, die erst nach den Ereignissen von 587 v. Chr. mit einer wirklich qualifizierten Eschatologie rechnet und diese vor allem der vorexilischen Prophetie abspricht, sträubt sich m. E. nur die Prophetie Hoseas im 8. Jh. v. Chr. Denn Hosea bezeugt in der Tat eine eschatologische Zukunft. Israel hat nach seiner Aussage zwar seine Vergangenheit und seine Gegenwart verwirkt und ist deshalb gerichtsreif. Doch ist bei ihm das Gericht über Israel nicht das letzte Wort Gottes über sein Volk. Im Gericht selbst schenkt er eine unverdiente Zukunft, weil er sein Volk liebt. "Mein Herz kehrt sich gegen mich, all mein Mitleid entbrennt" (Hos 11,8). Da die von Hosea unmittelbar vor dem Untergang des Nordreiches entwickelte Eschatologie jedoch unbeachtet verhallt sein dürfte, da die exilisch-nachexilische Eschatologie auch nicht direkt daran anknüpft und da sich schließlich ein eigener Beitrag dieser Festschrift mit den entsprechenden Aussagen Hoseas befaßt, kann hier auf eine eingehende Erörterung verzichtet werden.

Anmerkungen:

1 S. bes. G. Wanke, "Eschatologie". Ein Beispiel theologischer Sprachverwirrung, in: H. D. Preuß (Hrsg.), Eschatologie im Alten Testament, Darmstadt 1978 (Wege der Forschung Bd. 480), S. 342–360 (= Kerygma und Dogma 16 (1970), S. 300–312).

2 S. den in Anm. 1 genannten Sammelband von H. D. Preuß.

3 S. H. Groß, Die Entwicklung der alttestamentlichen Heilshoffnung, in: H. D. Preuß, a. a. O., S. 181–197 (= Trierer Theologische Zeitschrift 70 (1961), S. 15–28); N. Lohfink, Eschatologie im Alten Testament, in: H. D. Preuß, a. a. O., S. 240–258 (= Lohfink, Bibelauslegung im Wandel, Frankfurt 1967, S. 158–184).

4 G. Fohrer, Die Struktur der alttestamentlichen Eschatologie, in: H. D. Preuß, a. a. O., S. 147–180 (= BZAW 99 (1967), S. 32–58; ThLZ 85 (1960), S. 401–420). Hier finden sich auch die einschlägigen Literaturhinweise.

5 G. Fohrer, a. a. O., S. 148.

6 Ebd., S. 152.

7 Ebd., S. 180.

8 Zu Einzelbelegen sei verwiesen auf ebd., S. 174f.

9 Vgl. R. Kilian, Die Priesterschrift. Hoffnung auf Heimkehr, in: J. Schreiner (Hrsg.), Wort und Botschaft des Alten Testaments, Würzburg 2. Aufl. 1969, S. 248.

10 Vgl. G. Fohrer, a. a. O., S. 171–178.

11 Vgl. ebd., S. 177.

12 S. H. H. Schmid, "Ich bin, der ich bin", in: Theologie und Glaube 60 (1970), S. 406.

13 Zur Eigenart und zum Anliegen von Relecture s. J. Becker, Israel deutet seine Psalmen, Stuttgart 1966 (SBS 18), S. 9–39.

14 So G. Fohrer, a. a. O., S. 180.

15 S. R. Kilian, Der Verstockungsauftrag Jesajas, in: H. J. Fabry (Hrsg.), Bausteine biblischer Theologie (Festschrift Botterweck), Bonn 1977 (BBB 50), S. 209–225.

16 S. dazu und auch zu anderen Versuchen, die Eschatologie Israels zu begründen, H. D. Preuß, Jahweglaube und Zukunftserwartung, Stuttgart 1968 (BWANT 87), S. 210f.

17 Vgl. H. H. Schmid, a. a. O., S. 403–412; R. Kilian, Gott und Gottesbilder im Alten Testament, in: Erbe und Auftrag 50 (1974), S. 340ff.

18 Vgl. dazu die Vision Ezechiels von den Totengebeinen Ez 37.

19 Zu Versuchen, die Eschatologie Israels aus der besonderen Gottesvorstellung Israels zu erklären, siehe die Hinweise und Literaturangaben bei H.–P. Müller, Ursprünge und Strukturen alttestamentlicher Eschatologie, Berlin 1969 (BZAW 109), S. 7f; H. D. Preuß, Jahweglaube und Zukunftserwartung, S. 205ff.

Eschatologische Perspektiven im Hoseabuch

Dirk Kinet

In mehrfacher Hinsicht nimmt das Hoseabuch innerhalb der vorexilischen prophetischen Literatur eine Ausnahmestellung ein. Die hoseanischen Prophetien enthalten die schriftlich festgelegten Aussagen eines Propheten aus dem Nordreich, der sich auf der Schwelle des hereinbrechenden Unheils und der staatlichen und religiösen Katastrophe seines Landes befand. Diese besondere Situation sowie auch die Herkunft des Propheten sind gewiß für einige unverwechselbare und eigenständige theologische Positionen des Propheten verantwortlich zu machen. Zudem scheint die persönliche Lebensgeschichte dieses Mannes den Inhalt und die Darstellungsform seiner Verkündigung entscheidend beeinflußt zu haben.
Seine Ehe, die an der Untreue seiner Frau zerbrach, interpretiert Hosea als Abbild der Beziehung zwischen Gott und seinem Volk (Hos 1). In Hos 3 wiederum beschreibt er den Versuch, eine Hure aus ihrem Berufsstand herauszuholen und sie wie eine Ehefrau zu lieben: das Experiment muß scheitern, wenn auf einige wichtige Institutionen (Kultbräuche, politische Strukturen) nicht verzichtet wird. Eine deutlich eigenständige Akzentuierung gegenüber der zeitgenössischen und späteren vorexilischen prophetischen Literatur erhält die hoseanische Verkündigung durch das eigentümliche und abweichende Gottesbild, das aus seiner Botschaft erschlossen werden kann. Es ist dieses besondere Gottesbild, das Hosea veranlaßt hat, für seine Zeit ungewöhnliche und aus dem Rahmen fallende Zukunftsperspektiven für das Volk Israel zu entwerfen. Escha-

tologische Vorstellungen im Sinne von über die unmittelbare Zukunft hinausgehenden Zukunftsvisionen, die das Kontinuum der ablaufenden Geschichte durchbrechen und etwas völlig Neues einleiten, sind erst bei den exilischen und nachexilischen Propheten nachzuweisen. Hierzu bedurfte es der einschlägigen geschichtlichen und theologischen Grenzerfahrungen. Aus der nationalen und religiösen Katastrophe von 587 v. Chr. versuchte die exilisch-nachexilische Prophetie neue Möglichkeiten der Zukunft zu finden. Die Gotteserfahrung und der Gottesglaube Israels bewährten sich auch in der Katastrophe und vermochten unter völlig neuen Vorzeichen zu überleben. Über die geistigen Hintergründe, die theologischen und geschichtlichen Voraussetzungen dieser Entwicklung, berichtet in dieser Festschrift der Beitrag von R. Kilian, "Überlegungen zur alttestamentlichen Eschatologie".

Nun befremdet es um so mehr, daß gerade im Hoseabuch – neben den Ankündigungen des bevorstehenden Gerichts für das verirrte Israel – auch Vorstellungen auftauchen, die in diesem Gericht nicht das letzte Wort Gottes sehen. In der gescheiterten und einseitig aufrechterhaltenen Beziehung zwischen Gott und seinem Volk Israel ergibt sich als Zukunftsmöglichkeit nicht nur die Aufkündigung und die Absage dieser Beziehung, sondern Hosea spricht auch von einem möglichen Neuanfang. Dieser Neuanfang hebt sich allerdings von der jetzigen Beziehung dadurch gründlich ab, daß er zunächst zu den Anfängen der Geschichte Gottes mit seinem Volk, zum geschichtlichen Nullpunkt zurückgeführt wird.

I. Das endgültige Gericht

Zunächst aber reihen sich die meisten Redeabschnitte des Hoseabuches in die allgemeine Tendenz der vorexilischen Unheilsprophetie über Israel ein. Hoseas bedingungslose Gerichtsdrohungen kennen kein Wenn oder Aber, sie scheinen mit einer Umkehr des Volkes überhaupt nicht zu rechnen. Israels Geschichte mit seinem Gott läuft damit einfach ab. Jahwes Gericht, das auch schon früher Israel hart getroffen hat und sich nun wieder in der schweren politischen Bedrängnis zeigt, vermag es nicht, Israel dazu zu bewegen, sich seinem Gott zuzuwenden (1). Durch seine Untreue hat Israel einen faktischen Bruch in seiner Beziehung zu Jahwe vollzogen(2). Israel hat sich auf diese Weise selbst von Jahwe und seiner Fürsorge entfernt. Es hat damit von seinem Rettergott Abschied genommen und sich anderen Göttern zugewandt, die ihm die Güter und die Sicherheit gewähren sollen, die es im Kulturland braucht. Viele Strafandrohungen im Hoseabuch wollen gerade diese Zusammenhänge aufdecken: schließlich ist es Israels eigenes Handeln, das das Verderben unabwendbar herbeiführt, indem Israel sich von seinem Geborgenheit und Sicherheit zusagenden Gott lossagt. So stellt Israel selbst sich ins Abseits und liefert sich schutzlos der Täuschung und der Vernichtung aus, ohne daß Jahwe selbst dabei einzugreifen braucht (3).

Neben dieser Darlegung der inneren Konsequenz und Gesetzmäßigkeit des Handelns Israels schildert Hosea auch, wie Jahwe in tiefster Erregung und im Zorn strafend in das Geschehen eingreift. Seinem Zorn läßt er freien Lauf, hart und bedingungslos ahndet er die ihn beleidigende Untreue. Auch diese harten Drohworte werden meistens so begründet, als ob Hosea noch um Verständnis für Jahwes Entscheidung und blinde Wut werben würde. Die Erinnerung an Jahwes geschichtliche Rettertaten, seine Warnungen und Mahnungen, seine offenen Drohungen mit vernichtenden Strafen scheinen Israel treffen und zur Erkenntnis seiner Schuld bewegen zu wollen.

Repräsentativ für die vielen Drohreden sei hier Hos 13,1–14,1 herangezogen.
Hos 13,3–14,1 ist als Überlieferungseinheit aus verschiedenen Redeeinheiten zusammengesetzt (4). Die gleiche Thematik (endgültige Bestrafung), der formal einheitliche Verlauf der Gerichtsworte (meistens wird die Strafandrohung durch einen Hinweis auf die kontrastierende Vergangenheit vorbereitet (5)) und der Rückverweis von 14,1 auf 13,1 weisen Hos 13,1–14,1 als Überlieferungseinheit aus.

Die erste Redeeinheit (Vv 1–3) birgt ein Gerichtswort. Efraims sündige Vergangenheit (V 1) und Gegenwart (V 2) bieten die Voraussetzung und Begründung für die angedrohte Strafe (V 3). Durch seine Verehrung des Baal liefert Efraim sich selbst dem Tode aus. Die Strafandrohung enthält ein vierfaches Bild der Vergänglichkeit: Efraim wird verschwinden, ohne ein Spur zu hinterlassen. In Vers 4 folgt eine Selbstvorstellung Jahwes, die seinen Exklusivitätsanspruch kräftig hervorhebt. Die geschichtliche Rückblende auf die Wüstenzeit (V 5) will die Unvergleichbarkeit Jahwes dokumentieren: er konnte das Volk in der Wüste weiden, obwohl dort doch gar nichts wächst. Auf dem Hintergrund des Auszuges und der Führung durch die Wüste hebt sich nun die Schuld Israels ab. Die Anklage gipfelt in Jahwes Beschuldigung, daß sie ihn, den Rettergott, der Israel auch im Kulturland mit allem versorgt, vergessen haben. Die Strafandrohung ist in drei Tiergleichnisse zerlegt. In Vers 7 wird Jahwe mit einem Löwen bzw. mit einem lauernden Panther verglichen. In Vers 8 bringt Hosea Jahwes Strafhandeln mit der Reaktion einer Bärin in Zusammenhang, die ihrer Jungen beraubt wird. Dieses Bild enthält eine Beschreibung der totalen Vernichtung. Nachdem das Tier den Angreifer erschlagen hat, zerreißt es seinen Brustkorb und überläßt das Opfer den wilden Tieren und den Hunden, die es weiter zerfleischen. Der gewaltige Zorn Jahwes wird hier als instinktiver Vergeltungsschlag beschrieben. Damit hat Hosea wohl eines der finstersten Bilder von Jahwes Zorn geliefert. Hier gibt es nichts anderes mehr als nur noch blindes Zuschlagen. Jahwe zeigt sich in seinen innersten Gefühlen zutiefst verletzt und angegriffen. Die Verse 9–11 führen die alleinige Rettungsmacht Jahwes weiter aus. Wenn nur er retten kann, braucht Israel nicht nach einem anderen Helfer zu suchen, denn niemand kann ihn an seinem Vernichtungswerk hindern (vgl. Hos 2,12). Könige und deren Beamte (6) sind wohl am wenigsten dazu imstande; sie sind ohnehin nicht auf Jahwes Geheiß eingestellt, weshalb Jahwe sie in seinem Zorn auch kurzerhand wieder entfernen wird.

Die Verse 12–14 zeigen, wie Efraims Schuld sich im Laufe der Zeit angehäuft hat und zu einer erdrückenden Last geworden ist. Das Bild der Geburtswehen will darstellen, daß Efraim auch in der Stunde des Gerichts nicht dazugelernt hat. Die Wehen sollten Israel zu einem neuen Leben als Jahwes Sohn verhelfen. Nun werden sie dennoch für Efraim zur akuten Lebensgefahr, weil er sich weigert, Konsequenzen aus der von Jahwe auferlegten Notlage zu ziehen. Vers 14 erläutert den Sinn des Bildes, indem es Jahwes Willen zur Rettung und Befreiung von Unterwelt und Tod herausstellt (7). Doch was kümmert Efraim die Macht der Unterwelt? In seinem Glauben an (den baalisierten) Jahwe unterschätzt er den Ernst der Lage und meint genau zu wissen, daß Drangsal und tödliche Bedrohung vorübergehen werden. Tod und Unterwelt haben im Glauben Efraims keinen Stachel. Auf so verfälschten Glauben hin reagiert Jahwe unmißverständlich: er verdrängt sein aufkommendes Mitleid.

Hos 13,15–14,1 schildert schließlich die konkrete Verwirklichung des Strafhandelns Jahwes. Die Vorzüge und die Kraft Efraims werden vom sengenden Sturm der Rache Jahwes weggerafft. In einer dreigliedrigen Satzreihe wird die verheerende Strafe über sämtliche Einwohner der Stadt Samaria beschrieben. Hos 13,1–14,1 verkündet die unerbittliche Härte des kommenden Gerichtes. Eine Erklärung für diese Härte scheint Hosea mit dem wiederholten Hinweis geben zu wollen, daß Jahwe schon eher durch Strafmaßnahmen versucht hat, Israels Schuldbewußtsein zu wecken (vgl. Vv 1c.13). Erst als das mißlungen zu sein scheint (vgl. Vv 2.14), greift Jahwe durch und droht die totale Vernichtung an. Die Tragik besteht darin, daß die Stunde des Gerichts von Efraim nicht als solche erkannt wird. Im Gericht erblickt Efraim nur einen vorübergehenden Zustand, der seine Beziehung zu Jahwe nicht grundsätzlich aufhebt. Efraim rechnet auch im Gericht weiter mit einem sicheren Wiedererscheinen Jahwes. Was bleibt Jahwe dann anderes übrig, als jede Vermittlung, Mahnung und Warnung einzustellen und Efraim radikal auszulöschen? Die einzige Antwort auf ein vom kanaanäischen Baal-Glauben infiziertes Jahwebild scheint in der Zerschlagung dieses Glaubens zu bestehen: der Glaube, daß auf jedes Sich-Zurückziehen Jahwes ein Wiederkommen und eine Festigung seines gnadenbringenden Wirkens folgen wird, kann nur dadurch abgebaut werden, daß Jahwe sich für immer zurückzieht und jede Erinnerung an Israel auslöscht.

II. Das pädagogische Gericht

Ist Hos 13,1–14,1 als Negation jeder Zukunftsperspektive zu betrachten, dann zeigen wieder andere Texteinheiten im Hoseabuch, wie Jahwe immer neue Versuche und Bemühungen unternimmt, um Israel eine Zukunft zu gewähren. In diesen Bemühungen spielt das Gericht eine unerläßliche und entscheidende Rolle. Das Gericht wird allerdings von Hosea nicht immer als endgültiges Gericht verstanden, sondern kann durchaus einen pädagogischen Charakter aufweisen. Das Gericht wird dann zum Schlüssel bei der Erschliessung einer neuen Zukunft. Die ausführlichste Schilderung verschiedener, nacheinander folgender Versuche Jahwes, Israel durch Strafmaßnahmen wieder für sich zu gewinnen, findet sich in Hos 2,4–17.

Die Abgrenzung der literarischen Einheit ist nicht unangefochten (8). Zwar hebt sich Hos 2 deutlich von seiner unmittelbaren Textumgebung ab, das innere literarische Gefüge von Hos 2 selbst ist aber sehr undurchsichtig. Hos 2,4–17 erweist sich als durchkomponierte, literarische Einheit. Darauf weisen die Einheitlichkeit im Stoffbereich (Allegorie von Jahwe als Ehemann, der mit seiner treulosen Frau Israel ins Gericht geht), die literarische Strukturierung durch das dreifache *laken* nach vorausgehendem Schuldnachweis, der einheitliche Stil als Jahwerede wie auch der Charakter der Bestrafung als heilspädagogische Maßnahme.

Nach vorausgehender Anklageerhebung (V 4a) und Begründung (V 4b) folgt eine Warnung (V 4c) und Strafandrohung (V 5). Vers 6 enthält erneut eine begründete Drohung. Vers 7 schließlich führt den Schuldnachweis weiter aus und bereitet die erste heilspädagogische Maßnahme vor. In ihr werden das hurerische Treiben und das schändliche Benehmen der Mutter angeklagt. Israels Schuld liegt darin, daß es sich dachte, den Liebhabern nachlaufen zu müssen, weil nur diese ihr verschaffen könnten, was Israel zum Leben braucht. Diese Liebhaber sind in der hoseanischen Verkündigung die Verkörperung einer verfälschten Jahwevorstellung: Israels Jahweverehrung ist de facto Baalsdienst.

Mit Vers 8f wird der erste Versuch Jahwes beschrieben, die Frau (Israel) von ihrem Lebenswandel abzubringen. Jahwe macht es ihr förmlich unmöglich, den Weg zu den Liebhabern wiederzufinden. Dornenzäune und Steinwälle will er als Wegsperren errichten, jedes Weitergehen auf den gewohnten Pfaden verhindern. Vers 9 hebt den erneuten Versuch Israels hervor — trotz Wegsperren —, den Zugang zu den Liebhabern zu finden. Als Hure drängt es Israel zu ihren Liebhabern, weil von ihnen die Kulturlandgüter erhofft werden. Vers 9c führt eine zweite Überlegung der Frau ein: sie ist bereit zu ihrem ersten Mann zurückzukehren. Weil Jahwe nun ihre Pläne durchkreuzt, erkennt sie, daß das frühere Zusammenleben mit Jahwe doch seine Vorzüge hatte. Damit erinnert die Umkehrabsicht von Vers 9 c stark an das Bußlied von Hos 6,1—3 (9). Auch dort will Israel zurückkehren, in der Erkenntnis, daß Jahwe zugeschlagen hat, aber sicher auch wieder heilen wird. Obwohl Israel sicher ernsthaft zurückkehren will — die Not ist ja groß! — , fehlt trotzdem die richtige Erkenntnis: die Eigenart Jahwes und das Besondere seiner Beziehung zu Israel werden nicht erkannt, weil Israel aus Jahwe einen Baal gemacht hat. Damit scheint Jahwes erster Versuch gescheitert. Die Notsituation hat Israel zwar zu einer Rückkehr zu Jahwe bewogen, doch hat diese nur die Rückgewinnung der abhandengekommenen Kulturlandgüter im Sinn. Es fehlen die ehrliche Erkenntnis und die Anerkennung der Schuld, die beide nur aus einem richtigen Gottesverständnis gewonnen werden können. So stellt sich Vers 10 als erneute Schilderung der Schuld Israels dar. Israel schafft es nicht, im geschichtlichen Rettergott auch den Gott zu sehen, der Israel im Kulturland mit allem Notwendigen und Angenehmen versorgt.

Die Androhung der zweiten Strafmaßnahme erfolgt in Vers 11. Die in Vers 10 aufgezählten Kulturlandgüter werden von Jahwe weggenommen, sobald er die Zeit dafür gekommen hält. In der zweiten Strafmaßnahme stellt sich Jahwe noch deutlicher als Erzieher und Strafender dar, der nur um die Anerkennung seines Engagements für Israel ringt. Jahwe will einen zwingenden Beweis erbringen. Mit dem Bild der Entblößung der Frau wird der vollständige Ausfall der Ernte als Strafe angedeutet. Die Liebhaber müssen dabei machtlos zusehen und können keinen Gegenbeweis eigener Macht erbringen. In Vers 15 wird abschließend eine begründete Strafandrohung ausgesprochen: wegen der Baal-Verehrung wird Jahwe sein Volk ahnden. Es weiß offensichtlich nichts mehr von den authentischen Traditionen über Jahwes Rettertaten und seine Fürsorge.

Vers 16 ist die dritte, endgültige erzieherische Maßnahme, die Jahwe auf Israels Verhalten folgen lassen will. Wie in Vers 8 und 11 führt *laken* nach dem vorausgehenden Schuldnachweis keine endgültige Strafe oder Vernichtung ein, sondern eine heilspädagogische (Straf-)Maßnahme Jahwes. Diesem letzten Versuch kommt innerhalb des literarischen Aufbaus von Hos 2,4–17 entscheidende Bedeutung zu. Ein neues, überraschendes Moment im göttlichen Werben um Israel beginnt. Jahwe selbst wird Israel "verführen" (10), es in die Wüste bringen und dort zu seinem Herzen reden (11). Da weder die Wegsperren noch der Entzug der Kulturlandgüter einen hinreichenden Erfolg zeitigten, folgt nun die Herausführung aus dem Kulturland. Dazu will Jahwe Israel erst im wahren Sinne des Wortes überlisten. In der Situation der Wüstenzeit, d. h. der Abhängigkeit und Verlorenheit, kann nur Hoffnung auf Besseres aufkeimen. So wird die Wüste für Jahwe zum geeigneten Ort, an dem er Israel zureden kann. Die Bilder drücken das leidenschaftliche Werben des liebenden Gottes aus, der gegen die Gefühle und Überzeugungen seiner Geliebten ankämpfen muß. Jahwe zeigt sich als Ehemann, der seine Frau verführen muß. Deshalb manövriert er sie in eine Situation hinein, in der er sich ein leichtes Spiel mit ihr erhofft und in die Israel sich selbst nie aus eigenem Antrieb hineinbegeben hätte. Die nüchterne, logische Überredungskraft hat offenbar ausgespielt: es bleibt Jahwe nur noch die überwältigende und vergewaltigende Liebe, die nur noch vom ersehnten Ziel besessen ist.
Auch diese letzte Strafmaßnahme hat nicht Israels Vernichtung im Sinn, sondern will die harte aber erzieherisch notwendige Rückkehr in die Situation vor der Landnahme erreichen. Jahwe möchte Israel ganz allein für sich haben, in der Einsamkeit der Wüste die alte Zweisamkeit wiederherstellen. Dabei geht es Jahwe nicht um die Festschreibung des Zustandes vor der Landnahme – im Sinne eines bleibenden Aufenthaltes in der Wüste –, sondern um die Bei-

behaltung und Wahrung der dort durch Jahwes Werben und Zureden bewirkten Gesinnung Israels. Ein erneutes "Geben" Jahwes leitet dann in der Wüste einen Neuanfang in Israels Geschichte mit Jahwe ein. Von der Wüste aus erfolgt die Rückgabe der Weinberge, die hier als pars pro toto sowohl das Land als auch all seine Güter repräsentieren. Jahwes Liebe erweist sich hiermit als eine Wirklichkeit, die eine neue Zukunft und neue Tatsachen für Israel schafft. Die Zeichen im Kulturland werden auch von jetzt an anders gesetzt. Das Tal der ersten Sünde im Kulturland (das Tal Achor) (12) wird nun zum Zeichen einer neuen Zukunft, in der Jahwe nicht mehr durch die Sünden Israels um seine Liebe betrogen wird.

Vers 17 b schildert die Antwort des Volkes, die dort erfolgen wird. Sie ist keine Voraussetzung für das Eintreten der verheißenen Zukunft, sondern gleichfalls eine Folge des Heilshandelns Jahwes. Zuerst erfolgt die neue Schenkung des Landes aus den Händen Jahwes, erst danach setzt die anerkennende Antwort des neubeschenkten Volkes ein. So ist diese Antwort im Heilshandeln Jahwes eingeschlossen: Jahwe fordert und erwartet keine Umkehr mehr, er setzt sie auch nicht als Bedingung für sein Heilshandeln voraus, sondern er selbst ermöglicht diese Antwort, indem er selbst die Umkehr in seinem Volk vollzieht.

Die Tradition der geschichtlichen Rettertat Gottes im Exodus wird zur Beschreibung der Zukunftserwartung Israels herangezogen. Jahwe will aufs neue das Wagnis des Lebens im Kulturland mit seinem Volk eingehen, darin bestärkt durch die von ihm neu bewirkte Gesinnung des Volkes, das nun um seine Rettung und um Jahwes Führung in der Wüste weiß. Die geschichtliche Erfahrung der Anfänge in den Beziehungen zwischen Jahwe und Israel ist die Grundlage für einen Neuanfang im Kulturland.

III. Die Zukunft Israels im Gericht

Vor der Aporie stehend, die die hoseanische Gerichtsverkündigung hervorruft, ist zu fragen, ob Hosea selbst nicht wenigstens andeutungsweise einen Ausweg vorgezeichnet hat. Hos 2,4–17 gibt

einen Einblick in die konsequente Beharrlichkeit von Jahwes erzieherischem Gerichtshandeln. Nachdem die ersten beiden Versuche Jahwes im Sand verlaufen sind, verführt er selbst seine Frau Israel und redet auf sie ein. In der Einsamkeit der Wüste gelingt es ihm, eine Antwort zu erzielen und Israel wieder für sich zu gewinnen. Damit wird angedeutet, daß eigentlich kein Gerichtshandeln Israel zur Umkehr bewegen kann. Der einzige Weg, der Jahwe noch offensteht, ist ein weiteres und noch tiefergreifendes Geschehen, in dem Jahwe Israel von innen her umbildet und mit der entsprechenden Gesinnung ausstattet (vgl. Hos 2,18–25).
Aber andererseits zeigt Hos 13,1–14,1, wie auch das erzieherische Handeln Jahwes seine Grenzen hat: Jahwe kapituliert vor der Beharrlichkeit des Unwillens und des Nicht-Anerkennen-Wollens Israels. So bleibt Jahwe nichts anderes übrig, als seine Beziehung zu Israel aufzukündigen und Israel für immer aufzugeben.

Nach Hoseas Darstellungen scheint das Verhalten Israels Jahwe vor ein Rätsel gestellt zu haben. Er gibt offen seine eigene Ratlosigkeit zu (vgl. Hos 6,4 und 11,8). Was Jahwe letztlich zu seinem Handeln gegenüber Israel bewegt, darüber kann niemand außer Jahwe selbst Auskunft geben.

Angesichts der verfahrenen Situation – Israel lernt es ja nie, seine Untreue abzulegen und sich nach seinem Gott auszurichten – ist es klar, daß eine Heilszukunft für Israel in keiner Weise von Israels Verhalten abhängig gemacht werden kann. Der einzige Ausweg aus diesem Zustand liegt nach der hoseanischen Verkündigung darin, daß es in Jahwe unberechenbare Faktoren gibt, die alle menschlichen Denkspiele durchkreuzen. Es gibt Regungen in diesem Gott, die sich gegen jede menschliche Vernunft, Rationalität und Redlichkeit durchsetzen und die Geschichte Jahwes mit seinem Volk weitergehen lassen wollen.

In diesem Zusammenhang verrät Hos 11 etwas von den irrationalen Beweggründen, die Jahwes Liebe in seiner Beziehung zu Israel bestimmen. Hos 11 erweist sich als eine selbständige kerygmatische Einheit (13). Fraglich ist nur, inwiefern Hos 11 in seinem inneren Aufbau literarisch einheitlich strukturiert ist. Die Jahwerede zieht sich – abgesehen von Vers 10 – durch das gesamte Kapitel, doch sind erhebliche Spannungen und Sprünge in den Versen 6f und vor allem ab Vers 8 zu beobachten. Die Risse im Aufbau stellen sich aber als inhaltlich überraschende, und nicht als formale Neuansätze heraus. Hos 11,1–7 zeigt sich als geschichtstheologische Anklagerede in der Form eines Rechtsstreites (14). Die drei Rekurse auf Jahwes Heilshandeln sowie der Hinweis auf die erzieherische Züchtigung durch Jahwe bereiten kontrastierend den jeweiligen Schuldnachweis vor.

Als Anfang der Heilsinitiative Jahwes werden das Liebgewinnen und das Herausrufen seines Sohnes aus Ägypten angegeben. Die Initiative geht dabei ganz von Jahwe aus: Er steht am Anfang der Geschichte Israels. Als "Liebe" bestimmt Hosea das Verhältnis, in das Gott Israel aufnimmt. Weil Jahwe liebt, befreit er Israel aus der Knechtschaft und führt es in die Freiheit und die Verbundenheit mit ihm. Doch zugleich ruft er Israel zu einer dieser Beziehung entsprechenden Antwort auf.
Der zweite Ansatz in dieser geschichtstheologischen Anklagerede enthält das Bild von Jahwe, der das Kleinkind (Efraim) gehen lehrt und es auf die Arme nimmt. Korrespondierend dazu steht die Schuldansage, daß "sie aber nicht erkannten, daß Jahwe sie heilen wollte". Das dritte Bild, vom Bauern und seinem Vieh (V 4) (15), ist im Kulturland beheimatet. Die Leitung an Seilen der Liebe sowie das Füttern können auf die Führung des Volkes im Kulturland, auf den rechten Gebrauch der Kulturlandgüter bezogen werden.
Die drei Bilder umreißen so die Geschichte Israels vom Auszug bis zum Leben im Kulturland. Sie geben einen Einblick in die Grundstruktur der Beziehungen zwischen Jahwe und Israel: seitens Jahwes wird diese als Liebes- und Heilsangebot verstanden. Israel antwortet auf dieses Angebot mit Untreue und Abfall. Jahwes dreifacher Liebestat folgt jeweils eine dreifache Feststellung der Untreue Israels, so daß Israel nichts gegen die überwältigende Beweiskraft der Liebeserweise Jahwes vorzubringen hat. Zusammen mit den Versen 5–7, die Israels Untreue in der Gegenwart aufdecken, enthalten die Verse 1–4 erdrückendes Beweismaterial für Israels Schuld. Nur Jahwes vernichtendes Unheil über das Volk wäre die logische und gerechte Konsequenz.

Unter der erdrückenden Beweislast von Jahwes Liebeserweisen hätte Israel in einer weitergeführten Verhandlung nur noch seine Schuld gestehen können. Doch auch eine reuevolle Bußgesinnung und ein ehrliches Geständnis werden schon gar nicht mehr erwartet. Jahwe hat anscheinend kein Vertrauen mehr zu seinem Volk und dessen Bußgesinnung.

Die Anklage ist ausreichend begründet, so daß nun nur noch die Urteilsverkündigung folgen müßte. Die Verse 8f zeigen aber einen ratlosen Gott, der die logische Weiterführung dieser Gerichtsverhandlung nicht mitmachen kann. Jahwe kann das Urteil nicht aussprechen, denn "sein Herz kehrt sich gegen ihn, sein ganzes Mitleid wird erregt". Hier ist eine andere Kraft in Jahwe am Werk, die sich gegen seinen rational begründeten Zorn stemmt. Jahwes Liebe ringt seinen aufkommenden und berechtigten Zorn nieder. Das hebräische Wort *leb* (Herz) bezeichnet hier die gleiche Regung, die schon in den Bildern der Verse 1–4 beschrieben wurde; es handelt sich keineswegs um den nüchternen Verstand oder um kühle Logik, denn diese schreit ja gerade nach einer anderen, "entsprechenderen" Reaktion. In Vers 9 hat der innere Streit zu einer definitiven Willensbildung geführt. Jahwes Herz hat seinen "glühenden Zorn" überwunden; er will Efraim nicht wieder verderben. Das zweimalige *lo* macht deutlich, daß in Jahwe ein wahrer Umschwung stattgefunden hat: seine ursprüngliche Absicht hat er aufgegeben. In zwei parallelen Sätzen wird diese Willensänderung weiter begründet: ein verneinender Satz hebt dabei die Aussage jeweils von der rationalen Logik ab. Jahwe will Israel den endgültigen Untergang ersparen, den Israel sich selbst – als Konsequenz des eigenen Verhaltens – zuzufügen im Begriff ist. Daß sein Zorn nicht die Oberhand über seine Liebe gewinnt, darin erweist sich Jahwes Gott-Sein. Er läßt sich nicht von menschlichen Affekten und rationalen Motiven bestimmen. Die zweite Begründung wird in Jahwes "Heilig-Sein" verankert. Auch diese Eigenschaft setzt sich über seinen Zorn hinweg. Jahwes Heiligkeit begründet seinen Heilswillen, indem sie nicht dem Zorn, sondern der Liebe zum Sieg verhilft. Zukunft wird Israel eröffnet, indem in Jahwe ein Kampf zwischen seinem gerechten Zorn, seiner Gerechtigkeit und seiner Liebe tobt, ein Kampf, bei dem Jahwes Liebe einfach mit ihm durchbrennt!

Die Verkündigung vom überraschenden Umschwung in Jahwe bekommt nun noch eine konkrete Anwendung in der Heilszusage für Israel: alle früheren Strafandrohungen der Vernichtung und Vertreibung werden zurückgenommen. Mit dieser Zusage knüpft Jahwe an seine erste Rettertat beim Auszug aus Ägypten an. Er selbst bestimmt weiterhin die Zukunft Israels. Angesichts der andauernden Untreue Israels war es mehr als fraglich geworden, ob es überhaupt noch eine Zukunft für Israel geben würde. Israels Verhalten schrie förmlich nach einer Bestrafung und nach einer endgültigen Kündigung des Bundesverhältnisses. Nach menschlichem Ermessen und nach üblicher Rechtssprechung hätte Jahwe als Betroffener nun zuschlagen und Israel gänzlich aufgeben müssen. Hos 11 zeigt aber, daß es eine Kraft in Jahwe gibt, die stärker ist als sein Zorn. Seine irrationale Liebe bestimmt sein Wesen so entscheidend, daß sie auch seinen rechtmäßig aufkommenden Zorn überwindet und verdrängt. Gottes Liebe, sein eigentliches Anders-Sein, begründen letztlich die völlig überraschende, unverdiente Zukunft für das Volk Israel.

IV. Aspekte der hoseanischen Eschatologie

Die Nebeneinanderreihung von drei Texteinheiten aus dem Buch Hosea macht die Problematik der hoseanischen Verkündigung nicht leichter. Die Texte sprechen offenkundig von einer ganz anderen bzw. von der Negation jeder Zukunftsperspektive. Diese Aporie ist weder dadurch zu beheben, daß man in der hoseanischen Verkündigung ein zeitliches Nacheinander der verschiedenen Aussagen annimmt, noch dadurch, daß man einigen dieser Aussagen die hoseanische Verfasserschaft abspricht. Bezüglich der Authentizität der Aussagen, die hier besprochen wurden, ist bei keiner Texteinheit die Verfasserschaft des Hosea ernsthaft bestritten worden. Kann man Hos 2,4–17 mit einiger Wahrscheinlichkeit wohl besser in der wirtschaftlich ungestörten und blühenden Regierungszeit Jerobeams II. (um 750 v. Chr.) ansetzen (16), so sind dagegen sowohl Hos 13,1–14,1 (17) wie auch Hos 11 (18) in der Zeit kurz vor der Einnahme Samarias (um 724) zu situieren. Ein logisches Nacheinander in der Weiterentwicklung der hoseanischen

Aussagen ergibt sich damit nicht. Gerade in der Stunde der hereinbrechenden Katastrophe über das Nordreich ergeht das Gotteswort von der totalen blindwütigen Zerstörung des Landes, aber auch das Wort, daß Israel zwar seine Geschichte mit Gott verwirkt hat, daß diese Geschichte dennoch in und durch das Gericht weitergehen wird. Die drei Texteinheiten lassen keine grundsätzlichen Differenzen in Hoseas Beurteilung der politischen Situation des Landes und in seiner Bewertung der religiösen Gesinnung des Volkes vermuten. Hosea selbst hat in seinen Aussagen offenbar keinen eklatanten Widerspruch bezüglich der Zukunft seines Volkes gesehen. Das erzieherische Moment spielt gerade in der hoseanischen Verkündigung eine entscheidende Rolle. Zwar ist seine Gerichtsbotschaft auch in ihrer unerbittlichen Härte sicher sehr ernst gemeint, denn Hosea will seinem Volk damit klarmachen, daß die Zukunft Israels mit dem Fortbestehen der Beziehung zwischen Jahwe und Israel Hand in Hand geht. Das Weiterleben dieser Beziehung setzt Hosea mit der Zukunft seines Volkes gleich. Er weiß aber, daß von Israel her keine Hinwendung zu Jahwe denk- oder machbar ist. In dem Sinne gibt es für Israel logischerweise keine Zukunft und keine Eschatologie mehr. Das geschichtliche Kontinuum läuft unweigerlich auf das totale Endgericht aus. Hoseas Wort zu Israel in dieser Situation kann nur ein Gerichtswort sein. Nur werden diese Konsequenz und Rationalität seiner Anschauungen, seine Beurteilung der Situation grundsätzlich in einigen wenigen von Hosea überlieferten Jahweworten durchbrochen. In diesen Worten zeigt er uns einen Jahwe, der über sich selbst nachsinnt, der mit seinen eigenen widerstreitenden Gefühlen kämpft. Das Überraschende für Hosea ist, daß Jahwe das Schema seiner Verkündigung selbst durcheinander wirbelt, daß er sich völlig anders benimmt, als redlicherweise erwartet werden kann. Das Unberechenbare in Jahwe ist, daß seine Liebe stärker ist und seinen rechtmäßigen Zorn und seine Gerechtigkeit besiegen kann und wird.
Die darin enthaltene Zukunftschance für Israel wird bei Hosea zum Glauben an die eschatologische Zukunft. Diese Zukunft ist zwar ohne Gericht nicht vorzustellen, weil es in der hoseanischen Verkündigung keine eschatologische Zukunft ohne Durchgang durch das Gericht geben kann; dieses Gericht wird aber von Jahwe nicht als sein letztes, endgültiges Wort betrachtet.

Zukunft und Eschatologie können für Hosea nur als von Jahwe her geschenkte Zukunft verstanden werden. Dabei handelt es sich um eine neue Daseinsweise, um eine Neuschöpfung Israels, denn Israel selbst ist nicht imstande, sich an dieser Zukunft auszurichten. Für Hosea ist es auch entscheidend, daß die neu erschlossene Zukunft sich unter den Vorzeichen der erlebten Vergangenheit ereignet. Die neue Existenz Israels wird auf die ursprüngliche Abhängigkeit von seinem Rettergott in der Wüstensituation zurückgeführt. Nur ist diese wieder herbeigeführte Beginnphase der ursprünglichen und von der Gegenwart unbelasteten Beziehung jetzt zum reellen Grund für eine verheißungsvolle Zukunft geworden, für eine völlig anders orientierte, auf Jahwe hin bezogene Zukunft.

Anmerkungen:

1 Vgl. Hos 5,15; 6,1–6.

2 Vgl. Hos 2,4.

3 Vgl. Hos 4,6; 5,5; 8,3.7; 9,10.

4 Zur literarischen Form und Komposition der Einheit vgl. H. W. Wolff, Hosea. Biblischer Kommentar Bd. XIV/1, Neukirchen 2. Aufl. 1965, 288ff; W. Rudolph, Hosea. Kommentar zum AT Bd. XIII/1, Gütersloh 1966, 240ff.

5 Vgl. Vv 13,1.4f.15a.

6 Textkorrektur: Lies *śārekā* statt *ārèkā* (deine Städte). Vgl. M. Th. Houtsma, in: ThT 9 (1875), S. 73; H. W. Wolff, a. a. O., S. 287.

7 Die Aussage enthält eine direkte Spitze gegen den kanaanäischen Baal-Glauben. So ist V 14a nicht als Fragesatz, sondern als Absichtserklärung Jahwes zu verstehen. Jahwes Gericht wird Efraim aus dem Machtbereich des Todes und der Unterwelt befreien. H. W. Wolff, a. a. O., S. 287, und W. Rudolph, a. a. O., S. 245, deuten V 14a hingegen als Fragesatz.

8 Zur literarischen Form und Komposition vgl. H. W. Wolff, a. a. O., S. 37–39, und W. Rudolph, a. a. O., S. 64.75. S. ferner H. Krszyna, Literarische Struktur von Os 2,4–17, in: BZNF 13 (1969), S. 41–49; E. M. Good, The Composition of Hosea, in: SEA 31 (1966), S. 21–63; E. Galbiati, La struttura sintetica di Osea 2, in: Studi G. Rinaldi, Mailand 1967, S. 317–328.

9 Vgl. die gleiche Verbindung von *hlk* und *šūb* sowie die Schlüsselfunktion des Begriffes jd`.

10 Zur Begriffsbestimmung des Verbums *pātā* vgl. D. Kinet, Baal und Jahwe, Bern 1977, S. 187.

11 Ebd., S. 187f.

12 In diesem Tal bestrafte Jahwe den Frevel des Achan (Jos 7,24ff).

13 Zur literarischen Form und Komposition von Hos 11 vgl. H. W. Wolff, a. a. O., S. 249; W. Rudolph, a. a. O., S. 212.

14 Vgl. H. W. Wolff, a. a. O., S. 249.

15 Zu dieser Interpretation von V 5 s. W. Rudolph, a. a. O., S. 216.

16 Vgl. H. W. Wolff, a. a. O., S. 39.

17 Vgl. ebd., S. 291.

18 Vgl. ebd., S. 254.

Israel in der Entscheidung
Überlegungen zur Datierung und zur theologischen Aussage von Jes 1,4—9

Wolfgang Werner

I. Der Text

Jes 1,4 Wehe, sündiges Volk,
schuldbeladene Nation,
Brut von Verbrechern,
verderbte Söhne.
Sie haben Jahwe verlassen,
unter Verhöhnung den Heiligen Israels verworfen,
(sich rückwärts enfremdet) (1).

5 Wohin noch wollt ihr geschlagen werden,
die ihr noch weiter (2) *widerspenstig seid?*
Das ganze Haupt ist krank,
das ganze Herz siech.

6 Von den Fußsohlen bis zum Haupt
gibt es keine heile Stelle daran:
Wunden und Beulen,
frische Striemen nur,
nicht ausgedrückt und nicht verbunden,
nicht gelindert mit Öl.

7 Euer Land ist Öde,
eure Städte im Feuer verbrannt.
Euer Land, vor euren Augen —
Fremde verzehren es.
(Und eine Öde, wie beim Umstürzen 'Sodoms') (3).

8 *Nur die Tochter Zion ist übriggeblieben*
wie eine Hütte im Weinberg,
wie eine Wächterhütte im Gurkenfeld
wie eine belagerte Stadt (4).
9 *Hätte Jahwe Zebaot*
uns nicht einen (geringen) (5) *Entronnenen übriggelassen,*
wie Sodom wären wir geworden,
Gomorra würden wir gleichen.

II. Die Stellung von Jes 1,4–9 innerhalb von Jes 1

In einem grundlegenden Aufsatz hat G. Fohrer mit guten Gründen den kompendienhaften Charakter des Eingangskapitels zum Buch Jesaja herausgearbeitet (6). Er bestimmt die fünf Worte der Sammlung (Vv 2–3.4–9.10–17.18–20.21–26) als einen gedanklich fortschreitenden Zusammenhang, "der nacheinander die Themen der Sünde, des darum eintretenden Gerichts, der möglichen Rettung vor dem Verderben und eine mögliche Verwirklichung solcher Rettung berührt" (7). Des weiteren betont er, daß hinter dieser Reihung die Absicht eines Sammlers greifbar wird, einen zusammenhängenden Überblick über Jesajas Verkündigung zu geben, "wie der Sammler sie verstanden hat" (8). Nach Fohrer bietet uns die sammelnde Hand ein authentisches Verständnis des Propheten aus dem 8. Jahrhundert: "Es fragt sich, wann endlich wir die Botschaft dieses großen Gottesmannes so verstehen, wie der Sammler der in Kap. 1 vereinigten Worte und der Bearbeiter, der diese Sammlung als Zusammenfassung der Gesamtbotschaft an den Anfang der Jesajaüberlieferung gestellt hat, sie aus einer größeren Nähe heraus, als wir sie besitzen, verstanden haben und verstehen lehren wollten" (9).

Da Fohrer an anderer Stelle die Voranstellung der Sammlung Jes 1 erst in nachexilischer Zeit vermutet (10), muß sein festes Urteil hinsichtlich der Authentizität von Jes 1 überraschen. Bei allem, was wir über die Entstehung und Sammlung atl. Schrifttums wissen, erscheint es problematisch, die Tätigkeit der Sammler als mehr oder weniger mechanische Kompilation von (authentischen) Einzeltexten aufzufassen, denn das würde ein quellenkritisches und archivarisches Interesse voraussetzen. Demgegenüber ist eher damit zu rechnen, daß die Zusammenstellung von Texten in redaktioneller Absicht vollzogen wurde. Der einige Zeit später tätig werdende Redaktor hat vorgegebenes Material übernommen und diesem seinen und seiner Zeit Stempel aufgeprägt. Vor allem am Beginn oder am Ende einer Einheit, aber auch an Nahtstellen größerer redaktionell gestalteter Einheiten meldet er sich interpretierend, ein- oder überleitend zu Wort. Der gedankliche Skopus größerer Textabschnitte ist somit zumeist redaktionellen Ursprungs, d.h. der Gedankengang (mehrfach) zusammengesetzter Einheiten muß nicht unbedingt den Gedankengang derer wiedergeben, von denen die einzelnen einfachen Texteinheiten übernommen wurden. Für Jes 1 bedeutet das, daß wir hinter dem von Fohrer herausgearbeiteten gedanklich fortschreitenden Zusammenhang zunächst und vor allem das gedankliche Konzept des Redaktors vermuten müssen. Die Stimme des Propheten begegnet uns, wenn überhaupt, erst nach der Subtraktion des redaktionellen Guts und nach möglichst eindeutiger Zuweisung der Einzeltexte (11).

Im Folgenden soll versuchsweise geklärt werden, ob die in Jes 1,4-9 aufgezeichnete Geschichtsreflexion der Verkündigung des Propheten Jesaja entstammt, oder ob sich in ihr nicht ein Späterer, in der Absicht, die prophetische Botschaft zu aktualisieren, zu Wort meldet.

III. Die Geschichtsreflexion Jes 1,4–9

Die Geschichtsreflexion Jes 1,4–9 bildet formal und inhaltlich eine Einheit. Auf den Weheruf Vers 4, der in der 3. Pers. gehalten ist, folgt in den Versen 5–8 eine Passage mehr klagenden Charakters, abwechselnd in der 2. Pers. Pl. und 3 Pers. Sg. abgefaßt. Mit Vers 9 verfällt die Reflexion in die 1. Pers. Pl.:

Hätte Jahwe Zebaot
uns nicht einen Entronnenen übriggelassen,
wie Sodom wären wir geworden,
Gomorra würden wir gleichen.

Schließt sich hier der Redende mit den Angeredeten zusammen, oder zitiert er lediglich die Auffassung der Zuhörer? Der Vers hat für sich genommen einen hoffnungsvollen Aspekt. Das Schicksal Sodoms und Gomorras ist den Sprechenden erspart geblieben, da Jahwe selber einen *Entronnenen* (bzw. *Entronnene*) übriggelassen hat.

Nach Wildberger klingt in diesem Vers der auch sonst bei Jesaja zu findende, Hoffnung eröffnende Restgedanke an: "Die heiße Hoffnung Jesajas, daß die Entronnenen zu einem *'Rest, der umkehrt'* . . . werden möchten (7,3), ist offensichtlich der eigentliche Grund, warum Jesaja dieses Wort gesprochen hat" (12). Nun spricht aber der Text nicht von einer Bekehrung des *sarid*, er läßt diese allenfalls als offene Möglichkeit zu. Es sind daher meines Erachtens zwei Möglichkeiten des Verständnisses zu erwägen.

Die Verse 4–9 schildern eine in der Geschichte immer größer werdende Zerstörung. Dieser Gedankengang wird in Vers 9 aufgefangen. Es wäre möglich, daß der Verfasser der Verse 4–8, nachdem er den desolaten Zustand geschildert hat, in Vers 9 (ironisierend?) die Meinung seiner Adressaten wiedergibt: Obwohl alles auf die ausweglose Situation hinweist, gibt es dennoch Menschen, die im *Entronnenen* ein Zeichen der Bewahrung durch Jahwe erblicken. Nun scheitert dieser Lösungsversuch vor allem aus zwei Gründen. Vers 9 ist nicht deutlich als Zitat (der Gegenmeinung) eingeführt. Zudem wäre, sollte Vers 9 die Gegenmeinung darstellen, diese nicht klar widerlegt.

Versteht man Vers 9 dagegen als zusammenfassende und wertende Bemerkung zum Vorangehenden, dann will der Verfasser, nachdem er die Lage beschrieben hat, sagen: Es ist noch nicht alles verloren, denn Jahwe selber hat noch einen *Entronnenen* übriggelassen. Zur Bekräftigung bindet er sein persönliches Schicksal an das der Adressaten, wenn er in der 1. Pers. Pl. formuliert (13).

Gemeinhin wird angenommen, daß sich in den Versen 7–9 die Situation des belagerten Jerusalem vor der Einnahme durch Sanherib im Jahr 701 v. Chr. wiederspiegelt. Dazu wird der Text des "Taylor-Zylinders" vergleichend herangezogen, der in der Tat im Bild des eingeschlossenen Käfigvogels eine frappierende Nähe zu Jes 1,8 aufweist:

Und Hazaquiau von Juda, der sich meinem Joche nicht unterworfen hatte, – 46 seiner festen ummauerten Städte und die kleinen Städte in ihrer Umgebung belagerte ich . . . und ich eroberte sie. 200 150 Leute, groß und klein, Männer und Weiber, Pferde, Maultiere, Esel, Kamele, Rinder und Kleinvieh ohne Zahl führte ich aus ihnen heraus und rechnete (alles dieses) zur Beute. Ihn selbst schloß ich wie einen Käfigvogel in Jerusalem, seiner Residenz ein (14).

Damit scheint die Authentizität des Abschnitts der Verse 4–9 erwiesen zu sein.

Vergleicht man aber einmal die Aussagen von Jes 1,4–8 mit Jes 22,1–4, dann erheben sich Zweifel an der Jesajanität von Jes 1,4–9. Selbst wenn man Jes 1,4–9 während der Belagerung ansetzen wollte und Jes 22,1–4 (15) nach deren Abbruch, so wird der dann zu postulierende Sinneswandel nicht verständlich. Von Jes 1,9 aus müßte die Beendigung der militärischen Einschließung ja gerade als machtvolle Bestätigung von Jahwes Eingreifen zugunsten des Entronnenen (= Jerusalem) verstanden werden. Stattdessen hat Jesaja im Glücksrausch der Bewohner den endgültigen Untergang der Stadt vor Augen. Man wird daher zögern, Jes 1,4–9 dem Propheten des 8. Jahrhunderts zuzuschreiben. Hinsichtlich des Verses 9 wird diese Auffassung noch terminologisch und motivgeschichtlich gestützt.

Abgesehen von den dunklen Stellen Num 24,19; Ri 5,13 sind wahrscheinlich sämtliche *sarid* -Belege später als Jesaja: Num 21,35; Dtn 2,34; 3,3; Jos 8,22; 10,20.28.30.33.37.39.40; 11,8 stehen im Zusammenhang mit der Bannung. Obwohl nach der Analyse von M. Noth Jos 8,22; 10,20; 11,8 dem vordeuteronomistischen Erzählbestand zugerechnet werden müssen, ist darüber noch nicht das letzte Wort gesprochen. So urteilt G. Schmitt: "Auf's Ganze gesehen scheint es doch, daß die Bannideologie einer sekundären – und dann vermutlich exilischen – Schicht der deuteronomistischen Landnahmeerzählung zugehört" (16). Unbestritten nachjesajanisch sind: Jer 31,2; 42,17; 44,14; 47,4; Jl 3,5; Ob 14.18; Hi 18,13; 20,21; 20,26; 27,15; Thr 2,22. Die Stellen, an denen mit *sarid(im)* eine Größe aus Israel verstanden wird, sind zudem alle nachjesajanisch. 2 Kön 10,11 schließt an einen eindeutig dtr. geprägten Vers an. Niemand aus dem Haus Ahabs entkommt dem Schwert. Der Halbvers 11b versteht das Blutgericht an Ahabs Haus als Bannung. Nach Jer 42,17; 44,14 überlebt keiner derjenigen, die gegen die Warnung Jeremias nach Ägypten ziehen. In Jer 31,2 finden die vom Schwert Verschonten Gnade, und Joel 3,5 verkündet den in Jerusalem Verbliebenen Rettung. Ob 14 und Klgl 2,22 verweisen in die Zeit der Zerstörung Jerusalems.

hotir mit Jahwe als Subjekt begegnet noch Ez 6,8; 12,16; 39,28. Nach Ez 12,16, einer nachezechielischen Nachinterpretation, bleibt ein Rest in Jerusalem, um von den Greueln der Stadt zu berichten.

Nach H. Wildberger ist die Erwähnung von Sodom und Gomorra von der sprichwörtlichen Sündhaftigkeit und Vernichtung der Städte her verständlich und stellt daher kein Argument gegen die Authentizität dar (17). Nun ist dieser sprichwörtliche Gebrauch für die alte Zeit recht spärlich belegt. Vernachlässigt man einmal die J-Erzählung Gen 18,16–19,28*, in der *Gomorra* bereits sekundäre Hinzufügung ist, dann ergibt sich als möglicher frühester (vorjesajanischer) Beleg Am 4,11 (18). Gerade aber dieser Vers ist hinsichtlich seiner Herkunft von Amos in der Forschung kontrovers. Alle anderen Belege sind eindeutig nachjesajanisch. Jes 1,10 geht auf das Konto der Redaktion von Jes 1. Dtn 19,22; Jes 33, 19, Jer 23,14; 49,18; 50,40; Zef 2,9 sind ebenso später wie Gen 13,10*; 14,2.8.10.11.

Gegenüber den Jes 5 und 10 überlieferten Droh- und Scheltworten weist 1,4 Besonderheiten auf: Jes 1,4 richtet sich nicht an einen genau gekennzeichneten Adressaten, sondern redet generell das Volk an. Die Vorwürfe sind allgemein gehalten. Es fehlt ferner die für Jes 5 und 10 typische Gerichtsansage.

Auch in den Versen 5–8 spricht manches gegen eine Herleitung des Abschnitts vom Propheten Jesaja. Die Wendung *'azab 'et jahwe* ist in Jes 1–39 nirgendwo belegt. Sie findet sich aber häufiger im deuteronomistischen und deuteronomistisch geprägten Schrifttum. Dort erscheint sie im Kontext der Fremdgötterpolemik als Standardwendung und kennzeichnet das sündige Verhalten des Volkes. Da in den Wendungen *'azab 'et jahwe* und *ni'aṣ 'et jahwe* nach der Auffassung vieler Exegeten das Wortfeld der "Bundestheologie" begegnet, wird häufig argumentiert, Jesaja sei mit den Bundesvorstellungen vertraut (19). Nun fehlt aber in Jes 1,4–9 eine ausdrückliche Bezugnahme auf den Bundesgedanken, und in den authentischen Partien des Jesajabuches wird der Begriff *b^erit* nicht verwendet, um das Verhältnis Israels zu seinem Gott Jahwe zu kennzeichnen. Wenn nun für Jesaja die *b^erit* – Vorstellung nicht bezeugt ist, wenn ferner nirgendwo in Jes 1–39 die Wendung *'azab 'et jahwe* begegnet, wenn zudem im Kontext ein für nachjesajanische Zeiten typisches Vokabular begegnet, dann muß ernsthaft erwogen werden, ob in Jes 1,4–9 nicht Vorstellungen anzutreffen sind, die die deuteronomistische Bundestheologie voraussetzen. Die Beobachtung, daß der Chronist die Wendung *Jahwe verlassen* häufiger im Sinne von "die Gebote übertreten" oder "im kultischen Bereich versagen" unterlegt (20), ist für eine Datierung von Jes 1,4–9 nicht uninteressant.

Die Vorstellung, daß Jahwe sein Volk schlägt, begegnet auch Jes 1–39, dort jedoch in umstrittenen und sekundären Partien. Terminologisch besteht eine enge Berührung von Jes 1,5f zu Dtn 28,35:

Jahwe schlägt dich mit bösen Geschwüren an Knien und Schenkeln,
von denen du keine Heilung bekommen kannst, vom Fuß bis zum Scheitel.

Auch Jer 30,12–15 spricht vom Volk als von einem geschundenen und kranken Körper, doch steht Dtn 28,35 unserer Stelle terminologisch am nächsten.
Lev 26,33 ist hinsichtlich des Sprachgebrauchs von Vers 7 von Gewicht:

Und euch werde ich unter die Völker zerstreuen, und hinter euch werde ich das Schwert ziehen. Euer Land wird öde sein und eure Städte Trümmerhaufen.

Beide Verse führen in die abschließenden Verfluchungen des Deuteronomiums und des Heiligskeitsgesetzes.

Nun findet sich in den abschließenden Verfluchungen des Heiligkeitsgesetzes für Israel nirgends die Vorstellung des Wundgeschlagenen. Andererseits spricht die abschließende Verfluchung von Dtn 28,35 nie von *eure Städte, euer Land.*

Jesaja selber sagt nie *eure Städte* oder *euer Land.* Es ist zudem fraglich, ob er die Geschichte seines Volkes als ein ständiges Strafen durch Gott versteht.

Das Gesagte legt die Annahme nahe, daß Jes 1,5–7 aus den oben angeführten Versen der abschließenden Fluchreihen von D und H kombiniert worden sind. Die dort dem Volk im Falle seines Versagens angekündigten Strafen werden in Jes 1,5–8 in eine Geschichtsreflexion eingebunden. Das, was in D und H als einzelnes Glied in einer Abstufung der Strafen erscheint, wird in Jes 1,6f zur Beschreibung der Gegenwart des Sprechenden, und es bleibt für ihn die Frage, ob die endgültige Vernichtung noch eintrifft oder ob eine Wende eintritt.

Nach Jes 6,9–11 bewirkt die von Jesaja verursachte Verstockung, daß das Volk aus fehlender Einsicht heraus nichts an seinem Verhalten ändert und somit die vollständige Zerstörung des Landes herbeiführt. Wenn auch Jes 6,9–11 und 1,4–9 jeweils von der Öde des Landes und der Zerstörung der Städte sprechen, so besteht zwischen beiden Texten denoch ein entscheidender Unterschied: Nach Jes 6,9–11 muß eine Sinnesänderung des Volkes positiv ausgeschlossen werden. Der Verstockungsauftrag, den Jesaja erhält, läßt dem Volk keine Möglichkeit, sein Denken und Handeln in andere Bahnen zu lenken. Demgegenüber gibt der Verfasser der Geschichtsreflexion Jes 1,4–9 seiner Gegenwart noch eine Chance. Die Frage in Jes 1,4 *(Wohin noch wollt ihr geschlagen werden?)*

stellt aber in aller Deutlichkeit heraus, daß es sich um die letzte Chance handelt. Das, was bislang noch von Jahwe bewahrt wird, kann beim nächsten und letzten Schlag endgültig verloren sein.

Die Aussagen von Jes 1,4–9 berühren sich in den Grundgedanken mit dem wohl nachchronistischen Text Esr 9,8–15 (21). Das Bußgebet des Esra, das durch die Mischehenpraxis veranlaßt ist, hat folgenden Inhalt:

- Gott hat einen Rest gelassen (Esr 9,8).
- Der Rest hat eine Chance (Esr 9,9).
- Der Rest hat das prophetische Mischehenverbot übertreten (Esr 9,10–12).
- Gott müßte dem Rest zürnen, bis dieser ganz vernichtet ist (Esr 9,13–15).

Beiden Texten ist gemeinsam, daß ein bestehender Rest der völligen Vernichtung anheimfallen kann, wenn er nicht die Chance der Stunde ergreift. Esras Bußgebet steht der chronistischen Geschichtsvorstellung, die zum Beispiel 2 Chron 12,3–8 begegnet, nahe.

In den aus 1 Kön 14,25–28 übernommenen Rahmen 2 Chr 12, 2a.9–11) fügt der Chronist seine Theologie: Der Pharao Schoschenk ist in Juda eingefallen. Dem Rehabeam wird dieser Feldzug durch den Propheten Schemaja als Strafe Jahwes gedeutet: Ihr habt mich (= Jahwe) verlassen, darum verlasse auch ich euch. Daraufhin demütigen sich der König und seine Vornehmen. In einem neuen Wort kündet Schemaja Gottes Gnade: Jahwe wird nicht vernichten, sondern Rettung bringen; er wird aber die Seinen züchtigen, indem er sie in der Abhängigkeit Pharaos beläßt. "Beides aber, die Androhung der Strafe (5) wie die Ankündigung der Gnade (7f), legt der Chr. . . . einem Propheten in den Mund . . . Mit diesen Prophetenworten will der Chr. zugleich seine eigenen Zeitgenossen belehren: Abfall von der Tora Jahwes fordert immer Strafe; aber ebenso gilt: sobald Jahwe bußfertige Gesinnung begegnet, läßt er Gnade walten . . . und begnügt sich mit einer Züchtigung" (22). (Vgl. auch die prophetischen Auftritte 2 Chr 15,1–7; 16,7–10; 19,2f; 20,37; 28,9–11.)

Ähnlich ist Jes 1,4–9 angelegt. Zwar ist dort für die Adressaten die bisherige Geschichte nicht unter dem doppelten Aspekt von Strafe und Gnade darstellt; es ist nur von den Schlägen die Rede. Aber die Gegenwart impliziert ein Gnadenangebot. Wenn jetzt eine Sinnesänderung eintritt, dann kann der letzte und entscheidende Schlag, die Vernichtung des Entronnenen, ausbleiben. Diese zu 2 Chr 12,3–8 unterschiedliche Darstellungsweise in Jes 1,4–9 ergibt sich aus dem unterschiedlichen Charakter der Texte. 2 Chr 12 3–8 steht innerhalb eines Geschichtswerkes. Jes 1,4–9 will dagegen, in Nachahmung prophetischen Sprechens, die Zuhörer bzw. Leser zu ihrer Zeit in das Spannungsfeld von Strafe und Gnadenangebot stellen.

Der Verfasser von 1,4–9 hat, wie auch der Chronist es zu tun pflegt, seinen Propheten in eine bestimmte historische Situation gestellt. Vers 8f zeigt deutlich, daß Jesaja hier reden soll. Doch ist es ihm, und auch darin gleicht er in seiner Darstellungsweise dem Chronisten, nicht gelungen, diese historische Situation, die Belagerung Jerusalems im Jahr 701 v. Chr., in der Schilderung einzufangen. Die Vorwürfe bleiben allgemein, den aufgezählten Strafen der Vergangenheit fehlen die konkreten historischen Bezüge (23).

Diese generalisierende Redeweise ist für die prophetische Predigt, die stets die konkreten Mißstände und die dafür Verantwortlichen anprangert, untypisch. Sie ist aber dazu geeignet, einem späteren Leser oder Hörer aufzuzeigen, was prophetische Verkündigung will. Die im Allgemeinen verbleibenden Forderungen lassen den Propheten auch gegenüber einem Hörer, der in einer anderen geschichtlichen Situation steht, als Autorität auftreten. In einer "Tour d'horizon" wird am Anfang des Jesajabuches das Anliegen der Prophetie, so wie es Spätere verstanden haben, zur Sprache gebracht.

Die bislang angeführten Argumente, die zur Spätdatierung unseres Textes veranlaßten, lassen sich noch mit Hilfe terminologischer Beobachtungen abstützen. Auf *Sodom und Gomorra,* die Vorkommen von *sarid, hotir* mit Jahwe als Subjekt und *'azab 'et jahwe* wurde bereits eingegangen. Nur nachjesajanisch belegt sind ferner *zaera m^e re ʿim* (Jes 14,20), *sarah* (Jes 31,6; 59,13; Dtn 13,6; Jer 28,16; 29,32), *dawwaj* (Jer 8,18; Klgl 1,22), *m^e tom* (Ri 20.48; Ps 38,4.8), *ḥabaš*, pu. (Ez 30,21), *m^e lunah* (Jes 24,20), II *miqšah* (Jer 10,5), *bat ṣijon* (2 Kön 19,21; Jes 10,32?; 16,1; 37,22; 52,2; 62,11; Jer 4,31; 6,2.23; Mi 1,13; 4,8.10.13; Zef 3,14; Sach 2,14; 9,9; Ps 9,15; Klgl 1,6; 2,1.4.8.10.13.18; 4,22).

Folgende Wörter und Wendungen sind innerhalb des Jesajabuches nur spät belegt: *ḥaṭa* (29,21 hif.), *šaḥat* (14,20 pi.; 11,9; 36,10; 37,12; 51,13; 65,8².25), *goj* als Bezeichnung Israels (10,6?; 26,2. 15), *sarap* (40,16.19; 47,14), *sukkah* (4,6).

Diese terminologischen Erwägungen stützen eine Spätdatierung des Textes.

Berücksichtigt man zudem, daß Jes 1,7 auf 6,11 anspielt, daß ferner in 1,8f die Situation um 701 reflektiert und – wegen des Restgedankens – vermutlich auch schon die Jesajalegenden 36ff vorliegen (vgl. 37,6), wird man in Jes 1,4–9 eine Reflexion der jesajanischen Predigt in erheblich späterer Zeit erblicken müssen. Schon die Legenden sahen die Ereignisse von 701 aus einer Perspektive, die jenseits von 587 v. Chr. liegt. In Jes 1,8f wird die Belagerung Jerusalems im Jahre 701 zum Paradigma, das auch die spätere Zeit deutet. Die in Esr–Neh bezeugte Kleinräumigkeit, die enge Verbindung des nachexilischen Gemeinwesens mit dem Namen Jerusalem können durchaus die Folie darstellen, durch die die Ereignisse von 701 gelesen werden. Auf einem Territorium, das kleiner war als das vorexilische Reich Juda, konnte in der Tat die Vorstellung, nur ein Rest sei übriggeblieben, auf Jerusalem angewandt werden. Die Bilder, die die Funktionslosigkeit der Stadt vor Augen führen, sind in einer Zeit, in der die lokalpolitische Dominanz auf Samaria übergegangen war, voll verständlich. Somit findet auch der Vergleich *wie eine belagerte Stadt* (V 8) eine befriedigende Erklärung. Eine vom assyrischen Heer belagerte Stadt mit einer belagerten Stadt zu vergleichen, ist nicht sinnvoll. Es wird aber verständlich, wenn nicht von einer militärischen Belagerung, sondern vom Abgeschnittensein der Stadt geredet wird.

Der Verfasser von Jes 1,4–9 will den Lesern und Hörern des Jesajabuches den Beweis erbringen, daß die im Jahr 701 v. Chr. gepredigte Botschaft des Propheten Jesaja auch in späterer Zeit nichts von ihrer Bedeutung eingebüßt hat. Die Worte richten sich nun an Menschen, die sich als ein von Jahwe geretteter Rest verstehen. Dieser Rest ist jedoch nicht die verheißungsträchtige Größe der eschatologischen Theologie. Es droht ihm vielmehr die völlige Vernichtung, wenn er nicht eine Änderung seiner Lebenshaltung vollzieht. Somit stellen die Verse Jes 1,4–9 eine "Lesehilfe" dar, die dem Empfänger der Botschaft das Gerichtshandeln Gottes deutet. Gleichzeitig ergeht die Aufforderung, die Gegenwart als entscheidende Chance zu ergreifen.

Anmerkungen:

1 V 4b fehlt in der Septuaginta. Auch metrische Gründe sprechen für eine Streichung.

2 Zum adverbialen Sinn von *jasap* vgl. P. Joüon, Grammaire de l'Hebreu biblique, Rom 1923, § 102g und § 177b.

3 V 7b ist eine durch V 7a bewirkte Glosse. Statt *zarim*, das fälschlich aus 7b übernommen wurde, muß wegen des vorangehenden *mahpekat* ein *s^e^dom* gelesen werden.

4 Gelesen wird das sonst nicht belegte Part. nif. von I *ṣur*: "zusammenschnüren, einschließen, belagern". H. Wildberger, Jesaja, Bd. 1, Neukirchen 1972, S. 19, greift mit seinem Vorschlag *ka'ajir baṣirah* zwar nicht übermäßig in den Textbestand ein, doch ist *ṣirah* "Pferch" sonst im AT nicht belegt.

5 *kim^e^'at* muß mit der Septuaginta, der syrischen Version und der Vulgata gestrichen werden. Anders H. Wildberger, ebd.

6 G. Fohrer, Jesaja 1 als Zusammenfassung der Verkündigung Jesajas, Berlin 1967 (BZAW 99), S. 148–166.

7 Ebd., S. 149.

8 Ebd., S. 150.

9 Ebd., S. 166.

10 G. Fohrer, Entstehung, Komposition und Überlieferung von Jesaja 1–39, Berlin 1967 (BZAW 99), S. 113–147; hier S. 134–137.

11 Als kurze Information zur skizzierten Problematik vgl. O. Kaiser, Einleitung in das Alte Testament, Gütersloh 4. Aufl. 1978, S. 268–276.

12 H. Wildberger, a. a. O., S. 27.

13 Zum Wechsel in die 1. Pers. Pl. vgl. die Bemerkung von J. M. Myers, Ezra – Nehemiah, The Anchor Bible, Garden City/New York 1965, S. 78: "One of the remarkable characteristics of this prayer sermon

(sc. Esr 9,6–15) is the shift from the first person singular, 'I', in vs. 6 to the first person plural, 'We', in vs. 7". Und: "This principle of identification with the community is present in later writings".

14 Zitiert nach A. Jepsen (Hrsg.), Von Sinuhe bis Nebukadnezar, Stuttgart-München 1975, S. 175.

15 Zur Authentizität von Jes 22,1–4 vgl. die Kommentare, z.B. O. Kaiser, Jesaja 13–39, Göttingen 1976 (ATD 18), S. 113f.

16 G. Schmitt, Du sollst keinen Frieden schließen mit den Bewohnern des Landes, Stuttgart 1970 (BWANT 91), S. 147.

17 H. Wildberger, a. a. O., S. 30.

18 Vgl. die Kommentare. I. Willi-Plein, Vorformen der Schriftexegese innerhalb des Alten Testaments, Berlin 1971 (BZAW 123), S. 29, entscheidet sich für die Authentizität von Am 4,4–12. Sie fällt ihre Entscheidung allerdings sehr vorsichtig.

19 H. Wildberger, a. a. O., S. 11 u. ö. ist der Auffassung, Jesaja sei mit dem "Bundesgedanken" vertraut gewesen. Vgl. aber den Einspruch gegen eine in vordeuteronomistischer Zeit datierte "Bundestheologie" von G. Fohrer, Altes Testament – "Amphiktyonie" und "Bund"?,Berlin 1969 (BZAW 115), S. 84–119.

20 Vgl. 1 Chron 28,9; 2 Chron 12,5; 13,11 u. ö.

21 Die nachchronistische Datierung ist nicht unumstritten. Sie wird z.B. vertreten von K. Galling, Die Bücher der Chronik, Esra, Nehemia, Göttingen 1954 (ATD 12), S. 212f.

22 W. Rudolph, Chronikbücher, Handbuch zum Alten Testament, 1. Reihe, Bd. 21, Tübingen 1955, S. 233f.

23 Vgl. dazu W. Rudolph, ebd., XVII.

»Kein Bein wird ihm gebrochen werden« (Jo 19,31–37). Zur johanneischen Interpretation des Kreuzes

Herbert Leroy

Häufig wird daran erinnert, Jesus sterbe nach der jo Darstellung zu eben jener Stunde am Kreuz, da im Tempel die Osterlämmer geschlachtet werden. Da der Evangelist in 19,36 das Passaritual zitiere (Ex 12,46; Num 9,12), liege es nahe anzunehmen, daß er Jesus als das wahre Passalamm darstellen wolle. Dann müßte konsequenterweise auch im Wort vom *ἀμνὸς τοῦ θεοῦ* (vgl. 1,29) der Gedanke des Passalammes mindestens mitgemeint sein, trotz aller berechtigten Einwände gegen einen anzunehmenden Opfercharakter der Passalammschlachtung (1). Deswegen sollen die beiden Schriftzitate 19,36f nachstehend untersucht und die Kreuzesinterpretation von daher in 19,31–37 dargestellt werden.

I. Text- und Literarkritisches

Das Textstück Jo 19,31–37 hat in den synoptischen Evangelien keine Entsprechung. Die ganze Szene des Crucifragiums an den beiden Mitgekreuzigten wird daraufhin abgestellt, daß die *σκέλη* Jesu nicht gebrochen werden, sondern die Öffnung der *πλευρά* erfolgt, von der ebenfalls nur Jo weiß. Der gesamte Vorgang wird unter diesen beiden Aspekten verstanden und abschließend gedeutet: *ὀστοῦν ὀυ συντριβήσεται αὐτοῦ* (19,36) bedenkt die Ausnahme vom Crucifragium; *ὄψονται εἰς ὅν ἐξεκέντησαν* (19,37) reflektiert die Öffnung der Seite Jesu. Daß dieses an die Stelle von jenem tritt, ist ermöglicht durch den schnell eingetretenen Tod Jesu

(19,33), der durch das Crucifragium an allen drei Gekreuzigten herbeigeführt werden sollte. So ist die ganze Szene zurückgebunden an die temporale Bestimmung ἐπεὶ παρασκευὴ ἦν (19,31), die bei einer Anzahl von Zeugen (K A D suppl Γ Θ) den Abschnitt auch eröffnet. Die temporale Bestimmung ist natürlich inhaltlich betrachtet eine begründende: Dt 21,23 verbietet, daß ein Gehenkter über Nacht unbestattet bleibt wegen der dadurch verursachten Verfluchung des Landes. Hier aber liegt der Akzent nicht auf der Tageszeit, sondern auf einem Termin des Festkalenders: es ist παρασκευή und zwar vor der μεγάλη ἡμέρα. Traditionsgeschichtliche Überlegungen werden an dieser Stelle weiter zu fragen haben.

II. Traditionsgeschichtliches zu Jo 19,36f

Es hängt — wie die Analyse ergab — einiges davon ab, wie die μεγάλη ἡμέρα und damit die παρασκευή zu datieren sind. Damit tritt die alte Frage der Passionschronologie wieder hervor und die Notwendigkeit, die Unterschiede zwischen synoptischer und jo Darstellung zu bedenken. Die Beobachtungen R. Bultmanns sind nicht zu ignorieren (2)! 19,14 ist von παρασκευὴ τοῦ πάσχα die Rede. Doch ist 19,31 πάσχα nicht erwähnt, sondern es ist zweifellos der Rüsttag vor dem Sabbat gemeint, also der Freitag, worauf 19,42 wohl zurückgreift. Dann wäre die μεγάλη ἡμέρα τοῦ σαββάτου der Sabbat der Passawoche, "der in diesem Falle mit dem 16. Nisan zusammenfiel" (3). Jesus wäre also, wie auch die Synoptiker überliefern, am 15. Nisan gekreuzigt worden (4). Immerhin scheint Jo 13,27–29 dies wahrscheinlich zu machen; wie hätten sonst die Jünger die Meinung haben können, Judas solle noch für das Fest einkaufen (5)! Es scheint also doch nur schwer möglich auszuschließen, daß die dem Vierten Evangelium zugrundeliegende Passionstradition nahe an die synoptische heranreicht. Wenn dem so ist, dann vermindert sich die Wahrscheinlichkeit, daß Jesu Tod als Schlachtung des wahren Passalammes hauptsächlich dargestellt werden soll. Denn solche Interpretation wird nur dann erkennbar, wenn die Kreuzigung tatsächlich in der Darstellung des Johannesevangeliums zu derselben Zeit stattfindet, da im Tempel die Osterlämmer geschlachtet wurden.

Schwindet aber die Wahrscheinlichkeit der Passalammanalogie, so erhebt sich aufs neue die Frage nach dem Sinn des Schriftzitats in 19,36: *ὀστοῦν οὐ συντριβήσεται αὐτοῦ.* Häufig wird vertreten, hier werde das Passaritual zitiert (6), in dem es lautet: *οὐ καταλείψουσιν ἀπ' αὐτου εἰς τὸ πρωὶ καὶ ὀστοῦν οὐ συντρίψουσιν ἀπ' αὐτοῦ· κατὰ τὸν νόμον του πάσχα ποιήσουσιν αὐτό* (Num 9,12). Es ist darauf hinzuweisen, daß Jo den Text frei zitiert. Diesem Zitat folgt ein zweites: *ὄψονται εἰς ὅν ἐξεκέντησαν* (Sach 12,10 LXX). Der Text hält sich – von anderen kleinen Unterschieden abgesehen – mit dem *ἐξεκέντησαν* an eine Version, die nicht das auf falscher Lesart beruhende *κατωρχήσαντο* der LXX bot und offenbar auch Theodotion und Aquila als die zutreffende Übertragung erschien. Die Prophetie des Sacharja wird in der Durchbohrung der Seite Jesu als erfüllt betrachtet (7). Die Einführungsformel des zweiten Zitates begegnet sonst im Neuen Testament nicht in dieser Gestalt. Sie macht aber deutlich – wie vergleichbare Formulierungen (Mt 4,7; Röm 15,10–12; 1 Kor 3,20; Hebr 1,5f u. a.) zeigen –, daß das so eingeführte Zitat mit dem voranstehenden als Argumentationseinheit verstanden sein will. Das Ziel der Argumentation ist aber klar genannt: *ἐγένετο γὰρ ταῦτα ἵνα ἡ γραφή πληρωθῇ* (19,36a). Das *ταῦτα* meint die Ereignisse nach dem Tod Jesu: Verschonung vom Crucifragium und Öffnung der Seite. Dies soll als im göttlichen Plan verankertes Geschehen dargestellt werden. Wenn beide Zitate unter dieser Intention stehen, ist es zumindest fraglich, ob das erstgenannte darüber hinaus noch das Ziel verfolgt, Jesus als Passalamm zu erweisen. Wäre dies der Fall, dann dürfte erwartet werden, daß dieses Motiv, das zweifellos erschlossen werden kann, eigens angesprochen würde. So aber scheint es eher wahrscheinlich, ob es nicht nur angedeutet und also nicht die dominierende Rolle spielt (8).

Diese Beobachtungen erhalten ein noch schwereres Gewicht dadurch, daß es eben nicht als ausgemacht gelten kann, das Zitat 19,36b stamme aus Num 9,12. Frei zitiert, wie das Wort hier vorliegt, kann es sich ebenso um ein Wort aus Ps 33,21 LXX handeln: *κύριος φυλάσσει πάντα τὰ ὀστᾶ αὐτῶν, ἕν ἐξ αὐτῶν οὐ συντριβήσεται.* In diesem Psalm ist vom Leiden der Gerechten die Rede und vom Schutz Jahwes, der sich zuletzt darin erweist, daß er ihre Gebeine vor dem Zerbrechen bewahrt. Dann wäre Jesu Tod als Tod des Gerechten gesehen und die Verhinderung des Crucifragiums als Schutz Gottes, den er dem Gerechten zuteil werden läßt. Diese Vermutung wird noch wahrscheinlicher durch die Beobachtung, daß damit die Schriftzitate, die nach der Kreuzigung in die Darstellung der Ereignisse eingeflochten sind, als eine Zitatenreihe aus dem Psalter erscheinen, die durch das Wort aus Sach 12 abgeschlossen wird: *διεμερίσαντο τὰ ἱμάτιά μου ἑαυτοῖς καὶ ἐπὶ τὸν ἱματισμόν μου ἔβαλον κλῆρον* (Jo 19,24 – Ps 22,19). *Διψῶ* (Jo 19,28 – Ps 22,16) . . . *ὄξους* (Jo 19,29 – Ps 69,22). Dann folgt die eben erörterte Stelle mit dem Zitat aus Ps 33,21 und abschliessend Sach 12,10 (9).

Daraus ergibt sich nun für die Interpretation des Kreuzestodes nach Jo einiges, das nachstehend wenigstens insoweit dargestellt werden soll, als es für die anstehende Frage nach der Beziehung zu Jo 1,29.36 belangvoll zu sein scheint.

III. Interpretation des Kreuzestodes Jesu nach Jo 19,31–37 und Jo 1,29.36

Nachdem klargeworden ist, daß die beiden Akte der Verhütung des Crucifragiums an Jesus und die Öffnung der *πλευρά* durch Schriftzitate als dem Heilsplan Gottes entsprechend dargestellt werden, erscheint der Tod Jesu im Lichte des Todes des Gerechten, über den Gott noch im Tode seine Hand hält, indem er seine Gebeine behütet. Daß seine Seite geöffnet wird, erweist ihn darüber hinaus als den eschatologischen Heilsbringer. Wichtig ist die Zusammengehörigkeit dieser Motive: der Heilsbringer ist der Gekreuzigte, und eben das Kreuz ist im Plan Gottes verankert und entläßt den Gekreuzigten gerade nicht aus dem Schutz Gottes (10). So erscheint es als Vollendung des Wirkens Jesu, wie denn auch sein letztes Wort *τετέλεσται* (19,30) diesen tiefsten Sinn des Kreuzes ausspricht. Die Offenbarung in Wort und Werk ist vollendet. Damit ist die *κρίσις* heraufgeführt, und die Scheidung hat nun statt: die *ἁμαρτία* der Ablehnung, die schließlich zum Kreuz führt, ist sichtbar und vermag den, der sie trägt, doch nicht aus dem Plan Gottes zu stoßen. Vielmehr erweist sich im Kreuz gerade die Überwindung der ἁμαρτία τοῦ κόσμου im Heilsplan Gottes. Damit aber ist die δόξα des Gekreuzigten frei im πνεῦμα, das nun die Annahme der Offenbarung durch die Menschen ermöglicht. Solche Annahme ist als Gegenstück zur ἁμαρτία der Ablehnung im μένειν ἐν τῷ λόγῳ (Jo 8,31) und letztlich im εἶναι ἐκ τῆς ἀληθείας (18,37) bzw. im γεννηθῆναι ἄνωθεν (vgl. 3,3) möglich. Dadurch entsteht die Einheit zwischen Jesus und den Seinen, die der Vater ihm gegeben hat (17,6). Sie sind wie er der Welt entnommen und nicht ἐκ τοῦ κόσμου τούτου (17,14) und darum wie er dem Haß der Welt ausgesetzt, die nur das Ihre liebt (15,18f). Dennoch haben sie in aller Traurigkeit Trost, weil er die Welt besiegt hat (16,38).

Abschließend soll die Verbindung zwischen 1,29.36: ἀμνὸς τοῦ θεοῦ ὁ αἴρων τὴν ἁμαρτίαν τοῦ κόσμου und dem vom Crucifragium verschonten Gekreuzigten in den Blick gerückt werden. Ist der ἀμνός (1,29.36) messianische Bezeichnung, die im Anschluß an Jes 53 den Akzent des stillen Duldens des Todes von Jesus als dem Gerechten und Messias aussagt, so ist am Schluß des Evangeliums sein Kreuzestod als Erfüllung und Vollendung des Heilsplanes eben in dem Umfangensein vom Schutz Gottes, der dem leidenden Gerechten noch in seinem Tod zuteil wird, festgestellt. Vergebung der ἁμαρτία geschieht also gerade im Erdulden der ἁμαρτία der Ablehnung durch Jesus selbst. Und gerade dieses stille Erdulden eröffnet die δόξα und gibt das πνεῦμα frei zur Teilhabe an seiner ζωή im γινώσκειν und πιστεύειν.

Es war schon verschiedentlich deutlich geworden, daß diese Konzeption sehr alt anmutet und es tatsächlich auch ist. Die typisch jo Färbung erfährt sie erst durch ihre Einordnung in die Gesamtkonzeption des Evangeliums, die sich aber nun in dieser Zusammenschau nicht als etwas Fremdes erweist. Vielmehr – sehen wir richtig – ist der Tod Jesu als des Gerechten im Plan Gottes der Wurzelgrund für das Erwachsen der jo Konzeption vom Kreuz als dem Beginn der δόξα Jesu; denn gerade in der Übernahme der ἁμαρτία der Ablehnung erweist sich sein Sieg über die Welt im πνεῦμα. So kann nun – und nicht von ungefähr steht deshalb das Wort vom ἀμνὸς τοῦ θεοῦ am Anfang des Evangeliums – der Jesus des Jo immer schon als der gezeichnet werden, der auf das Kreuz, also auf seinen Tod und darin auf seine *δόξα* zugeht, in dessen Stunden immer schon die *ὥρα* anbricht, die den endgültigen Sieg über den *κόσμος* im *ὑπάγειν* = *μεταβαίνειν ἐκ τοῦ κόσμου τούτου* bringt. Vergebung durch Jesus bedeutet demnach Übernahme seiner Ablehnung durch Jesus selbst und darin Eröffnung der *ζωή*. Sie ist damit *τέλος* des Offenbarungswirkens Jesu. Der Gedanke des Passalammes ist – wenn man ihn noch mitvernehmen will – Beiwerk, das diese Grundthematik nur am Rande berührt.

Anmerkungen:

1 Vgl. die Erörterung bei R. Bultmann, Das Evangelium des Johannes, Göttingen 15. Aufl. 1957 (= 10. Aufl. 1941), S. 525, 514 Anm. 5 (Meyer K II); R. Schnackenburg, Das Johannesevangelium, 3 Bde., Freiburg-Basel-Wien 1965-76 (HThK IV), I, S. 286f; vorsichtig abwägend: C. K. Barrett, The Gospel according to St. John. An Introduction with Commentary and Greek Text, London 1965 (= 1. Aufl. 1955). H. Thyen, Studien zur Sündenvergebung im Neuen Testament und seinen alttestamentlichen und jüdischen Voraussetzungen, Göttingen 1970 (FRLANT 96), S. 249 Anm. 7 und S. 163.

2 R. Bultmann, a. a. O., S. 524, Anm. 5.

3 Ebd., S. 524 Anm. 5. Vgl. H. L. Strack – P. Billerbeck, Kommentar zum Neuen Testament aus Talmud und Midrasch, 4 Bde., München 4. Aufl. 1965 (1. Aufl. 1922-28), II, S. 581f (zitiert: P. Billerbeck).

4 Über die verschiedenen Möglichkeiten, den 1. Nisan anzusetzen und die daraus resultierende unterschiedliche Berechnung des Wochentages für den 14. Nisan s. P. Billerbeck, II, S. 847-853.

5 Vgl. P. Billerbeck, II, S. 852.

6 R. Bultmann, a. a. O., S. 524 Anm. 8 spricht davon, daß der Hinweis auf Ex 12,46 wohl im Sinne des Evangelisten gelegen hat. Er möchte aber annehmen, daß die Quelle des Evangelisten Ps 33,21 (LXX) zitierte. C. K. Barret, a. a. O., S. 464 gibt dem Zitat des Passarituals den Vorzug, will aber einen Einfluß des Psalmwortes nicht ausschließen. Das Umgekehrte dürfte wahrscheinlicher sein; die von R. Bultmann postulierte Quelle – oder vielleicht eher: die dem Evangelisten vorgegebene Tradition – tritt in der jo Darstellung so deutlich hervor, wenn man die anderen Beobachtungen mit hinzunimmt, daß man dem Evangelisten nicht wird absprechen wollen, daß er sie auch inhaltlich weitgehend übernimmt. Daß er die Deutung des Todes Jesu im Sinne des Todes des Gerechten nicht expressis verbis ausspricht, sondern durch Hinzufügen anderer Motive – z.B. des Passalammes – relativiert, mag seinen Grund darin haben, daß die Gottesknechtschristologie in seinen christologischen Entwurf schwer hineinpaßt. Eine bewußte Passaanspielung als Er-

füllung des Täuferwortes von 1,29 – wie H. Thyen, a. a. O., S. 163 Anm. 3 vermutet – ist unwahrscheinlich. (Vgl. auch die dort angegebene Literatur!). Warum W. Bauer, Das Johannesevangelium, Tübingen 1933 (HNT 6), S. 227 dem Psalmenzitat so wenig Raum gewähren will, ist nicht recht einzusehen.

7 Direkt messianisch verstanden ist die Stelle Apk 1,7; Justin Apol I 52,12. Für die alttestamentliche Wissenschaft ist Sach 12,10 eine Crux. "12,9-14 spielt offenbar auf einen Justizmord an und spricht vom Umschwung in der Gesinnung der Jerusalemer gegenüber dem Hingerichteten und von einer Sündenreinigung im Zusammenhang damit" (G. Fohrer, Einleitung in das Alte Testament, begründet v. E. Sellin, Heidelberg 10. Aufl. 1965, S. 514). Das Konkrete geschichtliche Ereignis auszumachen, auf das der Text anspielt, ist bisher nicht gelungen, "und dieses 'Ignoramus' wird aller Voraussicht nach ein 'Ignorabimus' bleiben" (O. Eissfeldt, Einleitung in das Alte Testament, unter Einschluß der apokryphen- und pseudepigraphenartigen Qumranschriften, Entstehungsgeschichte des Alten Testaments, Tübingen 3. Aufl. 1964, S. 594). Zweifellos hat R. Bultmann, a. a. O., S. 525 Anm. 1 darin recht, daß es auf das Faktum der Durchbohrung ankommt. Ob es aber "nur" darauf ankommt, ist eben doch die Frage! Denn wenn das Prophetenwort den Durchbohrten als Heilsgestalt zeichnet, zu dem die Bewohner Jerusalems sich hinwenden, so mag der Evangelist darin doch wohl die Bedeutung dessen mit ausgesprochen finden, der nach seiner Erhöhung alle an sich zieht (vgl. Jo 12,32). Daß im Zusammenhang damit von Sündenreinigung gesprochen wird (Sach 13,1), wird nicht hervorgekehrt, und so wird man diesen Gedanken nicht mitveranschlagen, so gut er zu der hier unternommenen Deutung passen würde. Der Evangelist gibt eben in keiner Weise zu erkennen, daß er das Ausströmen von Blut und Wasser aus der durchbohrten Seite Jesu im Sinne des Reinigungsquells von Sach 13,1 verstanden wissen will. Daß der Sinn dieses wunderbaren Vorgangs "kaum ein anderer sein kann als der, daß im Kreuzestode Jesu die Sakramente der Taufe und des Herrenmahles ihre Begründung haben" (R. Bultmann, a. a. O., S. 525), ist von dieser Überlegung nicht in Frage gestellt (vgl. K. H. Schelkle, Die Passion Jesu in der Verkündigung des Neuen Testaments, Heidelberg 1949, S. 212f).

8 R. Bultmann, a. a. O., S. 524f sagt dies von der dem Evangelisten vorliegenden Quelle. Daß der Evangelist gelegentlich einen weiteren theologischen Zusammenhang durch die Art seiner Darstellung insinuiert (sit venia verbo!), soll an anderer Stelle dargelegt werden.

9 Vgl. C. H. Dodd, The Interpretation of the Fourth Gospel, Cambridge 1965, S. 233f.

10 Das ist gegen die jüdische Auffassung vom Kreuz gesagt, die sich Gal 3,13 mit Berufung auf Dt 21,23 auch im Neuen Testament findet. Nicht minder gegen die römische Verachtung des Kreuzes, wie sie Cicero, In Verrem II, 5, 62, 162-165 zum Ausdruck bringt. – Daß beiden Vorwürfen mit dem Hinweis auf den göttlichen Schutz, dem der Gerechte vertrauen darf, begegnet wird, zeugt für das Alter der Frage ebenso wie für das der Antwort, die aus alttestamentlich-jüdischem Glauben gewonnen ist. Darf man darin einen Hinweis auf judenchristliche Wurzeln der jo Tradition erblicken?

Ende der Leiden?
Eschatologisch-bibeltheologische Thesen zum Problem »Gott und das Leid«

Michael Lattke

Zu denjenigen Fragen und Themen, die dem Theologen in seiner Praxis – in Gemeindearbeit und Schulunterricht, in Erwachsenenbildung und akademischer Lehre – immer wieder begegnen, gehört das Problem des Verhältnisses von liebendem Gott und leidender Welt. Nicht nur, wohl aber besonders im Glauben und in (christlicher) Religiosität wird das Leid der Welt als denkerisches und existentielles Problem empfunden. Erfahrenes und mitgeteiltes Leiden der Menschheit stellt oft genug den Glauben an Gottes Schöpfung und Erlösung auf die harte Probe und nicht selten sogar radikal in Frage.

Der Einladung zu einem Beitrag mit eschatologischer Thematik zu Ehren von Engelbert *Neuhäusler* folgend, soll darum hier einmal versucht werden, jenes wichtige Problem zu entfalten, bibeltheologische Verstehenshilfen zu geben, vielleicht Aspekte einer Antwort auf schon vorhandene und noch nicht artikulierte Fragen zu entdecken, unter Umständen auch Wege zu einer Lösung des Problems anzudeuten.

Was bei der längeren Reflexion und bei der unmittelbaren Ausarbeitung des Problems sich einstellt, mag zu Beginn geäußert sein: es gibt im theologischen Bereich kaum ein unangenehmeres Thema, und es erscheint ziemlich riskant, das Nachdenken darüber in solche Worte zu fassen, die auf der einen Seite das Problem an der Wurzel packen, die auf der anderen Seite aber nicht bloße Ratlosigkeit stehen lassen.

Dort wo man billigen erbaulichen Trost verschmäht und sich auch nicht zufrieden gibt mit selbstgerechter, mehr oder weniger großzügiger Pragmatik, könnte es ja passieren, daß man zwar immer tiefer und radikaler in ein skeptisches Fragen gerät, daß dann eventuell aber auch eine mögliche Antwort untergeht entweder in existentieller Verzweiflung oder in intellektueller Hybris. Solche denkbaren Frageresultate ließen sich, auf unser Thema hin zugespitzt, etwa folgendermaßen kennzeichnen:

Ich *kann* nicht verstehen, klagt die Verzweiflung, wie ein liebender und fürsorgender Schöpfer und Vater in Beziehung gesetzt werden soll zu seinen leidenden Geschöpfen!

Und ich *will* nicht glauben, versichert der Hochmut, daß eine Welt voll Unheil und Leid irgendetwas zu tun hat mit einem mächtigen und gnädigen Gott!

Wenn man sich nun dennoch, dem Risiko und dem Unbehagen zum Trotz, auf das Problem einläßt, dann kann man das zum einen aus geschichtlicher Neugier tun. Weil man nämlich selbst gern wissen möchte, wie und wo sich das Thema "Gott und das Leid" (1) religiös und philosophisch, publizistisch und literarisch niedergeschlagen hat. Davon etwas mitzuteilen, wird Teil der folgenden Ausführungen sein. Zum anderen mag man sich deshalb darauf einlassen, weil es theologisch durchaus interessant erscheint, den durch das Wort vom gekreuzigten Jesus vermittelten Glauben an Gott in der Weise mit der Realität zu konfrontieren, daß man seinen Blick auf die menschliche Wirklichkeit gleichsam einengt und konzentriert aufs Leiden.

Gott und das Leid, Glauben und Leiden zusammenzudenken, setzt offensichtlich beide Seiten der Relation einer erheblichen Belastungsprobe aus. Was im Aushalten jener Beziehung von vornherein zu vermeiden sein wird, ist eine oberflächliche Apologie im

Glauben an Gott, die in zwei Formen auftreten kann. Es wäre eine falsche Verteidigung Gottes, daß er vom Leiden der Welt überhaupt nicht tangiert würde. Gott würde so in seiner Herrlichkeit der Wirklichkeit als ganzer entrückt. Ebenso verkehrt wäre der Glaube an ihn verteidigt, wollte man die Realtität so zurechtbiegen, daß man menschliches Leid verkleinerte, abschwächte, verniedlichte oder allzu vorschnell einen Sinn hineininterpretierte. Auf diese Weise würde die Wirklichkeit der Welt nicht ernstgenommen.

Man darf wohl davon ausgehen, daß jeder Leser dieser Zeilen ganz persönliche und auch sehr verschiedenartige Leidenserfahrung besitzt, was analog für die Glaubenserfahrung gelten mag. Gleichzeitig ist jedoch vorauszusetzen, daß man über den Glauben reden und streiten kann, daß also der Glaube und seine Wahrheit in gewisser Weise objektivierbar sind. Ähnlich gegenständlich sind menschliche Leiden. Leiden der anderen, einzelner näher oder ferner stehender Menschen, ganzer Gruppen und Völker lassen sich wahrnehmen und mitfühlen, wenn man fähig und willens ist, über das eigene Ich hinauszuschauen.

Beim notwendigen verallgemeinernden Objektivieren darf nie vergessen werden, was individuell im Einzelschicksal, was konkret und hautnah in leiblicher Existenz erlitten wurde und wird. Die jüngste Vergangenheit und Zeitgeschichte, die täglichen Zeitungs- und Fernsehinformationen aus aller Welt und im lokalen Bereich sind so voll davon, daß es unnötig ist, Einzelnes hier aufzuzählen, daß es auch gar nicht sinnvoll erscheint, alle auf ein gemeinsames Erinnern derselben Phänomene und Fakten, Beschreibungen und Beurteilungen festzulegen. Worauf es ankommt ist, nicht bloß mit Problemen und Ideen zu spekulieren, sondern die wirklichen Leiden des konkreten Leib-Seele-Wesens Mensch zusammenzudenken mit dem biblischen Gott, den Jesus von Nazareth seinen und unseren Vater nannte und dessen Liebe besonders auch Paulus verkündete und auslegte.

Nun ist es durchaus denkbar, daß manchem das von uns aufgeworfene Problem eben gar *kein Problem* ist. Das rechtfertigt den Versuch, die Sache, um die es geht, so anzugehen und aufzuzeigen, daß ein entsprechendes Problembewußtsein sich bilden kann. Man kann sogar Gründe namhaft machen dafür, daß nicht jedem die Fragen unseres Themas auf den Nägeln brennen müssen.

Ein zumindest zeitlich weit entfernt liegender Grund könnte darin bestehen, daß die Bibel in keinem ihrer sehr verschiedenen Teile den Versuch unternimmt, das *Problem* "Gott und das Leid" oder gar das viel weiter greifende Theodizeeproblem (2) *systematisch* und *spekulativ* aufzurollen und zu lösen. Erst in der Zeit der Kirchenväter wird es eine "viel besprochene Frage" (nämlich: πόθεν ἡ κακία) (3), und zwar besonders in der "Auseinandersetzung von christlicher Theologie und heidnischer Philosophie" (4).

Viel näherliegend und unmittelbarer wäre ein anderer Grund, nämlich das – vielleicht nur lebensaltersbedingte – Verschontsein von schwerem Leid, also mangelnde existentielle Leidenserfahrung. Aber es kann ja, um es noch einmal zu betonen, nicht nur um das je eigene Leid(en) gehen; natürlich auch um dieses. Es gehört zur Menschlichkeit des christlichen Glaubens, ein waches Gespür und ein nüchternes Mitgefühl für das Leid(en) der Mitmenschen zu entwickeln.

Die folgenden Ausführungen gliedern sich in drei Abschnitte. In einem ersten Teil werden zwei berühmte Beispiele aus dem Bereich der neueren Literatur, aus Dostoevskij und Camus, vorgeführt, die beide den Protest gegen das Leiden mit der Anklage Gottes verbinden. – In einem zweiten Teil müssen wir notwendigerweise wenigstens einen kurzen Blick auf den Theodizeeversuch von Leibniz werfen. – Schließlich werden in einem dritten Teil eschatologisch-bibeltheologische, genauer gesagt: neutestamentliche Thesen zur Problematik der Relation zwischen dem liebenden Gott und seiner leidenden Welt formuliert werden.

I. Zwei literarische Beispiele: Dostoevskij und Camus

1. F. M. Dostoevskij: *Die Brüder Karamázov* (5)

Im Alterswerk des russischen Dichters F. M. Dostoevskij (geb. 1821, gest. 1881), dem unvollendeten Roman "die Brüder Karamázov" von 1879/80, spielt die psychologische Typologie eine bestimmende Rolle. So verkörpern denn auch die drei Brüder Dmitrij, Ivan und Alescha drei verschiedene Menschentypen. Es ist ja für Dostoevskijs Romane überhaupt charakteristisch und wesentlich, "daß die handelnden Personen mit den von ihnen dargelegten Ideen völlig verwachsen, verkörperte Ideen sind, jedoch gleichzeitig als lebendige Menschen dargestellt werden" (6).

"Die Brüder Karamázov" (7) von Dostoevskij sind "sein letztes, zusammenfassendes Wort über die großen Themen seines Lebens: über den Menschen, wie er sein soll und wie er nicht sein soll; über die dunklen und lichten Kräfte im Menschen: wie sie den Menschen zugrunde richten, wenn sie widereinander streiten, wie sie ihn zur Vollendung führen, wenn sie im rechten Verhältnis zueinander stehen; über die Versuchung des Verstandes, wenn er nicht gebunden ist an die Mächte, von denen Herz und Gewissen zeugen; über die Schuld, in die wir alle verstrickt sind, ... über die Frage, die Dostoevskij sein Leben lang gequält hat: die Frage nach der Existenz Gottes, nach Tod und Unsterblichkeit"(8).

Aus dem vielschichtigen und kompliziert verschachtelten Roman ist für unser Problem nur ein kleiner Abschnitt im fünften Buch des zweiten Teils von Interesse, das Gespräch nämlich zwischen Ivan und Alescha, das dann in die berühmte Legende vom *Großinquisitor* (9) ausmündet. Eigentlich handelt es sich bei dem Kapitel *Die Auflehnung* (10) gar nicht um ein Gespräch, sondern um ein Geständnis Ivans, bei dem der fromme Klosterbruder Alescha nur die Rolle des Zuhörers spielt, dem ab und zu ein kurzer Einwand gestattet ist, der aber am Ende dann doch sein Urteil und seine Sicht dem Geständnis entgegensetzen darf. Ivan will ursprünglich, und dies im Zusammenhang mit der Frage: *Gibt es wohl Gott?* (S. 291) (11), *über das Menschenleiden ganz im allgemeinen sprechen*, bleibt aber dann *lieber bei den Leiden nur der Kinder*, weil sie *noch in nichts schuldig* seien und daher liebenswert (S. 295).

Die Kindesmißhandlungen, die der Dichter in ihrer ganzen Grausamkeit und Brutalität Ivan erzählen läßt, sind nur nach der einen Seite hin plastische Beispiele für das Leiden von Unschuldigen. Man sage nicht, sie seien dem finsteren Mittelalter entnommen oder nur ein Spiegelbild des zaristischen Rußland. Es sind typische und daher wirkliche Geschichten des menschlichen Verhaltens und Erleidens. Immer noch und immer wieder ist evident, welch unmenschliches Leid dem Menschen vom Menschen zugefügt werden kann. *In der Tat* — sagt Ivan — *man spricht manchmal von 'tierischer' Roheit der Menschen; das ist aber furchtbar ungerecht und beleidigend für die Tiere. Ein Tier kann niemals so grausam sein wie der Mensch, so mit Virtuosität, so mit Kunst grausam* (S. 296).

Und damit wären wir bei dem, was Ivans Schilderungen nach ihrer anderen Seite hin lehren können und wollen (12), nämlich daß und wie *böse* der Mensch sein kann. Worauf noch zurückzukommen sein wird, soll doch hier schon festgehalten werden: der enge Zusammenhang zwischen dem menschlichen Bösen und dem menschlichen Leiden.

Bleiben wir noch bei Dostoevskij, bei Ivans Schlußbemerkungen, die er folgendermaßen einleitet: *Ich nahm meine Beispiele aus der Kinderwelt, damit der Zusammenhang klarer zutage trete. Von den übrigen Menschentränen, von denen die ganze Erde durchtränkt ist, von ihrer Rinde bis zum Mittelpunkt, will ich schon kein Wort sagen; ich habe absichtlich mein Thema beschränkt. Ich bin ja nur eine Wanze und bekenne mit aller Demut, daß ich durchaus nicht begreifen kann, weshalb das alles so eingerichtet ward* (S. 303). Ivan will aber dennoch Vergeltung: *Und Vergeltung will ich nicht in der Unendlichkeit, irgendwo und irgendwann, vielmehr hier schon auf der Erde, und ich will sie selber erschauen! Ich war stets gläubig, ich will aber auch selber sehen;*

wenn ich aber zu dieser Stunde schon tot sein werde, dann soll man mich auferwecken . . . Nicht dafür habe ich ja gelitten, um durch mich selber, durch meine Untaten und Leiden, irgendwem die zukünftige Harmonie gleichsam zu 'düngen' . . . Ich will dabeisein, wenn alle plötzlich erkennen, weshalb das alles so war. Auf diesem Verlangen gründen sich alle Religionen auf der Erde (S. 303).

Ivans Schwierigkeit in seinem Gedankengebäude bleiben die Kinder. *Wenn alle leiden müssen* – so fährt er fort – *um durch Leiden ewige Harmonie zu erkaufen, was haben dann die Kinder damit zu schaffen? . . . Es ist ja durchaus unverständlich, wofür auch sie zu leiden hätten, und weshalb sie durch Leiden die Harmonie erkaufen mußten. Wofür sind denn auch sie unter das Material geraten, mit dem man für irgendwen eine zukünftige Harmonie 'düngt'? Daß unter den Menschen gegenseitiges Verplichtetsein in der Sünde herrscht, verstehe ich, ich verstehe der Menschen Solidarität auch in der Vergeltung; aber die Kinderchen sind doch nicht eingeschlossen in die Solidarität der Sünde! Und wenn die Wahrheit tatsächlich darin liegen sollte, daß auch sie solidarisch sind mit ihren Vätern in allen deren Übeltaten, so ist natürlich schon diese Wahrheit nicht von dieser Welt und mir unverständlich! . . . Und wenn die Leiden der Kinder nötig waren, um jene Leidenssumme zu erfüllen, die unumgänglich ist, um die Wahrheit zu erkaufen, so behaupte ich schon im voraus, daß die ganze Wahrheit dann gar nicht wert ist eines solchen Kampfpreises!* (S. 305).

In den Schlußworten von Ivans Geständnis erreicht der Protest seinen Höhepunkt: *Lebt wohl auf der ganzen Welt ein Wesen, das verzeihen könnte und ein Recht dazu habe? Ich aber will gar keine Harmonie, aus Liebe zur Menschheit will ich sie nicht. Ich will lieber verharren bei ungesühntem Leiden! Da werde ich dann besser schon ausharren mit meinem ungerächten Leiden und meinem unbeschwichtigten Unwillen, wenn ich auch unrecht hätte. Ja, und überhaupt hat man die Harmonie viel zu hoch bewertet, es ist überhaupt nicht unseren Vermögensverhältnissen angemessen, so viel für das Eintrittsbillet zu ihr zu zahlen. Deshalb beeile ich mich auch, mein Eintrittsbillett zurückzugeben. Und wenn ich auch nur eben ein anständiger Mensch bin, so bin ich sogar verpflichtet, es so rasch wie möglich zurückzugeben. Das tue ich denn auch. Nicht daß ich Gott meine Anerkennung verweigere, ich gebe 'Ihm' nur in aller Ehrerbietung meine Eintrittskarte zurück* (S. 305).

Was Alescha darauf leise sagt, hat dem ganzen Kapitel den Namen gegeben: *"Das ist Auflehnung"* (S. 305).

In wissenschaftlicher Begrifflichkeit gesprochen, richtet sich Ivan also nicht gegen eine Theodizee, sondern gegen eine Kosmodizee, gegen eine wie auch immer begründete Rechtfertigung dieser leidenden und bösen Welt.

Auch der fromme Alescha ist nun – gerade in seinem Urteil – aufs tiefste beunruhigt, hält aber seinem Bruder dann doch seinen geglaubten Christus entgegen, indem er Ivans Worte wiederholt: *Ist denn auf der ganzen Welt ein 'Wesen', das verzeihen könnte und ein Recht dazu hätte? Aber dies 'Wesen' lebt ja* – beteuert er – *und 'Es' kann alles verzeihen, allen und jedem und für alles, weil 'Es' ja selber sein unschuldiges Blut hingab für alle und alles. Du hast 'Seiner' vergessen, auf 'Ihm' aber ist ja gerade der Bau* (13) *gegründet und 'Ihm' gerade rufen sie zu: 'Gerecht bist Du, Herr, denn es haben Deine Wege offenbart!'* (S. 306).

Diese ausgesprochen christologische Gewißheit, deren sühnetheologischer Charakter nicht weniger problematisch ist als Ivans Vergeltungsdrang und Harmonievorstellung, läßt Dostoevskij nicht einfach stehen; sie dient ihm vielmehr als Überleitung und Anstoß zu Ivans Legende vom Großinquisitor, in der es allerdings weniger um die Leidensproblematik als um das Freiheitsverständnis Jesu und der Amtskirche geht.

2. A. Camus: *Die Pest* (14)

Das zweite literarische Beispiel ist nicht dem vergangenen Jahrhundert, sondern unserer Zeit entnommen, nämlich dem Roman *La Peste* von Albert Camus (geb. 1913, tödlich verunglückt 1960).

Dieser erste Roman des späteren Literaturnobelpreisträgers war im Erscheinungsjahr (Paris 1947) mit dem Grand Prix des Critiques ausgezeichnet worden. Gegenüber etwa der totalen Negation eines Jean Paul Sartre und seines Existentialismus zeigt "Die Pest" schon "einen deutlich konstruktiven Pessimismus, dem es um ethische Maßstäbe geht" (15).

Das philosophische Denken von Camus, das auch im Erzählerischen seinen Ausdruck findet, verläuft in drei Schritten "vom Absurden über die Revolte zum Maß" (16). Die neuere philosophische Forschung spricht im Zusammenhang mit der "Kontroverse von Humanismus und Antihumanismus" geradezu von der "Verteidigung des Menschlichen" (17) durch Camus.

Aus dem Roman "Die Pest", wo Camus den Verlauf und die Folgen der grauenhaften Epidemie im nordafrikanischen Oran schildert, interessiert uns hier die Haltung zweier Männer, des Arztes Dr. Rieux und des Paters Paneloux. Beide setzen sich mit ihrer ganzen Existenz im Kampf gegen die Seuche ein: Solidarität in der Empörung, Solidarität aber auch im Ringen um jedes einzelne Menschenleben. Und doch vertreten sie zwei verschiedene Standpunkte, die offenkundig werden am Leidens- und Todeslager eines von der Pest geschlagenen Kindes. Die Parallele zu Dostoevskij ist unübersehbar, nur daß bei Camus nicht so sehr der Zusammenhang zwischen dem Leid(en) und dem Bösen, sondern stärker der Zusammenhang zwischen dem menschlichen Leidenmüssen und dem Tod, dem Sterbenmüssen herausgehoben wird. Auch darauf wird zurückzukommen sein.

Die Schilderung des kindlichen Todeskampfes und der furchtbaren Pestsymptome kann auch den Leser noch sprachlos machen:

Eben zog sich das Kind mit einem Stöhnen wieder zusammen, als wäre es in den Magen gebissen worden. Während langer Sekunden blieb es so gekrümmt, von Schauern und krampfartigem Zittern geschüttelt, als würde sein zarter Leib von dem wütenden Pestwind geknickt und unter dem feurigen Atem des Fiebers zerbrochen. Wenn der Sturm vorüber war, entspannte es sich ein wenig, das

Fieber schien sich zurückzuziehen und es schwer atmend auf dem feuchten und vergifteten Ufer liegen zu lassen, wo die Ruhe schon dem Tode glich. Als die glühende Flut das Kind zum drittenmal erreichte und es ein wenig emporhob, kauerte es sich zusammen, kroch vor Entsetzen vor der sengenden Flamme tiefer ins Bett, bewegte den Kopf wie irrsinnig und warf die Decke von sich. Dicke Tränen drangen unter den entzündeten Lidern hervor und rollten über das bleifarbene Gesicht; als der Anfall vorüber war, nahm das erschöpfte Kind mit seinen verkrampften, knochigen Armen und Beinen, die in achtundvierzig Stunden völlig abgemagert waren, im zerwühlten Bett die groteske Stellung eines Gekreuzigten ein. (S. 126).

Da läßt Camus den Pater Paneloux sagen: *"S' il doit mourir, il aura souffert plus longtemps." – "Wenn er sterben muß, wird er länger gelitten haben."* (S. 127).

Der Kampf geht weiter, das Kind stößt wahnsinnige Schreie aus, Dr. Rieux beißt stumm die Zähne zusammen, Pater Paneloux betet auf den Knien zu Gott, daß er dieses Kind retten möge. *Eine Flut von Schluchzen überschwemmte den Saal und übertönte Paneloux' Gebet, und Rieux, der sich an der Bettstange festhielt, schloß die Augen: ihm war übel vor Müdigkeit und Ekel* (S. 128).

Eigentlich wollte er fort, weil er es kaum noch ertragen konnte, doch er harrt aus bis zum Ende dieses Sterbens, ohnmächtig und hilflos wie der Pater, dem der Arzt heftig die Worte entgegenschleudert: *"Ah! celui-là, au moins, était innocent, vous le savez bien!" – „Ah! der wenigstens war unschuldig, das wissen Sie wohl!"* (S. 128).

Nach einer Weile kommt es zum Dialog zwischen den beiden erschöpften Helfern, kurz aber auch wichtig genug, ihn hier wiederzugeben:

"Warum haben Sie so zornig mit mir gesprochen?" fragte eine Stimme hinter ihm. "Auch ich fand diesen Anblick unerträglich." Rieux wandte sich Paneloux zu.

"Sie haben recht" sagte er. "Verzeihen Sie mir. Aber die Übermüdung ist eine Art Wahnsinn. Und es gibt Zeiten in dieser Stadt, da ich nur mehr meine Empörung (ma révolte) spüre."
"Ich verstehe", murmelte Paneloux. "Es ist empörend (révoltant), weil es unser Maß (notre mesure) übersteigt. Aber vielleicht sollen wir lieben (aimer), was wir nicht begreifen (comprendre) können."
Rieux richtete sich mit einem Schlag auf. Mit der ganzen Kraft und Leidenschaft, deren er fähig war, schaute er Paneloux an und schüttelte den Kopf.
"Nein, Pater", sagte er. "Ich habe eine andere Vorstellung von der Liebe. Et je refuserai jusqu'à la mort d'aimer cette création où des enfants sont torturés." – "Und ich werde mich bis in den Tod hinein weigern, die Schöpfung zu lieben, in der Kinder gemartert werden."
Ein bestürzter Schatten huschte über Paneloux' Gesicht.
"Ach, Herr Doktor", sagte er traurig, " eben habe ich erkannt, was Gnade (la grâce) heißt!"
Aber Rieux war von neuem auf seiner Bank zusammengesunken. Seine Müdigkeit war zurückgekehrt und ließ ihn sanfter antworten.
"Die habe ich nicht, ich weiß. Aber ich will nicht mit Ihnen darüber streiten. Wir arbeiten miteinander für etwas, das uns jenseits von Lästerung und Gebet vereint. Das allein ist wichtig."
Paneloux setzte sich neben Rieux. Er schien bewegt.
"Ja", sagte er, *"ja, auch Sie arbeiten für das Heil (le salut) der Menschen."*
Rieux versuchte zu lächeln.
"Das Heil der Menschen ist ein zu großes Wort für mich. Ich gehe nicht so weit. Mich geht ihre Gesundheit (sa santé) an, zuallererst ihre Gesundheit."
Paneloux zögerte. "Herr Doktor", sagte er.
Aber er hielt inne. Auch auf seiner Stirn fing der Schweiß an zu perlen. Er murmelte: "Auf Wiedersehn", und seine Augen glänzten, als er sich erhob. Er war im Weggehen, als Rieux, der aus seinem Nachsinnen erwachte, ebenfalls aufstand und einen Schritt auf ihn zuging.
"Noch einmal, verzeihen Sie mir", sagte er. "Ein solcher Ausbruch wird sich nicht wiederholen."

Paneloux streckte die Hand aus und sagte traurig:
"Und doch habe ich Sie nicht überzeugt!"
"Was tut das schon?" fragte Rieux. "Was ich hasse, sind der Tod und das Böse (la mort et le mal), das wissen Sie ja. Und ob Sie es wollen oder nicht, wir stehen zusammen, um beides zu erleiden und zu bekämpfen."
Rieux hielt Paneloux' Hand fest.
"Sehen Sie", sagte er und vermied es, ihn anzuschauen, "jetzt kann Gott selber uns nicht scheiden." (S. 128f).

Soweit Camus. Solche Dichtung mit ihren Schilderungen und Dialogen spricht für sich und bedarf kaum der eindringenden Analyse oder des langen Kommentars. Streiten und auch theologisch diskutieren könnte man hingegen über Pater Paneloux' Predigt, die ihn Camus kurze Zeit danach halten läßt. Paneloux weiß um die Schwierigkeit, ja Unmöglichkeit einer Pestpredigt. Es ist das Dilemma wohl jedes christlichen Verkündigers in solcher Situation und vor solchen leidgeprüften Zuhörern. An der banalen moralischen Wahrheit, *daß es in allen Dingen immer etwas zu lernen gab* (S. 131), ist kaum etwas auszusetzen. Gewagter ist schon die Behauptung: *Auch die grausamste Prüfung war für den Christen noch Gewinn* (ebd.). *Paneloux sagte ungefähr* – so erfaßt es der zuhörende Dr. Rieux – *es dürfe nicht versucht werden, das Schauspiel der Pest zu erklären, sondern man müsse sich bemühen zu lernen, was aus ihr zu lernen sei. . . Es gebe Dinge, die man im Angesicht Gottes erklären könne, und andere, die unerklärlich blieben. Gewiß gab es Gut und Böse, und im allgemeinen konnte man auch leicht verstehen, was sie trennte. Aber die Schwierigkeit begann innerhalb des Bösen. So gab es zum Beispiel das scheinbar notwendige und das scheinbar unnütze Übel* (S. 131), wozu *das Leiden des Kindes* gehört und *das Grauen, das dies Leiden mit sich bringt* (S. 132). Der Pater verweist nicht auf ewige himmlische Freuden. *Denn wer konnte schon behaupten, daß eine ewig andauernde Freude einen Augenblick menschlichen Schmerzes aufwog? Jedenfalls kein Christ, dessen Schmerz der Meister in seinen Gliedern und in seiner Seele empfunden hat* (ebd.). Im Blick auf das Kreuz und *Auge in Auge mit dem Leiden* gilt es, so predigt Paneloux, entweder *alles zu glauben oder alles zu leugnen* (S. 132). Damit meint er, wie er selber ausführt, weder apathische Ergebung *(la banale résignation)* noch die schwierige Demut *(la difficile humilité).* Es geht um mehr, es geht um Erniedrigung, *mais d'une humiliation où l'humilié était consentant — um eine Erniedrigung, in die der Erniedrigte einwilligte* (S. 133). In der Erniedrigung des Leidens und in der Erniedrigung des Sicheinlassens auf das Leiden werde der Mensch radikal vor die Gottesfrage gestellt, und er werde es *verstehen, sich Gottes Willen ganz zu überlassen, selbst wenn er unverständlich war* (ebd.).

Die Schlußworte der Predigt erinnern wieder an Dostoevskij, nämlich an Aleschas Entgegnung auf Ivans Geständnis. *Meine Brüder,* erklärt Paneloux, nachdem er vor die Wahl: Glaube oder Leugnung, Liebe oder Haß gestellt hatte, *die Liebe zu Gott ist eine schwierige Liebe. Sie setzt völlige Selbstaufgabe und Selbstverleugnung voraus. Aber er allein vermag das Leiden und Sterben der Kinder auszulöschen; er allein jedenfalls kann es notwendig machen, weil es unmöglich zu verstehen ist und wir es nur wollen können. Das ist die schwierigste Lehre, die ich mit euch teilen wollte. Das ist der in den Augen der Menschen grausame, vor Gott jedoch entscheidende Glaube, dem wir uns nähern müssen* (S. 134).

Ob dieses Glaubensverständnis und überhaupt diese nicht gerade untypische kirchliche Predigt sich behaupten können vor zentralen neutestamentlichen Theologumena, wird sich erst im dritten Abschnitt zeigen.

II. Der Theodizeeversuch von Leibniz

Soweit die beiden literarischen Beispiele, die mehr offene Fragen als perfekte Lösungen hinterlassen! Sowohl in ihrem Realitätsbezug als auch in ihrem durchaus nicht einheitlichen oder einschichtigen Glaubensausdruck tragen sie vielleicht mehr an lebensnaher Problematik und mehr Anspruch auf Wahrheit vor als der geistvolle Versuch von Gottfried Wilhelm Leibniz (geb. 1646, gest. 1716), vor fast 300 Jahren, genau im Jahre 1710, Gottes Güte und die Freiheit des Menschen und den Ursprung des Übels zusammenzudenken. Seit seinem Entwurf spricht man von "Theodizee" (18), verwendet also einen Begriff, der "anscheinend nach Röm 3,5 ziemlich dilettantisch gebildet (wurde) aus ϑεός und δίκη" (19).

Obwohl unser Problem nur einen Teil der Theodizeefrage (20) ausmacht, erscheint es nicht nur wegen des größeren und philosophischen Zusammenhangs angebracht, dennoch ganz kurz auf Leibniz einzugehen. Denn er setzte sich in klassischer Weise, wenn auch nicht unwidersprochen (David Hume, Voltaire, Kant), auseinander mit der alten "Frage, warum Gott das Übel nicht verhindert habe" (21), und ebenso mit den bis dahin auf der skeptisch-rationalistischen Linie von Epikur bis Pierre Bayle gegebenen Antworten, die man – mit H. Küng – ungefähr so umschreiben kann: "Entweder Gott kann nicht; ist er dann noch heilig, gerecht und gut? Oder er kann und will nicht; ist er dann nicht machtlos und mißgünstig zugleich? Oder schließlich, er kann und will; warum dann all die Schlechtigkeit in dieser Welt?" (22)

Bei Leibniz wird nun die Theodizee – das heißt: Gott ist absolut vollkommen und gut – "zugleich Kosmodizee, d.h. Antwort auf die Frage, ob diese Welt die bestmögliche ist, die Gott hat schaffen können" (23). Der Philosoph Leibniz war nicht unrealistisch, er übersah keineswegs das Böse, das bzw. die Übel und das Leid(en) in dieser Welt. Gleichzeitig aber war er erfüllt von geradezu programmatischem um nicht zu sagen ideologischem Optimismus: "Wäre diese Welt nicht die beste von allen je möglichen Welten, dann hätte Gott die beste Welt entweder nicht wissen können oder nicht erschaffen können oder nicht erschaffen wollen. Das erste widerspricht seiner Allweisheit, das zweite seiner Allmacht, das dritte seiner Allgüte!" (24).

Leibniz sah, daß er drei Arten des Übels zu erklären hatte:

1. "Das *metaphysische* Übel oder die Endlichkeit und Beschränktheit jeglichen Geschöpfes"; diese abgestuften Unvollkommenheitsgrade des Seins waren für ihn aufgehoben in der "Harmonie des

Ganzen" (25). Wird Welt hier als ein harmonisches Universum postuliert, so ist zu erinnern an die Überstrapazierung des Harmoniedenkens in der Polemik von Ivan Karamázov.

2. "Das *physische* Übel oder der Schmerz"; Leidensempfindungen solcher Art aber seien "notwendig gegeben mit der Existenz der Materie, der Leiblichkeit" (26). Daß sie nach Leibniz anzunehmen und zu ertragen seien "im Vertrauen darauf, daß auch sie den Menschen zum Besten gereichen" (27), läßt zwar an die Predigt von Paneloux bei Camus denken, klingt aber doch gar zu fade und ist kein echter Trost in Leidenszeiten.

3. "Das *moralische* Übel oder das Böse" hält Leibniz "notwendig gegeben mit der Selbstbestimmung, Freiheit und somit Moralität geschaffener Geister" (28). Notwendigkeit, Unvermeidlichkeit und Mangelhaftigkeit verharmlosen u. E. aber das menschliche Böse ebenso wie die Behauptung von Leibniz, daß es "um der Harmonie des Ganzen willen von Gott zwar nicht gewollt, wohl aber zugelassen" sei (29).

So kann man natürlich alles erklären, braucht an seiner Idee von Gott keine Abstriche machen und kann die Welt und die Menschen positivistisch nehmen wie sie sind. Wenn diese in ihrer postulierten harmonischen Ganzheit das Urteil "sehr gut" verdienen, dann müssen wohl "selbst Mißgeburten, das Leid und das Böse . . . einen guten Sinn in sich (tragen)"; und das ist in der Tat die Meinung von Leibniz (30)!

Kritisch ist dazu festzustellen, daß dies höchstens eine natürliche Religion, eine selbst und dazu noch schlecht zurechtgemachte Daseinshaltung ist, die mit dem *Glauben* beider Testamente nichts gemein hat. Das hinderte freilich die damalige Zeit der Aufklärung und des deutschen Idealismus in keiner Weise, die "Theodizee" als christliche Weisheit zu deklarieren und zum "Lesebuch des gebildeten Europas" (31) zu machen.

III. Thesen zu dem Problem: Gott und das Leid

1. Um Thesen handelt es sich im folgenden, weil es erste Versuche sind, auf biblischer Grundlage Aspekte des aufgezeigten Problems zu sehen und Lösungswege sichtbar zu machen. Thesen sind es auch darin, daß sie offen zur Diskussion gestellt werden, und nicht bloß auf ihre fachwissenschaftliche Stimmigkeit hin, sondern ebenso auch auf ihre heutige Tragfähigkeit hin. Insofern steht an einem zentralen Punkt existentieller Problematik die Gültigkeit und Tragweite der gesamten neutestamentlichen Verkündigung und Theologie zur Debatte (32). Die Beschränkung vorzunehmen auf die Bibel des Neuen Testaments, und darin wieder auf Jesus und Paulus als die theologischen Brennpunkte, insofern das Alte Testament auszusparen, also auch das Buch Hiob, "die reifste Frucht israelitischer religiöser Dichtung" (33), scheint umso berechtigter, als die Hiob-Lösung im Neuen Testament enthalten, aufgehoben, aber auch überholt ist.

2. Auf den ersten Blick sieht es so aus, als existiere unser Problem als Problem im Neuen Testament gar nicht. Gemessen an der philosophischen Spekulation stimmt das auch. Solch erster Eindruck ist ebenfalls richtig im Vergleich mit dem vehementen Protest in der Literatur oder im menschlichen Alltag. Leiden (34) der Welt, des Christus, des Apostels, der Christen werden zwar ebenso beim Namen genannt wie die Liebe Gottes (35) zu seiner Welt proklamiert wird. Doch ausdrücklich zusammengebracht wird beides sehr selten, ja eigentlich nur in dem von Freiheitsbewußtsein und Hoffnung getragenen Abschnitt Röm 8,18–39. Dort nämlich ist Paulus "überzeugt, daß die Leiden dieser Zeit nichts bedeuten im Vergleich zu der (zukünftigen) Herrlichkeit"; und er ist gewiß: "Weder Tod noch Leben, weder Engel noch Mächte, weder Gegenwärtiges noch Zukünftiges, weder Gewalten der Höhe oder Tiefe noch irgendeine andere Kreatur können uns scheiden von der Liebe Gottes in Christus".

3. Aussagen dieser Art, isoliert genommen, vielleicht ergänzt durch ebenfalls isolierte leidenstheologische Passagen, haben nicht nur in der Kirche selbst zu falschen Akzenten und verkehrten Folge-

rungen in Glaube und Ethos geführt, sondern dann auch Anlaß und Grund gegeben zu frontalen Angriffen und – freilich oftmals verzerrten – radikalen Vorwürfen gegen die christliche Religion: wirklichkeitsfremde und wirklichkeitsfeindliche Jenseitsvertröstung, Opium fürs Volk, Sklavenmoral und ähnliches.

4. Um Verkrampfungen im eigenen Selbstverständnis und ungerechtfertigten Anfeindungen von außen zu entgehen, muß das Problem "Gott und das Leid" im Blick auf das Neue Testament zuerst einmal entsprechend richtig gefaßt werden. Radikalisiert man es, geht man ihm bibeltheologisch auf den Grund, so sieht man, daß es nicht nur existiert, sondern darüberhinaus in einer Weise bewältigt wird, die sich als eschatologisch, als endgültig bezeichnen läßt. Zum einen ist die Liebe Gottes von einem gar zu seichten Verständnis vom liebenden Gott loszulösen. Es ist nach den verschiedenen Liebesbegriffen zu fragen, die auf den neutestamentlichen Gott interpretierend übertragen wurden. Es ist darauf zu achten, daß oft erst der jeweilige Textzusammenhang die Liebe Gottes genauer bestimmt. Außerdem ist genau zu untersuchen, wo und wie Gottes Tun und Macht, Gottes Wort und Absicht zur Sprache kommen.

5. Zum anderen aber ist der Begriff des Leid(en)s zu radikalisieren. Dabei geht es nicht um Abstraktion um ihrer selbst willen. Doch ist konkretes Leid zurückzuführen auf seine Ursachen und Bedingungen. Leiden gerade auch im negativen Sinn gehört zur Realität dieser vergänglichen Welt und des irdischen leiblichen Menschen. Daß auch im Neuen Testament die *Realität* des Leidens voll und ganz gesehen und anerkannt wird, ist gar nicht so selbstverständlich, sondern eher erstaunlich und geradezu ein Wahrheitskriterium, wenn man die Dominanz des Heils (unter seinen verschiedenen Begriffen) in diesen Schriften berücksichtigt. Fragt man nach dem Warum und Woher des Leids und des Leidens, so stößt man – nicht erst im Neuen Testament, wohl aber dort besonders – auf die *Macht des Todes* und auf den *Teufelskreis des Bösen.* Leid, so könnte man sagen, ist Symptom des Bösen, theologisch gesprochen der Sünde als geschichtlicher Macht, und Leid ist, als Krankheit und Sterben, die Tributforderung des Todes. Bei

dem Zusammenhang zwischen Leid und Sünde muß man sich freilich davor hüten, das Leiden eines Menschen im konkreten Fall als Folge oder gar als Strafe der eigenen bösen Tat anzusehen. Das kann so sein, ist aber kein Kausalgesetz.

6. Leid(en) als menschlich-weltliche Realität ist allerdings genausowenig gottunmittelbar wie andere irdische und kosmische Phänomene. Der Gott des Neuen Testaments — auch übrigens schon der des Alten Bundes — ist kein mythischer Weltbildner, kein dauernd eingreifender und physikalisch-psychisch wirksamer Naturgott, kein bloßes philosophisches Prinzip, auch nicht nur Tiefe des Seins bzw. der Existenz. Mit der alttestamentlich-jüdisch-paulinischen "Definition" Röm 4, 17 "ist" er der existenz- und geschichtsmächtige Gott, der die Toten lebendig macht und das Nicht-Seiende zum Sein ruft. Durch sein "Wort" als Offenbarung und Kerygma und nur so durch sein "Pneuma" als Macht ist er menschenbewegend dergestalt, daß sich Gemeinde bildet aus denen, die glauben, das heißt unter diesem Gesichtspunkt: die ins ursprunghafte Schöpfungsverhältnis gelangen. Der Herr des Lebens und des Menschen operiert nicht die Symptome des Bösen dieser durch den Menschen so gewordenen Welt und nimmt dem Tod auch nicht seinen Tribut. Er will als der Schöpfer den Menschen als freies Geschöpf. Dazu bedarf es — analog der creatio ex nihilo — *neuer* Schöpfung, die zugleich das Ende des alten Adam und des alten Äons (Weltzeitalter) signalisiert. Mit der eschatologischen und endgültigen Verurteilung der Sünde und des Todes wird die Welt auch vom Leid(en) erlöst. Liebe Gottes als sein radikales Dasein für seine Menschenwelt ist also einzuordnen in das eschatologische Heilsgeschehen.

7. Sowohl die Verkündigung Jesu als auch die Theologie des Paulus sind nur zu verstehen im Rahmen der frühjüdischen Eschatologie und Apokalyptik. Auf der Linie der alttestamentlichen Propheten und Trostpsalmen liegt die jüdische Hoffnung auf den neuen, kommenden Äon, wo "Vergänglichkeit vergessen und die Schmerzen vorüber" sein werden (IV Esra 8,53), die Hoffnung auf eine "Zukunft, in der das Auseinanderfallen von irdischem Schicksal und göttlicher Liebe endgültig aufgehoben ist" (36). Urchristlich ge-

sehen, und gegen die philosophische Spekulation, gibt es "ohne Eschatologie keine Theodizee" (37). Die Zeit der Kirche ist nach Paulus derjenige Geschichtsabschnitt, in dem sich seit und durch Jesus alte und neue Weltzeit überschneiden. Auch wenn sich die frühen Christen in der Naherwartung, in der brennenden Erwartung des sehr nahen Endes, getäuscht haben, kann jenes Äonen-Schema doch ein gültiges Muster darstellen. Glaube ist (bzw. sollte sein!) seither geprägt von der Hoffnung auf das *noch* ausstehende Ende, das Leben, die Erlösung, ebenso stark aber und eigentlich primär und spezifisch von der *schon* geschehen(d)en Befreiung.

8. Leid und Leiden sind seit Jesus nicht aus der Welt geschafft. Im Gegenteil, neue und gerade auch christliche Leiden sind hinzugekommen: Jesu eigene Passion und die Drangsal der Glaubenden in der Kreuzesnachfolge. Diese werde nicht nur ergebungsvoll hingenommen in der Hoffnung auf ein ewiges Leben, Auferwekkung, Unvergänglichkeit oder Umgestaltung. Entscheidend ist vielmehr, *wofür* Jesus und seine Nachfolger zu leiden hatten und haben. Nicht jedes Leid des Christen ist Martyrium, Zeugnis. Damit ist nicht nur gemeint, daß der Glaubende partizipiert an dem menschlich-weltlichen Leiden. Gemünzt ist das vor allem auf alle jene illusionären und enthusiastischen, seltsamen und anachronistischen, selbstersonnenen und tradierten Ärgernisse religiöser Art, die zu Bedrängung und Verfolgung führen. Und es ist falsch verstandene Nachfolge Christi, Leiden und Tod zu suchen oder sich in Leidensmystik mit dem Gekreuzigten zu identifizieren. Dem Leiden als solchem braucht gar kein positiver Sinn abgerungen werden. Was übel ist, wird auch dann nicht gut, wenn es die notwendige Konsequenz des Evangeliums in Konfrontation mit dieser Welt darstellt.

9. Jesu Evangelium von der Nähe der Herrschaft Gottes geht zwar direkt und unmittelbar aufs Ganze der menschlichen Existenz. Durch Sündenvergebung und Befreiung vom mosaischen Gesetz wird der Mensch zum geschöpflichen Glauben provoziert. Wo solcher Glaube entsteht und in radikalisiertem Ethos praktiziert wird, beginnt aber schon Erlösung und Heilung von mannigfachen Leiden, auch wenn der Glaubende weiterhin im geschichtlichen Ver-

band der Sünden- und Todeswelt verbleibt. Er mag eigene körperliche, seelische und geistige Heilung erfahren oder nicht, wichtig ist, daß durch ihn zeichenhaft, aber durchaus real Linderung und Beseitung von Leid(en) geschieht. In der Rechtfertigung des Gottlosen, in der Solidarität mit den Sündern, im Dasein für die Armen, Kranken und Gefangenen, im Einsatz für die Ausgestoßenen, Verachteten und Ohnmächtigen wird der Christ zum Werkzeug und Mitarbeiter der Liebe Gottes. Dieser Aspekt des Evangeliums, die konkrete mitmenschliche Hilfe im Leid und Befreiung von Leid, der ja auch in den Machttaten Jesu seinen Ausdruck fand, und der ganz gewiß im radikalisierten christlichen Ethos aufleuchtet, verdient es sogar, stärker betont zu werden, weil er im Neuen Tetament wegen der eschatologischen Hochstimmung etwas zu kurz gekommen ist.

Daß der veränderten geschichtlichen Situation dabei ebenso Rechnung zu tragen ist wie den individuellen Umständen und Möglichkeiten, versteht sich von selbst. Zu beachten bleibt noch zweierlei. Bei allen schon das Ende ankündigenden und voraussagenden "Vorzeichen" (38) ist der eigentliche Gegensatz zum irdischen Leid die eschatologische gemeinte Seligpreisung der Bergpredigt (Mt 5). Beim zweiten muß man vielleicht sein Bild vom liebenden Vatergott korrigieren. Wenn Gottes Gericht und seine Macht, auch ewiges Leid zu setzen, nicht bloß unabgestoßene Elemente jüdischer Frömmigkeit sind, sondern den Ernst des Gottesgedankens und der menschlichen Entscheidungssituation unter der Herrschaft Gottes unterstreichen, dann müssen auch die eschatologischen Weherufe beachtet werden, die sich alle – wie übrigens auch die paulinische Rede vom Zorn Gottes, Röm 1,18–3,20 – gegen eine die Umkehr ablehnende Grundeinstellung richten, nämlich gegen die Selbstrechtfertigung (Autodizee).

10. Der Mensch Jesus von Nazareth, der Herr der Glaubenden und gleichzeitig ihr Verhaltensmuster, ist auf eine grausame Weise zu Tode gebracht worden. Das allein unterscheidet ihn nicht von den Millionen Menschen der Geschichte, die auf ähnliche Weise, ja teilweise viel bestialischer gequält und gefoltert wurden, kurz: die mehr und schlimmer zu leiden hatten. Für alle diese leidenden Ge-

schöpfe, gleich welchen Alters und welcher Herkunft, läßt sich ohne oberflächliche Erbaulichkeit sagen: Ihr Sterben offenbart die Macht des Todes, ihr Leiden bringt die Macht des Bösen und der Sünde zum Vorschein. Auferweckung durch Gottes Lebenskraft durchbricht das Gesetz dieser Welt ebenso wie die Befreiung von Hochmut und Verzweiflung zum Glauben. Daß dies in Jesus geschehen ist, bildet die theologische Grundlage der paulinischen Rechtfertigungslehre. Da der Bann des Bösen und des Todes gebrochen ist, wurde — wenn auch nur indirekt und gleichsam vorzeichenhaft — dem Leidensschicksal der Welt ein Stoß versetzt. Gottes Liebe zu seiner leidenden Welt zeigt sich nicht darin, daß er in übernatürlichem Eingriff das Leid beseitigt und verhindert, sondern darin, daß er in Jesus Christus den Gottlosen rechtfertigt. Indem er so das Böse vergibt, schafft er Versöhnung mit der Welt und richtet sein Recht über seiner Schöpfung auf. Das ist neutestamentliche Kosmodizee und Theodizee.

Anmerkungen:

1 So der Titel von H. Küng, Theologische Meditationen, Bd. 18, Einsiedeln 1967; vgl. auch das gleichlautende Kapitel in: H. Küng, Christsein, München/Zürich 1974, S. 418–426. K. Rahner geht in seinem Buch "Grundkurs des Glaubens" (Freiburg i. Br. 1976) seltsamerweise nicht auf unser Problem ein.

2 Vgl. dazu G. Ebeling, Dogmatik des christlichen Glaubens, Bd. III 3., Der Glaube an Gott den Vollender der Welt, Tübingen 1979, § 41 "Die Gerechtigkeit Gottes", bes. S. 510–519.

3 Eusebius, HistEccl V 27 (hrsg. v. Schwartz, Leipzig 4. Aufl. 1932, S. 214).

4 H.–H. Schrey, Art. Theodizee, II. Dogmengeschichtlich, in: RGG VI (1962), Sp. 740–743, hier Sp. 741.

5 Vgl. L. Müller, Dostoevskij, Tübingen 1977 (Skripten des Slavischen Seminars der Universität Tübingen, Nr. 11), S. 81–95.

6 Meyers Enzyklopädisches Lexikon in 25 Bänden, Mannheim/Wien/Zürich 9. Aufl. 1971–1979, Bd. 7 (1973), S. 140f.

7 Benutzt und zitiert ist die Ausgabe: Fjodor Dostojewskij, Die Brüder Karamasoff. Übertragen von K. Noetzel. Erster und zweiter Teil, München o. J. (= Goldmanns Gelbe Taschenbücher 478/479). Darauf beziehen sich im Text die Seitenangaben.

8 L. Müller, a. a. O., S. 81.

9 Vgl. die Sonderausgabe: F. M. Dostojewski, Der Großinquisitor. Übertragen von R. Kassner, Frankfurt a. M. o. J. (= Insel-Bücherei Nr. 149).

10 S. 293–306.

11 An dieser Stelle des Kapitels *Die Brüder lernen einander kennen* (S. 283–293) sagt Ivan weiter zu Alescha, daß er (vielleicht) Gott anerkennen werde, *daß, wenn Gott nicht sei, man ihn erfinden müsse. Und tatsächlich hat der Mensch Gott ausgedacht. Und nicht das ist seltsam,*

nicht das wäre zum Staunen, daß Gott tatsächlich ist, vielmehr das ist erstaunlich, daß ein solcher Gedanke – der Gedanke von Gottes Unentbehrlichkeit – einem so wilden und bösen Tiere wie dem Menschen überhaupt in den Kopf kriechen konnte, so heilig, so rührend, so weise ist er, und so sehr erweist er dem Menschen Ehre! Was mich nun anbetrifft, so habe ich lange schon beschlossen, nicht mehr darüber nachzudenken, ob der Mensch Gott, oder Gott den Menschen erschaffen hat. . . . Und deshalb erkläre ich dir auch, daß ich Gott geradewegs und einfach anerkenne . . . Ich erkenne also Gott an, und das nicht nur gerne! Noch mehr: ich erkenne auch 'Seine' Allweisheit und 'Sein' Ziel – das uns schon völlig verschlossen ist. Ich glaube an die innere Ordnung, an den Sinn des Lebens, ich glaube an die ewige Harmonie, in der wir alle gleichsam zusammenströmen werden, ich glaube an das 'Wort', nach dem die Erde hinstrebt, und das selber 'bei Gott war', und 'welches selber Gott ist', nun und so weiter und so weiter – ins Unendliche. Der Worte sind ja viele in dieser Hinsicht gemacht worden. Es scheint demnach, ich bin schon auf gutem Wege – wie? Nun, und so stelle dir nur vor, daß ich als Endergebnis meines Nachdenkens diese Gotteswelt – nicht bejahe, und wenn ich gleich weiß, daß sie da ist, sie gleichwohl überhaupt nicht anerkenne. Versteh mich recht: Es ist nicht Gott, den ich nicht anerkenne, vielmehr die Welt, die er geschaffen hat; diese Gotteswelt aber erkenne ich nicht an und kann nicht damit einverstanden sein, sie anzuerkennen (S. 291f).
Hier klingen schon die Motive an, die im folgenden Kapitel *Die Auflehnung* mit Ivans *Geständnis* (S.293) noch breiter ausgeführt werden. Wenn Dostoevskij übrigens danach strebt, "jeder von ihm dargestellten Idee gerecht zu werden" (L. Müller, a. a. O., S. 93), so heißt das nicht, daß bei ihm "weltanschaulich alle Ideen gleichberechtigt" sind (Meyers Enz. Lex., Bd. 7, S. 141). Zur Kritik an dieser vielfachen Fehldeutung vgl. L. Müller, a. a. O., S. 93f.

12 Dostoevskijs Romane, gegenüber denen sich die zeitgenössische Kritik weitgehend verständnislos verhielt, gehören ja "in die Tradition der didaktischen Romane". Auch der Roman "Die Brüder Karamázov" enthält neben Zügen des Kriminalromans (zu diesem mehr oder weniger locker verbundenen Erzählstrang vgl. L. Müller, a. a. O., S. 81–88) "didaktische Elemente, die die Handlung oft ganz verdrängen". An dieser Stelle geht es um den für D. zentralen Punkt, daß das ambivalente Wesen Mensch "Kampfstätte von Gut und Böse" ist (vgl. Meyers Enz. Lex., Bd. 7, S. 141).

13 Mit dem "Bau" ist hier wohl das All gemeint, als dessen Schöpfungsmittler der leidende Gottessohn Christus fungiert.

14 Zitiert wird die vom Verfasser autorisierte deutsche Übertragung von G. G. Meister: A. Camus, Die Pest, 1950 u. ö. (= rororo 15).

15 Ebd., S. 2 in der Einführung.

16 Meyers Enz. Lex., Bd. 5 (1972), S. 292; dort heißt es weiter: "Der Mensch verlangt nach einer sinnvollen Welt, findet aber keinen Sinn vor; gegen dieses Absurde revoltiert er, allerdings nur mit begrenztem Erfolg. In der Revolte erfährt der Mensch jedoch, daß seine Einsamkeit von allen geteilt wird: die Revolte macht solidarisch. Der sinnstiftende Freiheitsspielraum, den es gerecht, niemanden auszeichnend, zu erringen gilt, hat eine Grenze, setzt ein Maß, diesseits dessen die Einwilligung in Knechtschaft, jenseits dessen die Anmaßung der Herrschaft steht. Dem Nein an Gott und den Selbstmord (die Einsicht des Absurden) und dem Nein an die Geschichte und den Mord (die Einsicht der Revolte) liegt ein Ja zum Leben (die Einsicht des Maßes) zugrunde".

17 Vgl. den so betitelten Aufsatz von H. P. Balmer, in: "Civitas" Nr. 5/6 (Febr. 1976), Jg. 31 (1975/76), S. 355–369.

18 Vgl. die Ausgabe: G. W. Leibniz, Die Theodizee. Dt. Übers. v. A. Buchenau. Einf. v. M. Stockhammer. Hamburg 2. Aufl. 1968. – Der Titel der in Amsterdam erschienenen Schrift: Essais de théodicée sur la bonté de Dieu, la liberté de l'homme et l'origine du mal.

19 W. Kern, Art. Theodizee, in: LThK 10 (1965), Sp. 26.

20 Vgl. "die theologische Kritik an einer Auffassung und einer Lösung des Theodizeeproblems", "die trotz des Redens von Gott nicht theologisch, sondern philosophisch sind", bei G. Ebeling, a. a. O., S. 511ff.

21 H. Küng, Gott und das Leid, Einsiedeln 1967 (s. o. Anm. 1), S. 10 in dem Kapitel "Rechtfertigung Gottes?", S. 7–18.

22 Ebd. – Ähnlich G. Ebeling, a. a. O., S. 512f.

23 H.-H. Schrey, a. a. O., Sp. 742.

24 H. Küng, a. a. O., S. 13.

25 Ebd., S. 14.

26 Vgl. ebd., S. 14.

27 Ebd., S. 15.

28 Ebd.

29 Ebd.

30 Ebd.

31 Ebd., S. 17.

32 Da es zu dem Problem praktisch keine neutestamentliche Spezialliteratur gibt, sei zunächst einmal auf die Theologien von R. Bultmann, L. Goppelt, J. Jeremias und K. H. Schelkle hingewiesen, denen ich neben den Schriften von E. Käsemann viel für das Verständnis des NT verdanke. Für weitere Literatur sowie sachliche Aspekte vgl. E. Winkler, Die Frage nach dem Sinn des Leidens in der Seelsorge, in: ThLZ 104 (1979), Sp. 81–94.

33 F. Horst, Hiob I, 2. durchges. Aufl., Neukirchen-Vluyn (BKAT XVI/1) 1969, S. IX; vgl. § 2 der "Einführung". Zu Hiob vgl. auch neben H.–P. Müller, Das Hiob-Problem. Seine Entstehung und Stellung im Alten Orient und im Alten Testament, Darmstadt 1978 (EdF Bd. 84), das Kapitel "Glauben" bei H. Küng, a. a. O., S. 27–43.

34 Vgl. W. Michaelis, Art. πάσχω κτλ., in: ThWNT V (1954), S. 903–939 sowie die Literatur in: ThWNT X/2 (1979), S. 1224f.

35 Vgl. vor allem die Art. θεός κτλ., in: ThWNT III (1938), S. 65–123 (von H. Kleinknecht, G. Quell, E. Stauffer, K. G. Kuhn) und πατήρ, in: ThWNT V (1954), S. 946–1016 (von G. Quell und W. Schrenk) sowie die Literatur in: ThWNT X/2 (1979), S. 1104–1109 bzw. 1225.

36 H.–H. Schrey, a. a. O., Sp. 741.

37 W. Trillhaas, Art. Theodizee, III. Systematisch, in: RGG VI (1962), Sp. 743–747, hier Sp. 746.

38 O. Michel, Art. Leiden, III. Im NT, in: RGG IV (1960), Sp. 297–300, hier Sp. 299.

»Und er lobte den ungerechten Verwalter« (Lk 16,8a). Komposition und Redaktion in Lk 16

Peter Fassl

Das 16. Kapitel im Lukasevangelium bietet eine Reihe ungelöster oder unbefriedigend gelöster Probleme. Beginnend mit den beiden Gleichnissen Lk 16,1–8a. 19–31, deren Abgrenzung, Bedeutung, redaktionelle Bearbeitung und Auslegung die größten Schwierigkeiten bereitet (1), bieten die Verse 8b–13, die meist als sekundäre Erweiterungen (8b.9.10–12.13 par Mt 6,24) angesehen werden (2), eher traditionsgeschichtliche Schwierigkeiten, während die Verse 14–18, von denen 16–18 bei Mt und Mk Parallelen haben (Lk 16,16 par Mt 11,12f; Lk 16,17 par Mt 5,18; Lk 16,18 par Mt 5,32; 19,9; Mk 10,11f) einen schier unentwirrbaren Knäuel von Fragen und Problemen beinhalten (3). Besonderes Kopfzerbrechen macht hierbei die Frage nach dem Zusammenhang zwischen den beiden Gleichnissen, zwischen den "überleitenden" Versen 14–18 und den Gleichnissen und schließlich nach dem Sinn des ganzen Kapitels überhaupt (4). Bevor auf die drei Komplexe (16,1–13,14–18.19–31) im einzelnen eingegangen wird, sollen die hier angesprochenen Themen – Verhältnis der Christen zu Besitz und Reichtum, ein von Lukas breit behandeltes Motiv (5), die Frage nach der Gültigkeit des Gesetzes und damit nach der Gerechtigkeit und die Stellung zu den Pharisäern (die Verse 15ff sind zu ihnen gesprochen) – im Kontext des lk Doppelwerkes kurz betrachtet werden, um so einen Zugang zu Komposition und Redaktion zu gewinnen (6).

I. Bedeutung und Geltung des Gesetzes bei Lukas

Schon der statistische Befund zeigt ein deutliches Interesse an dem Begriff *νόμος* (7) bzw. seinem Äquivalent "Moses" (8). Außer Lk 16,16 par Mt 11,12f und Lk 16,17 par Mt 5,18 darf man die restlichen Stellen LkR zuschreiben. In Lk 2 scheint die Tendenz, daß alles *κατὰ τὸν νόμον* (9) geschehen sei, zumindest von LkR eingetragen zu sein, wenn man schon nicht eine weitergehende lk Arbeit für wahrscheinlich hält (10). Die Gesetzesmäßigkeit der in Lk und Ac geschilderten Ereignisse wird durch die jeweils rahmende Stellung (Lk 2,22.23.24.27.39; 24,27.44; Ac 3,22 ff u.ö.; 28,23) hervorgehoben. So wird bei Jesu Geburt und Darstellung im Tempel innerhalb weniger Verse fünfmal erwähnt, daß alles nach dem Gesetz geschehen sei. Auch die Jesu Leben und Weiterwirken kennzeichnende Weissagung des Simeon (Lk 2,34f) fällt in dieses Schema.

Wie bei Jesu Geburt alles gemäß dem Gesetz geschieht, es erfüllt wird (Lk 2,39), so wird Jesu Tod als Erfüllung von Gesetz und Propheten beschrieben (Lk 24,27.44 vgl. Lk 23,56 diff Mk 16,1), womit sein ganzes Leben, gekennzeichnet durch die beiden Eckdaten Geburt und Tod, als Erfüllung des Gesetzes geschildert ist. Jesu erstes öffentliches Auftreten beginnt mit seiner Selbstoffenbarung als Messias in Nazareth (Lk 4,18f), welche als Erfüllung von Jes 61,1f und 58,6 gekennzeichnet wird (Lk 4,21 vgl. 4,22). Vorbereitet wurde dies durch die Offenbarung seiner Gottessohnschaft im Tempel auf Grund seines Verständnisses des Gesetzes (Lk 2,46ff vgl. 24,25ff.44ff).

Die lk Hochachtung des Gesetzes kommt auch in der deutlichen Abschwächung von Jesu Kult- und Ritualkritik zum Vorschein. Lukas berichtet über 6,6–11 par Mk 3,1–6 hinaus noch von zwei weiteren Heilungen am Sabbat (13,10–17; 14,1–6). Bei allen drei Heilungen wird Jesu Handeln direkt oder indirekt von den jüdischen Autoritäten (Pharisäer, Synagogenvorsteher) anerkannt (Lk 6,11 diff Mk 3,6; 13,14.17; 14,4–6). Die Vollmacht über den Sabbat ist wie bei Mt auf den Menschensohn eingeschränkt (Lk 6,5; Mt 12,8 diff Mk 2,27f). Mk 7,1ff ist in Lk praktisch ersatzlos gestrichen (11) und wird erst in Ac 10,9ff im Zusammenhang der beginnenden Heidenmission nachgeholt. Jesu Tempelwort (Mk 14,58) findet sich in kaum mehr erkennbarer Form, noch dazu im Munde von Falschzeugen, erst in Ac 6,14 vgl. 6,12; die Tempelreinigung (Mk 11,15–17 par Lk 19,45f) verliert bei Lukas jegliches antikultisches Moment. Dementsprechend weilt die erste Christengemeinde "täglich" im Tempel beim Gebet (Ac 2,46; 3,1; 5,12) (12).

Der Befund aus Lk wird durch Ac weiter bestätigt. Gesetz und Propheten dienen zum Aufweis der Gottgewolltheit der Jesusereignisse, bzw. bezeugen und verweisen auf sie (Ac 3,22; 28,23). Nicht die Juden halten wirklich das Gesetz (Ac 7,53), sondern nur die Christen (Ac 21,20–24; 22,3; 24,14; 25,8; 26,22), und allein Lügner und Lästerer können etwas anderes behaupten (Ac 6,11. 13.14; 18,13; 21,21.28). Wie die Christen, über Mose und die Propheten, als Verfolgte und Bewahrer des Gesetzes in der Kontinuität der Heilsgeschichte stehen und das wahre Israel bilden, so stehen die Juden, welche sich nicht bekehren wollen, in der der Unheilsgeschichte (Ac 7 vgl. 3,13ff) (13). Lediglich die Ritualforderungen werden für die Heidenchristen begrenzt (Ac 15,19f.28f), für die Judenchristen gelten sie weiter (Ac 21,21ff).

Die Unaufhebbarkeit des Gesetzes hat bei Lukas letztlich ihren Grund in dessen heilsgeschichtlicher Verweisfunktion auf Christus und die ihm folgenden Ereignisse (= Acta). Lk und Ac sind in die Heilsgeschichte mittels des Schemas Verheißung und Erfüllung eingebettet (14).

Man wird dies, im Zusammenhang mit der Abschwächung der jesuanischen Kult– und Ritualkritik, bei der Interpretation von Lk 16,16–18 beachten müssen.

II. Gerechtigkeit bei Lukas

Zur Frage nach dem Gesetz gehört die nach der Gerechtigkeit. Wer ist bei Lukas "gerecht"? "Gerecht" werden von Lukas Zacharias und Elisabeth (Lk 1,6), Simeon (Lk 2,25), Joseph von Arimathea (Lk 23,50) und Kornelius (Ac 10,22) genannt, während Jesus ὁ δίκαιος ist (Ac 3,14; 7,52; 22,14 vgl. Lk 23,47) (15). Als Gründe werden genannt: Gesetzesgehorsam (Lk 1,6), Gottesfurcht und Erwartung des Messias (Lk 2,25) (16) und Ablehnung des Todesbeschlußes (Lk 23,50f). Alle werden somit als gesetzesgetreue Juden beschrieben, zumal der Todesbeschluß wider den Gerechten ergangen ist und somit in der Kontinuität der Unheilsgeschichte Israels (Ac 7,51–53) steht, von der Joseph von Arimathea abgehoben wird. Zacharias' und Simeons Weissagungen (Lk 1,68–79; 2,34f) fassen die Tätigkeit und Geschichte Jesu präsumptiv zusammen, die Haltung Josephs bestätigt, daß auch von Vertretern der Spitze des jüdischen Volkes Jesus als Gerechter anerkannt wird (vgl. Lk 23,50 mit 23,47). Wie Gesetz und Propheten in ihrer Verweisfunktion jesusorientiert sind, so hat die Gerechtigkeit dieser drei gesetzestreuen Juden ihren Schwerpunkt bei der Annahme Jesu. Kornelius' Gerechtigkeit (Ac 10,22) wird mit ähnlichen Begriffen geschildert. Dem εὐλαβής (Lk 2,25) entspricht das εὐσεβής (Ac 10,2) (17), welches, da er ein Heide ist, noch durch seine Almosen– und Gebetspraxis (18) (Ac 10,2.4) wie durch die Bezeichnung "Gottesfürchtiger" (19) verstärkt bzw. erklärt wird.

In ähnlich positivem Bezug zur Gerechtigkeit stehen Johannes, dessen Jesu Weg bereitende Predigt (Lk 3,3ff) auf die Umkehr Ungehorsamer, "zur Einsicht der Gerechten" (Lk 1,17), zielt, sowie Volk und Zöllner, welche die Johannestaufe gemäß dem "Ratschluß" Gottes (Lk 7,30) annehmen, damit Gott ἐδικαίωσαν (Lk 7,29) und sich so als Kinder der Weisheit erweisen (Lk 7,35).

Wer sind nun die Gegner der Gerechtigkeit, die Nicht-Gerechten? Es sind diejenigen, die sich selbst rechtfertigen (Lk 10,29; 16,15; 18,9), aber von Gott nicht gerechtfertigt werden (Lk 16,15; 18, 9.14), die sich Gott widersetzen (Lk 7,30), die gar nicht wissen was recht ist (Lk 12,57–59), sich aber den Anschein von gesetzestreuen Leuten geben (Lk 20,20), die Jesus, den Gerechten, getötet haben (Ac 3,14), die von den Aposteln verlangen, ihnen mehr zu gehorchen als Gott (Ac 4,19), indem sie nämlich von Christus schweigen (Ac 4,18); letztlich sind es diejenigen, die sich Gott schon immer verweigert haben (Ac 7,51f). Ihre Kennzeichen sind also Ablehnung der mit Johannes beginnenden "Geschichte Jesu" (Lk 7,30; 12,54–59; Ac 4,19; vgl. Ac 13,8.10), heuchlerische Selbstgerechtigkeit (Lk 10,29; 16,15; 18,9; 20,20), Geiz und Habgier (Lk 11,41 diff Mt 23,26; Lk 20,47; vgl. Lk 16,14f mit 12,33f; Lk 22,5 mit Ac 1,18; 3,5f).

Wie die "Gerechtigkeit" so hat auch die "Ungerechtigkeit" eine handlungs- und glaubensorientierte Seite.

III. Die Pharisäer bei Lukas

Eigenartig ist nun die Stellung der zuletzt schon (Lk 7,30; 11,41; 16,15; 18,9f) angesprochenen Pharisäer. Während sie im LkEv die Hauptgegner Jesu bilden und fast (20) durchwegs negativ gezeichnet werden, und zwar bzgl. Orthopraxie und Orthodoxie (Lk 5,21 par Mk 2,7; Lk 5,30 diff Mk 2,16; Lk 6,6ff wird durch Voranstellung von Mk 3,6 par Lk 6,7 und durch Lk 6,11 verschärft; Lk 7, 30.49; 14,6; 15,2; 16,14f; 17,20 vgl. 11,16.29; 18,9–14; 19,39f vgl. Ac 4,19), begegnen sie in Ac nur in neutraler oder positiver Weise. Lukas weiß von Pharisäern, die Christen geworden sind (Ac 15,5); er beschreibt Paulus als überzeugten Pharisäer (Ac 23,6; 26,5), der wegen der Christen und Pharisäern gemeinsamen Hoffnung auf die Auferstehung (Ac 23,6f) angeklagt ist; er läßt Gamaliel eine weise Rede halten (Ac 5,34–39), in der dieser indirekt den christlichen Glauben als Gotteswerk bezeichnet (Ac 5,39). Grund für diesen Wandel dürfte die Rücksichtnahme auf die Gemeindesituation (Ac 15,5) und die bewußte Darstellung der Anerkennung des Christentums von Seiten der strengsten jüdischen Richtung sein, zumal diese sich nach 70 im Judentum durchgesetzt hatte und Lukas vielleicht schon an einen modus vivendi dachte. Für ihre negative Zeichnung im Handeln und Glauben innerhalb des LkEv ist also letztlich ihre Ablehnung Jesu schuld. Eine "tolerantere" Sicht ihnen gegenüber war erst mit der Festigung des christlichen Glaubens – Apostelgeschichte – möglich, also in einer Zeit, in der sie nicht mehr einen Gegner "intra muros" darstellten.

IV. Die Frage nach dem rechten Gebrauch des Besitzes (21)

Wie bereits gezeigt, hat sowohl die Gerechtigkeit wie deren Gegenteil Implikationen bzgl. dieses Themas. Das wahre Israel, also die Christen, zeichnet sich nach Lukas durch Orthodoxie und Orthopraxie aus. Was dies hinsichtlich des Gebrauchs des Besitzes heißt, zeigen am besten Ac 2,44f; 4,34f; 6,1f, wonach der Besitz von der jungen Christengemeinde verkauft und an Bedürftige verteilt wurde (22). Dementsprechend geben die Jüngerin Tabitha und der "gerechte" Heide Kornelius reichlich Almosen (Ac 9,36; 10,2), besitzt Petrus weder Gold noch Silber (Ac 3,6), verlangt Paulus von niemand Silber und Gold (Ac 20,33). Der reiche Oberzöllner Zachäus (Lk 19,2) wäre selbiges bei einer konsequenten Handhabung seiner (der Gemeinde?) Almosenpraxis (Lk 19,8) wohl bald nicht mehr. Den Auftrag Jesu, alles zu verkaufen und den Armen zu geben (Mk 10,21 par Lk 18,22; Lk 14,33), dem die Jünger ja nachgekommen sind (Lk 18,28), fügt Lukas, in der Form der Aufforderung Almosen zu geben, zusätzlich in seine Jüngerbelehrung (Lk 12,33aα diff Mt 6,20) und in seine Weherufe über die Pharisäer (Lk 11,41 diff Mt 23,26) ein, was bei letzteren allerdings erfolglos bleibt (vgl. Lk 16,14 und 16,19–31, welches ja zu den und damit gegen die Pharisäer gesprochen ist). Dementsprechend ist ihre Ablehnung Johannes des Täufers (Lk 7,30) zu verstehen, dessen Predigt über die Früchte der Umkehr (Lk 3,8) in Lk 3,10–14 als ethische Anweisung ausgelegt wird (23).
Kommen wir zu den drei Logien Lk 12,21 (24); 12,33; 16,9 (25) (vgl. Mk 10,21 par), welche alle dieselbe Sinnspitze haben, nämlich daß Almosengeben einen unvergänglichen Wert vor Gott bedeutet. In Lk 12,33 vgl. Mt 6,19f hat Lukas den Vers 33aα (vgl. Lk 11,41 diff Mt 23,26) (26) hinzugefügt. Dem ποιήσατε ἑαυτοῖς βαλλάντια (Lk 12,33 aβ) entspricht in 16,9 ἑαυτοῖς ποιήσατε φίλους; beide werden durch die im NT singuläre Wendung ποιήσατε ἑαυτοῖς als Lukanismen ausgewiesen (27). Lukas faßt damit den Satz von Motte und Wurm (Mt 6,19) in eine abstraktere Form. In 12,21 (28) und 16,9 (29) zieht Lukas das Fazit aus den vorausgegangenen Gleichnissen (12,16–20; 16,1–8) und fordert damit die Jünger unter Verschiebung der eigentlichen Pointe zum Almosengeben auf.

Jesu Forderung des Besitzverzichts (Lk 14,33; 18,22 par Mk 10, 21) wird von Lukas, unter Berücksichtigung des Lebens einer christlichen Gemeinde, in der Aufforderung zum Almosengeben "verdeutlicht" (12,21.33; 16,9); ihre Erfüllung ist den Rechtgläubigen bzw. den Jesus Zuneigenden vorbehalten. Da Glaube und Tun eine Einheit bilden, muß den Gegnern der Christen (vgl. Lk 7,30 mit 3,10–14; 11,41; 16,14; Ac 19,23ff; Lk 20,47; 22,5; Ac 1,18f) sowie den im Glauben noch nicht gefestigten Christen (Ac 5,1–11, bes. 3–5; 8,9–24) notwendig die rechte Stellung zum Besitz abgehen.

Lukanisch gesehen ist dies mehr als eine "kompositorische Zueinanderordnung verschiedener Aussagen" (30); es ist dies die Darstellung eines inneren Zusammenhangs, wobei die eine Aussagenreihe (z.B. Gesetzesgehorsam und Gerechtigkeit) die andere impliziert (z.B. Anhänger Jesu sein und seine Forderung erfüllen).
Bei der Interpretation von Lk 16 wird man dies im Auge behalten müssen.

V. Lk 16,1–13

Dem Gleichnis vom ungerechten Verwalter (Vv 1–8a) (31), dessen Pointe meist mit entschlossenem Handeln angesichts der Krisis (32) wiedergegeben wird, wurde wahrscheinlich schon früh durch Vers 8b eine erste Erklärung beigegeben (33). Lukas hat der höchst befremdlichen Geschichte durch Vers 9, Anfügung eines Sprichwortes (Vv 10–12) (34), und das Q–logion Vers 13 = Mt 6,24 (35), mittels der Stichwortverbindung *μαμωνᾶς ἀδικία/ ἀδικός* , eine seiner Grundeinstellung zum Besitz gemäße, ihm angemessener scheinende Deutung gegeben, wobei allerdings deren Pointe und Bildgehalt (36) völlig umgekehrt wurde.
Das Gleichnis trägt "schwankhafte Züge" (37) und wurde zu Recht als "Miniatur (eines) Schelmenstücks" (38) bezeichnet. Die List und die Schläue, die zum Erfolg führen, haben im AT viele Parallelen (39). Das nächste Vergleichsmaterial liegt wohl in der Esaugeschichte vor, wo Jakob sich durch zweimaligen Betrug Erstgeburt und Segen sichert (Gen 25,29–34; 27) (40). Moral hat

in allen diesen Geschichten "Ferien" (41). Legitimiert wird durch den Erfolg, wobei das Lachen, das zu diesem Stück dazu gehört, die Schärfe nimmt (42). Hält man das Gleichnis für authentisch, und etwas anderes wird angesichts der Ungewöhnlichkeit des Bildes und der Erklärungsversuche (Vv 8b–13), trotz der lk Prägung (43), nicht möglich sein, so kann man in den Evangelien vergleichbare, auf ähnlicher sachlicher Ebene befindliche Spuren entdekken, welche ebenfalls piis auribus offensiva erscheinen mögen.

Die "ewige Quengelei" (44) der Witwe (Lk 18,5), die selbst den ungerechten Richter mürbe macht, und die unverschämte Zudringlichkeit des Bittenden (Lk 11,5–8) werden als Beispiele für rechtes Beten dargestellt mit dem Ziel "Gott durch das unablässige Beten zu ermüden und zur Erhörung zu zwingen, ihn durch Unverschämtheit zu besiegen" (45).

Der Gedanke, durch intensives Beten und Bitten Gott zu bedrängen, ja zu zwingen, begegnet im AT (46) und ist auch dem Rabbinismus (47) bekannt. Berger verweist in diesem Zusammenhang auf Past. Herm, vis 3,3,1–2 und 4 Esr 4,44f und sieht "das Motiv der Unverschämtheit des Bittens . . . in apokalyptischer Tradition" (48) beheimatet. Doch handelt es sich dort eher um einen erzähldramatischen Topos, nämlich den der Bitte um Auslegung des geschauten Bildes (49) als um ein eigentliches Bedrängen Gottes. Die echten Bitten des Sehers, z.B. die um Gnade für die Sünder beim Gericht, werden fast immer abgelehnt (50).

Berger sieht "die Entschlossenheit und Verschlagenheit, mit der kriminelle Täter zum Ziel zu gelangen trachten, als Vorbild für die zur Erlangung himmlischer Güter notwendige Aktivität" (51), außerdem im Winzergleichnis (Mk 12,1ff "wahrscheinlich") und im Gleichnis vom Attentäter (ThEv 98) dargestellt. Der Ungewöhnlichkeit der Metaphorik, in der Darstellung der Bedeutung der Herrschaft Gottes (52), entspricht ihre jegliches natürliche menschliche Fühlen und Rechtsempfinden übersteigende Wirklichkeit (53), die zu ebenso anormalen bzw. jenseits jeder Ethik liegenden Verhaltensweisen führt (Lk 14,28–32; 16,1–8a; 19,14.27) (54). Es scheint dies nicht unmöglich oder ungewöhnlich bei einem Gott, der seine Sonne über Gute und Böse aufgehen läßt (Mt 5,45) und der gütig gegen Undankbare und Böse ist (Lk 6,35ff vgl. Lk 15,20; Mt 20,1ff).

Fassen wir zusammen: Ein Schwank, ein Schelmenstück mit humoristischen Zügen ohne "erbaulichen" oder idealisierenden Inhalt wird von Jesus ganz ohne "moralische Skrupel" in den Dienst der Basileiaverkündigung gestellt. Der menschlichen Freiheit, Gott zu bedrängen, ja ihn zu überlisten (55), ist bedenkenswerter Raum gegeben, den man nur im Kontext der Basileiaverkündigung Jesu und der menschliches Rechtsempfinden übersteigenden Barmherzigkeit des Vaters angemessen interpretieren kann (56). Mit fortschreitender Ethisierung der Basileiabotschaft und Zurücktreten der intensiven Naherwartung wurde ein solches Gleichnis unverständlich, ja in dieser Form unsagbar. Indem Lukas es durch die Verse 9–13 im Sinne seiner Almosenpraxis und einer allgemeinen Redlichkeit als Voraussetzung für höhere Güter, unter prinzipiellem Vorrang des Gottesdienstes (V 13), interpretiert, ordnet er es in die von ihm breit behandelte Besitzthematik ein, wodurch es überhaupt tradierbar wird (57). Die Gegenüberstellung zweier gegensätzlicher Herrenworte (Vv 1–8a und 13) – was der ungerechte Verwalter tut ist per se Mammonsdienst in reinster Ausprägung – gibt ihm die Möglichkeit, einen seiner Gemeinde gangbaren dritten Weg als Interpretation anzubieten. Die Verse 9–12 interpretieren ja nicht nur das Gleichnis, sondern ebenfalls die apodiktische Gegenüberstellung von Mammons– und Gottesdienst (V 13). Redlichkeit in Geldangelegenheiten, auch wenn es sich um ein den Christen "fremdes" Metier (V 12) handelt, zählt nicht zum Mammonsdienst. Das Alltagsleben wird also legitimiert, ja als Bewährungsstufe angesehen (58).

Wir haben also eine kunstvoll kombinierte Einheit vor uns, in der die Verse 9–12, die allein konkrete Handlungsanleitungen bieten, den lk Interpretationsschlüssel bilden. Vers 13 als Handlungsnorm beschließt die Einheit und leitet zugleich vom Mammon zu dessen Diener über (V 14 φιλάργυροι), die als anwesend vorgestellt sind (vgl. 15,2) und die nach Lukas auch gleich erkannt haben, gegen wen sich die vorigen Worte gerichtet haben (ἐξεμυκτήριζον).

VI. Lk 16,14–18

Diese 5 Verse bereiten der Auslegung mannigfaltige Schwierigkeiten (59). Zunächst scheint es sich um die falsche Einstellung zum Geld zu handeln (V 14), dann wird die Selbstgerechtigkeit der Pharisäer angegriffen (V 15), und schließlich geht es um die Frage nach der Geltung des Gesetzes (Vv 15–18), welche offensichtlich in widersprüchlicher Weise (Vv 17–18 vgl. Dtn 24,1) behandelt wird. Kümmel fragte sich deshalb, "ob es Aufgabe der Exegese einer solchen Textverbindung sein kann, den 'nur mühsam zu erschließenden Zusammenhang' eines solchen 'Trümmerfeldes' zu erraten" (60). Seine Auslegung ist von der Ablehnung Conzelmanns These der drei heilsgeschichtlichen Perioden dirigiert, für die Lk 16,16 eine Schlüsselposition besitzt (61). Kümmel zieht aus dem nicht mehr ersichtlichen Zusammenhang der Verse 14–18 die Berechtigung, "daß eine Interpretation des Verses (sc. 16,6) im lukanischen Sinn wohl oder übel unter Absehen vom näheren Kontext geschehen muß" (62).

Dieser Zusammenhang ist aber, wie unsere Vorüberlegungen bezüglich Gesetz und Besitz (Kap. II–IV) gezeigt haben, gegeben, nämlich durch die Zuordnung von Orthodoxie und Orthopraxie. Da eine vorlukanische Einheit nicht zu erweisen ist (63), die Verse 16–18 Parallelen bei Mk und Mt (16,16 par Mt 11,12f; 16,17 par Mt 5,18; 16,18 vgl. Mt 5,32; 19,9; Mk 10,11f) in gänzlich verschiedenem Zusammenhang haben, weist alles auf eine redaktionelle Zusammenstellung, die von Lukas durch die Verse 14 f eingeleitet wurde.
Vers 13 als Abschluß und Überleitung deutet das Folgende an: *δουλεύειν καὶ μαμωνᾷ* wird in Vers 14 als Geldgier, in Vers 15 als Selbstgerechtigkeit, kurz als Mangel an Orthopraxie und Orthodoxie entfaltet. Vers 14 erweisen die Formulierungen *ἤκουον δὲ* (64), *φιλάργυροι* (65), *ὑπάρχοντες* (66), *ἐξεμυκτήριζον* (67) und die Wiederaufnahme der Pharisäer (vgl. 15,2) als redaktionelle Übergangsbildung (68). Auch der erste Teil von Vers 15 zeigt lk Prägung (69); im zweiten Teil nimmt Lukas einen in Prophetie und Apokalyptik verbreiteten Gedanken, den auch Jesus kennt (70), auf; er ist im Gleichnis (Vv 19–26) dann breit dargestellt.

Im Gegensatz zur pharisäischen Selbstgerechtigkeit kann die Gerechtigkeit – im lk Sinn – nur aus der treuen Befolgung des ewig gültigen Gesetzes (V. 17), und zwar in der durch Jesus mit der Basileiaverkündigung (V 16) vorgetragenen Interpretation (V 18) erlangt werden. Diese wird aber von den Pharisäern abgelehnt (16,14f.19–26) (71), wodurch dieselben sich als Gesetzesbrecher zu erkennen geben (16,29–31) (72). Lukas verbindet hier wieder mehrere Gedanken. Die unbezweifelte Kontinuität und Gültigkeit von Gesetz und Propheten (vgl. nur Lk 24,44; Ac 28, 23; Lk 16,17) (73) und die Neuheit der Basileiaverkündigung, die von Johannes (74) bis zur lk Gegenwart reicht, werden einander gegenübergestellt (V 16.17), so daß einerseits durch Jesu Verkündigung eine Neuinterpretation des Gesetzes geschieht (V 18) (75), andererseits die Ansicht einer Abrogation des Gesetzes durch Jesus abgewehrt wird (76) und nebenbei die sowieso schon stark reduzierte "Auseinandersetzung" um die Ehescheidung, durch die Voranstellung der ewigen Gültigkeit des Gesetzes, nochmals entschärft wurde (77).

Fassen wir zusammen: Wie in den Versen 1–13 stellt Lukas sperriges Traditionsgut zusammen, so daß es sich, gegenseitig interpretierend, in sein Konzept fügt. Die Pharisäer markieren dabei die negative Identifikationsfigur. Mit ihnen bekommen die Fehlhaltungen und die jeweiligen Alternativen zum Schlechteren einen plastischen Träger. Sie sind es ja, welche sich der Basileiaverkündigung und damit Jesus verschließen (V 16) (78), welche das Gesetz nicht achten (V 17) (79) und in der Frage der Ehescheidung anders entscheiden (V 18) (80).

Man sollte nun nicht meinen, Lukas habe die Widersprüche in den Versen 16–18 gar nicht gesehen, oder umgekehrt: da sich dieselben nicht wegdiskutieren lassen, konnte Lukas eine solche Lösung auch nicht geben. Der erste Einwand übersieht die redaktionelle Bearbeitung, die Auslassung von Mk 10,1–12 und kann die lk Zusammenstellung nicht erklären beziehungsweise überstrapaziert die Naivität des doch sehr "schriftfesten" Evangelisten; der zweite Einwand übersieht, daß Lukas, wie in ähnlicher Weise auch Matthäus, vor dem Dilemma stand, kult- und traditionskritische Jesusworte mit dem Festhalten an der "Hl. Schrift" zu verbinden. Die lk Lösung ist nicht reibungsfrei. Die Schrift gibt das Interpretament für Jesu Leben und Tod. Jesus wiederum eröffnet dem Glaubenden die Schrift (Lk 24,27.32). Die antithetische Gegenüberstellung von Gesetz und Basileia (V 16) "überwindet" Lukas durch die Beifügung von der ewigen Gültigkeit des Gesetzes. Die unlösbare theoretische Spannung löst er dabei durch einen Verweis auf die Praxis als der eigentlichen und neuen Ebene (81). Erleichtert wird dem christlichen Leser dieser schwierige Weg (Vv 16–18) (82) durch das Negativbeispiel der auf allen Ebenen – Gesetz, Basileia, Praxis – versagenden Pharisäer, von denen man sich ja abgehoben weiß. Der antipharisäische Rahmen ist das redaktionelle Scharnier, das auch für das folgende Gleichnis vom armen Lazarus das Interpretament abgibt.

VII. Lk 16,19–31

Der Neueinsatz von Vers 19 ist abrupt und überraschend, steht in keinem deutlich erkennbaren Zusammenhang mit den vorausgehenden Versen und ist nur im Rahmen der Gesamtthematik dieses Kapitels – Gesetz und Besitz – zu verstehen. Dieses Thema stellt Lukas am Negativbeispiel der Pharisäer unter dem Gesichtspunkt von Tun und Glauben dar. Mit Vers 19 greift er die Frage nach der rechten Stellung zum Besitz der Verse 1–13 wieder auf, bevor in Vers 27 zur Gesetzesthematik übergegangen wird. Bei diesem Gleichnis ist sowohl Einheit wie Herkunft umstritten. Häufigste Erklärung ist, daß Jesus ein über Alexandria nach Palästina eingedrungenes ägyptisches Märchen, das von der Umkehrung des menschlichen Geschicks in der Unterwelt berichtete, aufgenommen habe (= Vv 19–26) und diesem eine eigene, neue Pointe gegeben habe (Vv 27–31) (83).

Wer an der Einheit des Gleichnisses festhält, hat Schwierigkeiten, den Neuansatz von Vers 27 und die überraschende und unmotivierte Erwähnung von Gesetz und Propheten (Vv 29–31) zu erklären (84). Wüßte der Leser des LkEv nicht, daß mit der mangelnden Erfüllung des Gesetzes (hier) der Geiz und die Habgier der Pharisäer angesprochen ist – *δουλεύειν καὶ μαμωνᾷ* (V 13), *φιλάργυροι* (V 14), *πλούσιος* (V 19) – (85), so stände man wohl vor einem Rätsel, da solches von dem Reichen ja nicht ausgesagt wurde. Nun ist aber auch die Parallelität mit dem ägyptischen und dem jüdischen Märchen nicht vollständig. Ersteres schließt: "Wer auf Erden gut ist, zu dem ist man auch im Totenreich gut, wer auf Erden böse ist, zu dem ist man auch (dort) böse" (86), letzteres berichtet von der Umkehr des Geschicks beim Tode eines armen Schriftgelehrten und eines reichen Zöllners (87). Gemeinsam ist diesen "Umkehrschilderungen", ähnlich denen des aeth. Henoch (c. 62f, 96f u. ö.), daß das Böse bestraft und das Gute belohnt wird, wie es der jüdischen Vergeltungslehre entspricht.

Ethische Gesichtspunkte finden sich nun aber im 1. Teil des Gleichnisses (Vv 19–26) überhaupt nicht; im 2. Teil werden sie durch die Erwähnung von Gesetz und Propheten eingetragen, sind aber in dieser Form nur innerhalb der lk Konzeption verständlich, da ein Gesetzesbruch aus dem Gleichnis nicht zu ersehen ist. Der einzige Grund für Qual und Freude (V 25) sind Reichtum und Armut und das daraus folgende Leben in Freuden bzw. in Leiden. Eine moralische Qualifizierung findet nicht statt. Genausowenig wie dem Reichen etwa mangelndes Almosengeben und Geiz vorgeworfen wird, wird der Arme einem Frommen gleichgesetzt. Beim Armen wie beim Reichen wird weder das Gute noch das Schlechte, sei es im Tun, Glauben oder in der Gesinnung, ausgeschlossen, aber es spielt für die Schicksalswende keine Rolle (V 25) (88). Der Reiche wird also deshalb bestraft, weil er reich ist und weil es zur selben Zeit einen gibt, der an seiner Armut leidet. Der Angriff gegen den Reichtum geht also tiefer. Nicht die persönliche Schuld oder Rücksichtslosigkeit des Reichen wird angesprochen, sondern die Strafwürdigkeit des Reichtums angesichts der Armut. Der Reichtum ist also nicht "per se" schlecht, sondern er bekommt seine Qualität erst von der Existenz der Armut (89).

Vergleichbares Material findet sich in der ganzen synoptischen Tradition (Lk 1,52f; 6,20bf.24f; Mk 10,25; Mt 11,5 par; 20,16 par) (90), nur daß hier das Thema weiter ausgemalt wird. Hier wie dort sind arm und reich reale Größen (91); es handelt sich nicht um einen ethischen Appell, sondern ursprünglich um ein prophetisch-eschatologisches Heils- bzw. Drohwort. Die Ausmalung von Heil und Unheil (92) wie die Betonung des individuellen Schicksals (93) weisen in eine Zeit der nachlassenden Naherwartung (94). Lukas hat nun dieses Gleichnis in seine Thematik von Besitz und Gesetz eingeordnet. Durch Vers 14f ist klar, daß der Reiche geldgierig ist; mit *εὐφραινόμενος* (16,19 vgl. 12,19) deutet er vermutlich an, er sei von 12,15–20 her zu deuten, mit *καϑ' ἡμέραν* (V 19) (95) kennzeichnet er ihn als Prasser und in den Versen 27–31 stellt er endgültig fest, daß der Reiche ein Gesetzesbrecher ist (96). Auferstehung und Abweisung (V 31) ist demnach christologisch zu deuten, also als eine Vorwegnahme der kommenden, in der Apostelgeschichte geschilderten Ablehnung der christlichen Botschaft von Seiten der Juden. Diese aber ist präfiguriert durch ihre Ablehnung des Gesetzes (Lk 16,29–31; Ac 7,51–53). Beim Armen wiederum wird durch die Einfügung des Namen "Lazarus" (= Gott hilft) das nicht geschilderte Gottvertrauen eingefügt. Die Ethisierung des Gleichnisses selbst geschieht durch wenige Striche (97).

Wiederum haben wir folgende Zuordnung: Aus der Ablehnung von Gesetz und Propheten und dem daraus resultierenden Fehlverhalten folgt die Ablehnung der christlichen Botschaft (16,31), da diese ja in Kontinuität von Gesetz und Propheten steht. Durch die Bildung einer Negativreihe – Pharisäer, Reicher, Frevler am Gesetz, Leugner der christlichen Auferstehung – ergeben sich die "Guten" von selbst – Lazarus, Gesetzesbefolger und diejenigen, welche an den von den Toten Auferstandenen (16,31) glauben. Die Leser des Evangeliums wußten sich in erbaulicher Weise angesprochen.

Ein mitbeabsichtigtes Ziel der lukanischen Komposition war wohl auch, dem eigenartigen Gleichnis vom ungerechten Verwalter ein in seiner Deutlichkeit nichts zu wünschen übriglassendes Gleichnis gegenüberzustellen, damit jegliches Mißverständnis – 16,3 und 16, 19 ähneln sich im Tenor – in der Frage von dem rechten Gebrauch des Besitzes – der Maxime von 16,9 folgt der Reiche eben nicht – verschwinde. Eine Bearbeitung und eine redaktionelle Brücke zwischen beiden Gleichnissen war allerdings nötig, da dasselbe, was der ungerechte Verwalter durch zweimaligen Betrug (16,1; 16,5–7) zu erreichen suchte, nämlich ein angenehmes Leben zu führen (16,3 vgl. 16,19), beim Reichen – ohne Betrug – zum Hades führte, während es beim Verwalter belobigt wurde.

Fassen wir zusammen: Lk 16 bietet uns ein vorzügliches Beispiel für die Gestaltung der Tradition durch Lukas. Der Redaktor läßt das vorliegende Gut trotz stilistischer Bearbeitung inhaltlich weitgehend unangetastet. Interpretierende und modifizierende Zusätze werden vorsichtig und sparsam eingefügt, direkte Umgestaltungen waren bei den Gleichnissen (Vv 1–8a.19–26) nicht festzustellen. Die Interpretation geschieht durch den redaktionellen Rahmen, Einleitungen und "Nachworte" zu den Perikopen und vor allem durch die Art und Weise der Zusammenstellung von vorliegenden Traditionen. Widersprüchliches (Vv 1–8a.13.19–26; 16.17.18) will zusammengesehen werden, legt sich gegenseitig modifizierend aus und gewinnt dadurch einen neuen Inhalt. Den beabsichtigten Richtungssinn gibt der redaktionelle Rahmen (Vv 9.10–12.14–15.27–31), welcher wiederum auf die lk Gesamtkonzeption der Themen Besitz und Gesetz verweist. Die Achtung vor dem Herrenwort, auch wenn es widersprüchlich erscheint und nicht mehr recht verständlich ist, und das Bemühen mit ihm zu leben, auch wenn man sich der Spannung zu ihm bewußt ist, kennzeichnet die lk Komposition und Redaktion.

1 M. Krämer, Das Rätsel der Parabel vom ungerechten Verwalter (Lk 16,1–13), Zürich 1972 (Biblioteca di science religiose, 5), hat die neuere Auslegungsgeschichte nachgezeichnet. Es scheint, daß es bezüglich Form und Inhalt dieses Gleichnisses nichts gibt, was noch nicht behauptet wurde. Vgl. dazu auch die leider noch nicht veröffentlichte Diplomarbeit von B. Ehler, Das sogenannte Gleichnis vom ungerechten Verwalter, Augsburg 1976; zu Lk 16,19–31 neuestens: F. Schnider, W. Stenger, Die offene Tür und die unübersehbare Kluft. Strukturanalytische Überlegungen zum Gleichnis vom reichen Mann und armen Lazarus (Lk 16,19–31), in: NTS 25 (1979), S. 273–83; G. Sellin, Lukas als Gleichniserzähler: die Erzählung vom barmherzigen Samaritaner Lk 10,25–37, in: ZNW 65 (1974), S. 166–189; ZNW 66 (1975), S. 19–60.

2 J. Jeremias, Die Gleichnisse Jesu, Göttingen 8. Aufl. 1970, 42f; R. Bultmann, Die Geschichte der synoptischen Tradition, Göttingen 7.Aufl. 1967 (FRLANT 29), S. 90, 190; Krämer, a. a. O., S. 77 ff, bietet selbst (S. 121ff) eine Rekonstruktion des ursprünglich hebräisch/aramäischen Wortlauts. Er gewinnt dadurch einen neuen Sinn und kann Vers 9 deswegen zum Gleichnis dazuziehen, was allerdings eine hypothetische Lösung bleibt.

3 W. Kümmel, "Das Gesetz und die Propheten gehen bis Johannis" – Lukas 16,16 im Zusammenhang der heilsgeschichtlichen Theologie der Lukasschriften, in: Verborum Veritatis. Festschrift für G. Stählin, Wuppertal 1970, S. 89–102; M. Hübner, Das Gesetz in der synoptischen Tradition. Studien zur progressiven Qumranisierung und Judaisierung innerhalb der synoptischen Tradition, Witten 1973; P. Hoffmann, Studien zur Theologie der Logienquelle, Münster 2. Aufl. 1975 (Ntl. Abh. 8), S. 50ff; M. Dömer, Das Heil Gottes, Studien zur Theologie des lukanischen Doppelwerkes, Bonn 1978 (BBB 51), S. 38–40; H. Schürmann, "Wer daher eines dieser geringsten Gebote auflöst . . ." Wo fand Matthäus das Logion Mt 5,19, in: Ders., Traditionsgeschichtliche Untersuchungen zu den synoptischen Evangelien, Düsseldorf 1968, S. 126–36 (= BZ 4 (1960) S. 238–250).

4 Lk 16 bildet eine in sich geschlossene Einheit. Durch ἔλεγέν δε (V 1) leitet Lukas, nach den Gleichnissen vom "Verlorenen" (15,4–6.8f.11–32) an die Adresse der Pharisäer (15,2), eine neue Erzähleinheit ein,

diesmal zunächst als Jüngerbelehrung gedacht (16,1 vgl. 16,14f). Der von Schürmann, a. a. O., S. 133, vermutete ("vielleicht") "ursprüngliche(r) Zusammenhang", von c. 15 (15,2) und c. 16 (16,14f), beruht auf der Voraussetzung, daß Lk 16,14–18 eine "vorlukanische (der Redequelle angehörende) Komposition" (S. 132) wiederspiegle, aus der LkR nur Mt 5,19, das in Q nach Lk 16,17 stand, ausgelassen habe (S. 127–32). Letzteres bleibt, auch wenn Mt 5,19 "sehr passend Lk 16,17 fortsetzen" würde (S. 128) – m. E. zu Unrecht – reine Vermutung. Das Anklingen von Mt 5,20 an Lk 16,15 (S. 130) ist rein formaler Art, da zwischen der zu geringen Gerechtigkeit der Pharisäer (Mt 5,20) und der Selbstrechtfertigung der Pharisäer (Lk 16,15 vgl. 18,9) eine entscheidende Differenz besteht. Bei Matthäus haben die Pharisäer zwar die Gerechtigkeit (Mt 5,20), sie sitzen sogar auf der Kathedra des Mose (23,2), bleiben aber in ihrem Handeln ungenügend (23,3). Von den Jüngern wird eine höhere Gerechtigkeit verlangt, welche erlangt wird durch Annahme der neuen Thora (11,28–30) und deren Befolgung (7,21). Bei Lukas widerstreben die Pharisäer Gottes Ratschluß (vgl. Lk 7,29.35 mit 7,30), rechtfertigen sich selbst (16,15; 18,9–14) und handeln mangelhaft (16,14f). Mt und Lk setzen sich mit der Frage nach Gesetz, Gerechtigkeit und der Stellung zu den Pharisäern in je eigener Weise auseinander. Vgl. neben Hübner, a. a. O., J. A. Ziesler, Luke and the Pharisees, in: NTS 25 (1979), S. 146–157; G. Strecker, Der Weg der Gerechtigkeit. Untersuchungen zur Theologie des Matthäus, Göttingen 3. Aufl. 1971 (FRLANT 82), S. 149–158; G. Bornkamm, Überlieferung und Auslegung im Matthäusevangelium, Neukirchen 4. Aufl 1965 (WMANT 1), S. 54–154.

Auf die Problematik der "Abhängigkeit" (Schürmann, a. a. O., S. 130) von *εἰσέλθητε εἰς τὴν βασιλείαν* (Mt 5,20) von *εἰς αὐτήν* (sc. *βασιλείαν*) *βιάζεται* (Lk 16,16b) hat bereits Hoffmann, a. a. O., S. 53f, hingewiesen – Lk 16,16b ist zu Mt 11,12 sekundär. Schließlich wird sich zeigen, daß Schürmanns Einwand gegen eine lk Komposition in den Versen 16,14–18 – "weil das eigentliche Interesse des Lukas deutlich die in 16,1–13 (14).19–31 erkennbare Armutsfrage ist, keineswegs aber die Gesetzesfrage" (S. 130) – hier nicht zutrifft, da bei Lukas beide Fragen einander zugeordnet sind. Einen ersten Hinweis darauf gibt bereits Lk 16, 29–31.

Mit 17,1ff folgen, unter Hörerwechsel (vgl. 17,1 mit 16,14f), mehrere Einzellogien aus Mk, Q und LKS, ohne deutliche Verbindung zu c. 16, bevor in 17,11 von der Weiterreise nach Jerusalem berichtet wird (vgl. 9,51; 13,22).

5 Lk 1,51–53; 3,10–14; 4,18f; 6,20–26; 9,1–16; vgl. 10,1–12 und 22, 35f; 12,16–34; 14,7–34; 16,1–15.19–31; 18,18–30; 19,1–10; 22,3–6; Ac 1,18–20; 2,44; 3,6; 4,32–37; 5,1–11; 6,1–6; 10,1f; vgl. H. J. Degenhardt, Lukas – Evangelist der Armen. Besitz und Besitzverzicht in den lukanischen Schriften. Eine traditions- und redaktionsgeschichtliche Untersuchung, Stuttgart 1965; T. Hoyt, The Poor in Luke-Acts, Duke University 1975.

6 Den geschlossensten Entwurf und die in sich folgerichtigste Auslegung von Lk 16 hat zweifellos J. D. M. Derret, The Parable of the Unjust Steward. Dives and Lazarus and the Precedings Sayings, in: ders., Law in the New Testament, London 1970, S. 48–100 (= überarbeitete Fassung von: Fresh Light on St. Luke XIV, in: NTS 7 (1961), S. 198–219. 364–380); ders., "Take thy bond . . . and write fifty" (Lk 16,6). The Nature of the Bond, in: JThS 23 (1972), S. 438–440. Derret interpretiert Lk 16,1–8 als eine gegen die Pharisäer gerichtete Konstruktion (S. 51), die deren Legitimation bezüglich verschleierter Zinsnahme Juden gegenüber angreift. Die Verringerung der Schuld entspricht den, von Derret aus Parallelen eruierten, üblichen Zinssätzen. Der Verwalter bleibt bei solcher Handlung unangreifbar, da er einerseits göttliches (Verbot des Zinsnehmens: Dtn 23,20f; Ex 22,24; Lev 25,35–37) gegegen menschliches Recht ausspielt (S. 56ff: Durch Umwandlung der Rückzahlung einer Geldschuld in Naturalien konnte man durch "Wechselkursverschiebung" das Zinsverbot umgehen), andererseits gemäß dem jüdischen "law of agency" (S. 52ff) eine selbständige Vertrauensstellung innehat. Den Zusammenhang mit dem 2. Gleichnis sieht D. wiederum durch das law of agency gegeben. Abraham, der Vater des jüdischen Volkes und der Hüter des Gesetzes, schickt seinen Stellvertreter Eliezer = Lazarus (S. 85ff). Da dieser als hilfloser Bote keine Gastlichkeit erfährt, erleiden die Pharisäer als die eigentlich Angesprochenen dasselbe Schicksal wie Sodom und Gomorrah und die übrigen fünf Städte (Gen 19,24; Dtn 29,23: Anspielung auf die fünf Brüder für ihre "lawlessness" (S. 87)). D's. Belege für das Stellvertretungsgesetz und dessen Verbinddung mit der Legitimierung des Zinswuchers sind z.T. aus später Zeit (Maimonides, vgl. S. 52f), z.T. schwach belegt (vgl. S. 56ff zum Wucher), z.T. aus weiter Ferne (S. 68ff; die Höhe des Schulderlasses bzw. des ursprünglichen Zinsfußes ermittelt Derret aus indischen Parallelen). Seine Interpretation der Lazarusgeschichte ist rein hypothetisch. Daß in Vers 8 nochmals "ungerechter Verwalter" gesagt wird, erklärt D. als Rückbezug auf sein früheres, und damit namengebendes Verhalten (S. 73f). D's. Erklärung rechnet also mit mehreren impliziten Argumenten innerhalb der Gleichnisse und mit einer gesamten auf Jesus zurückge-

henden vorlukanischen Komposition in c. 16 (S. 78ff). Dies bleibt trotz allen bemerkenswerten Scharfsinns m. E. gelehrte Konstruktion. Seine Auslegung ist mehr zu glauben als am Text nachzuvollziehen.
Am weitesten kommen dem folgenden Beitrag Hoffmann, a. a. O., S. 53–56, der c. 16 als redaktionelle lk Zusammenstellung unter dem Thema "der Geltung des Gesetzes" (S. 54) betrachtet, und bes. Hoyt, a. a. O., S. 157–169, entgegen. In Anbetracht der vielen, mannigfaltigen, hier nur kurz angedeuteten Schwierigkeiten in c. 16, auf die nicht alle eingegangen werden kann, ist Folgendes nicht mehr als ein Diskussionsbeitrag.

7 Lk 2,22.23.24.27.29.39; 10,26 diff Mk 12,28; 16,16.17; 24,44; Ac 6,13; 7,53; 13,15.38; 15,5; 18,13.15; 21,20.24.28; 22,3.12; 23,3.29; 24,14; 25,8; 28,23 = 27x; Mt 8x; Mk nie;

8 Lk 5,14 par Mk 1,44; 16,29.31; 20,28 par Mk 12,19; 20,37 par Mk 12,26; 24,27; Ac 3,22; 6,11.14; 15,1.21; 21,21; 26,22.

9 Lk 2,22.39 vgl. 2,23; *καθὼς γέγραπται ἐν νόμῳ*; 2,24: *κατὰ τὸ εἰρημένον ἐν τῷ νόμῳ*; 2,27: *κατὰ τὸ εἰθισμένον τοῦ νόμου.*

10 Siehe H. Schürmann, Das Lukasevangelium, Freiburg 1969 (HThK 3), S. 121–132.

11 Lk 11,39–41 par Mt 23,25f bereitet Ac 10 zwar vor, hat seine Pointe aber bei Lukas im Almosengeben (Lk 11,41 diff Mt 23,26; vgl. Ac 10,1f).

12 Das Zerreißen des Tempelvorhangs Mk 15,38 par Lk 23,45 wurde von Lukas also nicht mehr verstanden.

13 Die Gemeinde bezeugt durch ihr Leiden und ihr Ausharren in ihm (Ac 4,5ff.25–28; 5,17ff.40f; 7,54–8,3; 9,1; 11,19; 12,1ff vgl. 13,50; 14,5f.19; 16,22f; 17,5–10.13; 20,23.29f; 21,27ff) ihre wahre Jüngerschaft (Lk 9,23; 14,27; 21–19; vgl. 6,22f.27ff; 8,13.15; 23,36); sie wird im Leid christusförmig (Ac 9,4–6) und geht so den rechten Weg zur *βασιλεία* (Ac 14,22); vgl. O. H. Steck, Israel und das gewaltsame Geschick der Propheten. Untersuchungen zur Überlieferung des deuteronomistischen Geschichtsbildes im Alten Testament, Spätjudentum und Urchristentum, Neukirchen 1967 (WMANT 23), S. 265ff; F. Schütz, Der leidende Christus. Die angefochtene Gemeinde und das Christuskerygma der lukanischen Schriften, Stuttgart 1969 (BWANT 89).

14 Vgl. Dömer, a. a. O., S. 203ff.

15 Bezüglich Jesus dürfte die Bezeichnung aus dem 4. Gottesknechtslied stammen, da alle vier Stellen im Zusammenhang von Verfolgung, Ablehnung und Leiden des Gerechten (vgl. Jes 53,11) stehen und Lukas Jesu Tod nach Jes 53 deutet (Lk 22,37; 23,34 = Jes 53,12; Ac 3,13 = Jes 53,11; Ac 8,32f = Jes 53,7f). "Gerecht" bekommt damit die Doppelbedeutung einer ethischen Qualifikation und der Übereinstimmung mit der "alttestamentlichen" Prophetie.

16 Die beigeordneten Appositionen εὐλαβὴς προσδεχόμενος παράκλησιν τ. Ισ. "füllen" das δίκαιος. Vgl. Schürmann, Lukasevangelium, S. 123f.

17 'Ευλαβής – im NT nur Lk 2,25; Ac 2,5; 8,2; 22,12 – und εὐσεβής/βεία/βέω (Ac 4x, Mt und Mk nie) sind lk Vorzugswörter, die der Frömmigkeitssprache der Zeit entsprachen.

18 Almosen zu geben und seinen Besitz an Bedürftige zu verteilen entspricht nach Lukas, der Forderung Jesu (Lk 11,41 diff Mt 23,26; 12, 33; 18,22) und der Praxis der Jüngergemeinde (Lk 19,8; Ac 2,44f; 4,34-37; 6,1f; 9,36). Vgl. Kap. IV dieses Aufsatzes. Entsprechendes gilt für das Beten Jesu und der Jünger, dessen Häufigkeit (Jesus: Lk 3,21; 6,12; 9,18f; 10,21f; 11,1f; 22,32.39–46; 23,46; Jünger: Ac 1,14; 2,24 u.ö.) hervorgehoben wird (vgl. L. Feldkämper, Der betende Jesus als Heilsmittler nach Lukas, St. Augustin–Siegburg, 1978, S. 329: "In der nachösterlichen Kirche wird gebetet wie Jesus gebetet hat . . . sowohl "ständig" als auch in bestimmten Situationen."). Kornelius wird also allein durch sein äußeres Tun auf Jesu und die Gemeinde hingeordnet, die Heidenmission wird so verständlicher und leichter annehmbar.

19 Lukas wird dabei an die Hinneigung zum Gott der Juden gedacht haben (vgl. Ac 10,22), ohne daß Kornelius deswegen am Synagogengottesdienst teilgenommen haben muß. Vgl. E. Haenchen, Die Apostelgeschichte, Göttingen 7. Aufl. 1977, (Meyer K 3), S. 333. Er steht damit in der Reihe der mit vorzüglichem Glauben ausgestatteten Hauptleute (Lk 7,2–10; 23,47; Ac 10,1ff).

20 Die einzige Ausnahme bildet das Logion Lk 13,31, welches Lukas wohl wegen einer ihm vorliegenden Herodestradition (Lk 8,3; 9,7–9; 13,31; 23,8–11) nicht eliminierte. Ziesler, a. a. O., S. 149–151 meint unter Hinweis auf die drei Gastmähler (Lk 7,36–50; 11,37–41; 14,1ff) und das Logion Lk 13,31 "the Pharisees are the party who are friendly

towards Christianity 'politically' and to some extent personally" (S. 151). Dies mag zwar in Wirklichkeit so gewesen sein, ist aber an der Tendenz der lk Gastmähler nicht abzulesen. Zudem ist m.E. die Trennung in politische Freundschaft und theologische Gegnerschaft künstlich. Lk 13,31 wird man als Traditionssplitter betrachten müssen.

21 Dieser Frage kann wegen ihres Umfangs (s. Anm. 5) nur soweit nachgegangen werden, wie die Thematik für c. 16 von Belang ist.

22 Ob dies auch wirklich so war, interessiert in diesem Zusammenhang nicht. Vgl. die Kommentare von Haenchen und Bauernfeind dazu.

23 Vgl. Hoffmann, a. a. O., S. 52 Anm. 10.

24 H. Schürmann, Sprachliche Reminiszenzen an abgeänderte oder ausgelassene Bestandteile der Redequelle im Lukas- und Matthäusevangelium, in: ders., Traditionsgeschichtliche Untersuchungen, S. 119f (= NTS 6 (1959/60), S. 193–210), teilt Lk 12,13–21 Q zu, wogegen folgendes anzuführen wäre: Mt 6,27 par Lk 12,25 – "steht formal als Fremdkörper" (ebd., S. 119): eigentlicher Sinn: Verbindungsglied zu Lk 12,13–21 – ist mit dem mt Kontext durch *μεριμνᾶν* (Mt 6,25.27.28) fest verknüpft. Der sog. Rückverweis von *πίητε* (Mt 6,25 diff Lk 12,22), bezeugt durch B,bo u. a. (ebd. S. 119), auf Lk 12,19 ist doch ziemlich sicher sekundär aus Mt 6,31 eingedrungen; er stört die Parallelität zu *τὶ ἐνδύσησθε*, und warum sollte ihn Lukas schließlich gestrichen haben.

25 Ob mit dem *δέξωνται* die Freunde (Parallelität zu V 4: *ποιεῖν δέξεσθαι* oder wahrscheinlicher Gott selbst gemeint ist, ändert im Sinn bezüglich des Wertes der Almosen nichts. Vgl. Krämer, a. a. O., S. 105–111; ebenso Jeremias, Gleichnisse, 43.

26 Lukas nimmt diese Forderung aus Mk 10,21 par Lk 18,22 auf und bringt sie in seinem Sprachstil: *ὑπάρχειν* (Lk 15x; Ac 25x; NT 60x) ist nach der Statistik ein lk Vorzugswort. J. Jeremias, Redaktion und Tradition im Nicht-Markusstoff des dritten Evangeliums, Göttingen 1980, S. 163, 178 weist das ntl. singuläre *τὰ ὑπάρχοντα* mit Dat. der Person (Lk 8,3; 12,15; Ac 4,32) der Redaktion zu, während er *τὰ ὑπάρχοντα* m. Gen. d. Person in gleicher Bedeutung der Tradition zuteilt, da letzteres bei Lukas auf den Nicht-Markusstoff beschränkt (Lk 11,21; 12,33. 44; 14,33; 16,1; 19,8), durch Mt 24,47 par Lk 12,44 als vorlukan. erwiesen (S. 201), und auch sonst im NT gut bezeugt ist (Mt 19,21; 25, 14; 1 Kor 13,3; Hbr 10,34). Das erste und dritte Argument haben m. E.

für sich gar keine Beweiskraft; Mt 24,47 par Lk 12,44 besagt nur, daß die Formulierung bekannt war. Lk 14,33 ist ein redaktioneller Zusatz, der zeigt, daß die Gleichnisse Lk 14,28–32 nicht mehr recht verstanden wurden; er wird in Lk 18,28 wieder aufgenommen. Lk 11,21 ist zu Mk 3,27 par Mt 12,29 sekundär. *Δίδωμι ἐλεημοσύνην* begegnet nur bei Lukas (11,41 diff Mt 23,26; 12,33) in der Rede gegen die Pharisäer, wo es den Zusammenhang von rein-unrein unterbricht, und an unserer Stelle. Wenn Lukas in Ac 9,36; 10,2; 24,17 von *ποιεῖν ἐλεημοσύνας* spricht, so ist das noch kein Grund, Lk 11,41; 12,33 der Tradition zuzuteilen (gegen Jeremias, Redaktion und Tradition, S. 206, der zu oft rein formal argumentiert, und dessen Zuteilungen zu Redaktion und Tradition, gerade in Zweifelsfällen, die eben nicht rein logisch-formalistisch entschieden werden können, durch die Sachargumentation ergänzt werden muß), zumal *δίδωμι* hier wegen Mk 10,21 par Lk 18,22 naheliegt.

27 Jeremias, Redaktion und Tradition, S. 218 kommt bei dem gleichen Sachverhalt zum gegenteiligen Ergebnis, das aber m. E. aus folgenden weiteren Gründen nicht haltbar ist: *βαλλάντιον*, nur im LkEv belegt, wurde von LkR in die 2. Aussendungsrede eingefügt (Lk 10,4 diff Mt 10,9f), und in der 3. Aussendungsrede, die sicher redaktionell ist, wieder aufgenommen (Lk 22,35); *ἀνέκλειπτον*: da *ἐκλείπω* außer Hebr 1,22 (Zitat!) nur bei Lukas vorkommt (16,9; 22,32; 23,45), 23, 45a diff Mk 15,33 LkR zuzuschreiben ist, das Wort zudem dem von Lk bevorzugten LXX-Stil (187x) – heilige Prosa – zuzuschreiben ist, in Lk/Ac noch weitere 11 *λειπ*-Derivate begegnen, ist der Gebrauch der Wortgruppe als lk Stil zu bezeichnen. Anders Jeremias, Redaktion und Tradition, S. 131, 257.

28 Vgl. E. W. Seng, Der reiche Tor. Eine Untersuchung von Lk 12,16–21 unter besonderer Berücksichtigung form- und motivgeschichtlicher Aspekte, in: Nov Test 20 (1978), S. 136–155; R. Bultmann, Synoptische Tradition, S. 193 hielt es für möglich, daß der Text im ursprünglichen Lk-Text gefehlt habe. Wahrscheinlich ist aber Vers 21 LkR zuzuschreiben, denn *θησαυρίζειν*, in den Evangelien nur hier und in Mt 6, 19f belegt, las Lukas in seiner Q-Vorlage (Mt 6,19–21 vgl. Lk 12,33), welche er vielleicht wegen der ungewöhnlichen figura etymologica *θησαυρίζειν θησαυρούς* abänderte (vgl. Anm. 27); *θησαυρίζειν* wäre hier also als eine sprachliche Reminiszenz zu beurteilen, die Lukas, bei gleicher Aussage, lediglich vorzog. Vgl. Schürmann, Sprachliche Reminiszenzen, S. 120, der diesen Gedanken erwägt, aber dann zugunsten der "Rettung" von Lk 12,13–21 für Q aufgibt.

29 Daß Lk 16,9 eine sekundäre Anwendung des Gleichnisses ist, wird von den meisten Exegeten angenommen – der Umschwung vom Verwaltergleichnis (16,1–8) zum Logion vom ungerechten Mammon (Deutung e contrario) ist deutlich (vgl. Krämer, a. a. O., S. 77–138; E. Neuhäusler, Anspruch und Antwort Gottes. Zur Lehre von den Weisungen innerhalb der synoptischen Jesusverkündigung, Düsseldorf 1962, S. 92ff; H. Weder, Die Gleichnisse Jesu als Metaphern. Traditions- und redaktionsgeschichtliche Analysen und Interpretationen, Göttingen 1978 (FRLANT 120), S. 263). Jeremias, Redaktion und Tradition, S. 257, teilt 16,9 der Lukas vorliegenden Tradition zu: bzgl. ἐκλίπειν und ὑπάρχοντα s. Anm. 26 und 27; ὑμῖν λέγω, nur im Nicht-Markusstoff (6,27; 7,14; 11,9; 16,9; 23,43) außer Mk 2,11 = Lk 5,24 belegt, sei wegen der Dativvoranstellung Tradition (S. 140f). Gleiches gelte, außer 5,24 = Mk 2,11, für den nachfolgenden Imperativ (6,27; 7,14; 11,9; 12,4.5.22; 16,9). Bei einer so häufig gebrauchten Formel (λέγω ὑμῖν/σοί Mt 58x, Mk 16x, Lk 47x, Ac 1x; ὑμῖν/σοὶ λέγω Lk 6x) allein auf Grund des Mk-Lk-Vergleiches ohne Berücksichtigung von Q zu argumentieren und die Formel pauschal (S. 106, 140f) der Tradition zuzuweisen, ist unzureichend. Die Voranstellung begegnet 3x im LkS (6,27; 7,14; 23,43), wovon 23,42f sicherlich LkR zuzuschreiben ist (vgl. J. Dupont, Die individuelle Eschatologie im Lukasevangelium und in der Apostelgeschichte, in: Orientierung an Jesus. Festschrift für J. Schmid, Freiburg 1973, S. 43–46; J. Ernst, Herr der Geschichte. Perspektiven der lukanischen Eschatologie, Stuttgart 1978, (SBS 88), S. 86). Ein Vergleich mit Stellen aus Q zeigt, daß von einer Scheu vor dieser Formel, wie zumal ihr viermaliges Vorkommen in 12,2–9 par Mt 10,26–33 (vgl. Lk 11,9 diff Mt 7,7) zeigt, nicht die Rede sein kann. Mit J. Ernst, Das Evangelium nach Lukas, Regensburg 1977 (RNT 3), S. 465, ist "euch sage ich" als "typisch für Lukas" oder zumindest als nicht ungewöhnlich zu bezeichnen. Vgl. K. Berger, Die Amen-Worte Jesu. Eine Untersuchung zum Problem der Legitimation in apokalyptischer Rede, Berlin 1970 (BZAW 39), S. 93f.

φίλος: außer Lk 7,34 par Mt 11,19 synoptisch nur bei Lk (12x), Ac (3x) belegt. In 21,16 fügt es Lukas in den Markustext (13,12) ein.

ποιήσατε ἑαυτοῖς: vgl. Anm. 27. Formgebend mag die beabsichtigte Parallelität zu Vers 3f gewesen sein: τί ποιήσω (vgl. 12,17; 15,17; 18,4; 20,13; Ehler, a. a. O., S. 9f) – ἑαυτοῖς ποιήσατε. Wortwahl, Konstruktion und identischer Sinn (12,33; 16,9 vgl. 12,21) verweisen auf LkR.

Μαμωνᾶ τῆς ἀδικίας kombiniert Lukas aus Vers 13 = Mt 6,24 (Stichwortverbindung!) und der Formulierung in Vers 8 a (οἰκονόμον τῆς ἀδικίας vgl. Lk 13,27). Jeremias, Redaktion und Tradition, S. 257 sieht eine "vorlukanische Herkunft" wegen Mt 6,24 = Lk 16,13 und des semitisierenden Sprachgebrauchs des Genitivs (ebd., S. 233). Da Lukas aber in 13,27 das Zitat πάντες οἱ ἐργάται τῆς ἀνομίας (1 Makk 3,6), gemäß seiner Vorliebe für ἀδικία (incl. Derivate: Lk 9x; Ac 10; Mt 1x; Mk nie), in πάντες ἐργάται ἀδικίας ändert, ist die Formulierung hier, wie in 18,6, LkR zuzuschreiben. Er verbindet also die Verse 9–13 mittels einer doppelten Stichwortverbindung (ἀδικία/ος: 8a.9.10.11; μαμωνᾶς: 9.11.13). Die "ewigen Zelte" sind ein Hapaxlegomenon im NT, AT und Rabbinismus (einziger Beleg: 4 Esd 2,11), was an sich weder für noch gegen "einen originalen Sprachgebrauch Jesu" (gegen Krämer, Rätsel, S. 100) spricht. Die anderweitigen Hinweise auf LkR, sowie die Tatsache, daß Lukas der Gedanke vom Wohnen in den Zelten als "Attribut der eschatologischen Vollendung" (Jeremias, Gleichnisse, S. 43 Anm. 16) bekannt ist (Ac 15,16 vgl. Mk 9,5 par Lk 9,33), machen eine lk Herkunft nicht unmöglich. Der Ausdruck wäre auch insofern passend, als Lukas in Ac 7,44 das Offenbarungszelt der Wüste als Wohnstätte Gottes anerkennt, den Tempel Salomos aber verwirft (Ac 7,47ff); Lukas knüpft also in steigernder Gegenüberstellung – dem ewigen Leben (Lk 18,18 par; 18,30 par; 10,25 vgl. Mk 10,17; Ac 13,46.48) entsprechen die ewigen Zelte – an die israelitische Urzeit an (vgl. die Johannes-Jesus Gegenüberstellung in Lk 2 und die Moses-Jesus Typologie in Ac 7). Die Formulierung konnte der Universalität des Heiles Ausdruck geben (Ac 15,13–18), zugleich aber auch die Kontinuität der israelit. Heilsgeschichte darstellen – der Tempelbau Salomos wird ja den Gegnern des hl. Geistes zugeschrieben, deren Söhne Gegner der Christen sind (Ac 7,47–53). Abgesehen davon müßte man die "ewigen Zelte" als Jesuswort genauso erklären, was angesichts der Basileiaverkündigung nicht leichtfallen dürfte – passender wäre doch z.B.: ἵνα εἰσέρχεσθε εἰς τὴν βασιλείαν. Da es in Vers 9 aber um das Almosengeben geht und nicht um Aufgabe des ganzen Besitzes – man soll ja treu umgehen mit dem Geld (V 11) –, kann auch die Sachebene nicht für Jesus reklamiert werden. Wenn Degenhart, a. a.O., S. 124 (ebenso Krämer, Rätsel, S. 131), als Sinn von Vers 9 angibt: "Macht euch frei von eurem Besitz durch Almosengeben, damit ihr . . .", so steht das einfach nicht da.

30 Hoffmann, Studien, S. 55 Anm. 17, bezüglich der Themen in Lk 16.

31 Die Frage, ob in Vers 8a der Herr des Gleichnisses oder Jesu spricht, läßt sich allein durch eine Untersuchung des lk Sprachgebrauchs nicht entscheiden (vgl. Krämer, Rätsel, S. 139–150 gegen Jeremias, Redaktion und Tradition, S. 256f); beide Möglichkeiten ändern aber nichts an der "Verwunderlichkeit" des Gleichnisses.

32 Jeremias, Gleichnisse, S. 42–45; Ernst, Lukas, S. 464; E. Neuhäusler, a. a. O., S. 226; Krämer, Rätsel, S. 67–74. Zu E. Kamlah, Die Parabel vom ungerechten Verwalter, Lk 16,1ff, im Rahmen der Knechtsgleichnisse, in: Festschrift für O. Michel, Köln 1963, S. 276–294, der das Gleichnis den Knechtsgleichnissen – der Verwalter entspricht "dem metaphorischen Gehalt des Begriffs Knecht" (S. 292) –zuordnet, die Pointe im Schuldenerlaß sieht – der Verwalter verhält sich zu den Schuldnern wie Jesus zu Zöllner und Sünder – und darin "ein Beispiel für ein treues und verständiges Verhalten eines Verwalters" (S. 292) findet, bleibt angesichts der Charakterisierung des Verwalters und des Tatbestandes des mehrfachen Betrugs mit Jeremias, Gleichnisse, S. 181 Anm. 2, zu sagen: "Die verschiedenen Versuche einer 'Ehrenrettung' des ungerechten Verwalters sind sämtlich mißglückt."
Den Krisisgedanken sollte man wegen der wenig betonten "Strafen" (V 3: *σκάπτειν οὐκ ἰσχύω ἐπαιτεῖν αἰσχύνομαι*) nicht allzusehr betonen, eher den Gedanken der Nähe der Basileia, einer Nähe, die alles andere belanglos macht, und den Gedanken der "Intensivität" der Einstellung auf sie (vgl. Weder, Gleichnisse, S. 265). Nichtsdestoweniger bleibt Bultmanns (Synoptische Tradition, S. 216) Frage: "Die Parabel vom ungerechten Haushalter Lk 16,1–9 will offenbar sagen, daß man selbst von der Schlauheit eines Betrügers lernen kann; aber in welcher Richtung?"

33 Vers 8b beschränkt einerseits das "befremdliche Lob . . . auf die Klugheit der Weltkinder untereinander" (Jeremias, Gleichnisse, S. 43) und nimmt dem Gleichnis so z. T. seine Anstößigkeit, hat aber andererseits durch *φρονιμώτεροι* . . . appellativen Charakter für die "Söhne des Lichts", eine Selbstbezeichnung der Qumranleute (1 QS 1,9; 2,16; 3,13.24.25; 1 QM 1,1.9.11.13), die hier auf die Christen zu beziehen ist; Vers 8b könnte also den Auftakt einer frühen Paränese gebildet haben, wie sie dann später von LkR angefügt wurde (Vv 9–13).

34 Die Verse 11f sind Ausdeutung einer profanen Maxime (Bultmann, Synoptische Tradition, S. 90). Trotzdem die "grundlegende Terminologie" (Ehler, a. a. O., S. 86) auf die eschatologisch bestimmten Knechtsgleichnisse verweist (Lk 12,42 par Mt 24,45; Lk 19,17 par Mt 25,21.23: *πίστος, φρόνιμος, ἐλάχιστος*) – von Lk 19,17 aus mögen die Verse 10–12 formuliert worden sein –, klingt Eschatologie hier nicht an. Gut möglich ist, daß Lukas damit die "Gemeindebeamten" zur treuen Kassenverwaltung ermahnen wollte (Ernst, Lukas, S. 467) und sich dabei vielleicht gegen einen möglichen "Falschausleger" des Gleichnisses wandte, der das Gleichnis wörtlich genommen hatte, alles den Armen

gegeben und, zur Rechenschaft gezogen, ἵνα ὅταν ἐκλίπῃ (sein Leben), δέξωνται (sc. με) geantwortet hatte (vgl. 12,20.23.33).

35 16,13 = Mt 6,24 liegt in der Härte auf der Höhe von Mk 10,21 par Lk 18,22. Es wurde von LkR hier angefügt (οἰκέτης diff Mt 6,24) und hatte vermutlich keinen festen Kontext, wie der Gebrauch im ThEv 47a (Unmöglichkeit, zwei Pferde zu reiten, zwei Bogen zu spannen, zwei Herren zu dienen), bei Clem Al, Strom 3,26,2 (Gegensatz: Gott — ἡδονή) und in 2 Clem 6,1–5 (Gegenüberstellung der zwei Äonen) zeigen (vgl. Clem Al, Strom 3,81.2; Tert. Marc 4,32.2; W. Schrage, Das Verhältnis des Thomas-Evangeliums zur synoptischen Tradition und zu den koptischen Evangelienübersetzungen. Zugleich ein Beitrag zur gnostischen Synoptikerüberlieferung, Berlin 1964 (BZNW 29), S. 109–112).

36 Wie immer man das Gleichnis deuten mag, eine Anweisung, wie man recht mit dem Geld umzugehen habe (Vv 10–12), kann man aus ihm nicht ohne weiteres ziehen.

37 Ehler, a. a. O., S. 67f, 93f. Es ist aber nicht an ein Ausbalancieren von göttlichem und menschlichem Recht (S. 66) seitens des Verwalters hier zu denken (= Weiterführung von Derrets Auslegung), sondern wenn hier jemand "schwankt", dann ist es der Herr des Gleichnisses, der wegen des Verhaltens des Verwalters gegen seinen Willen zur Zustimmung veranlaßt wird. H. L. Strack, P. Billerbeck, Kommentar zum Neuen Testament aus Talmud und Midrasch, 4 Bde., München 6. Aufl. 1973 – 75 (= 1. Aufl. 1922–1928, zit.: Billerbeck), S. 127f: "Als R. Eliezer bei einer Auseinandersetzung mit R. Jehoschua, um eine halachische Frage, zum Beweis für seine Meinung drei Wunder tut und schließlich den Himmel selbst anruft, der ihm durch eine Bath-Qol recht gibt, antwortet ihm R. Jehoschua: 'Nicht im Himmel ist sie' (sc. Tora) . . . R. Jirmeja hat gesagt: Die Tora ist längst vom Berge Sinai gegeben worden. – Wir nehmen auf eine Bath-Quol keine Rücksicht, denn längst hast du vom Berge Sinai her in der Tora geschrieben Ex 23,2: Nach der Majorität sollst du dich richten. R. Nathan traf den Elias und sprach zu ihm: Was machte Gott in jener Stunde? Er antwortete ihm: Er lachte und sprach: Meine Kinder haben mich besiegt, meine Kinder haben mich besiegt!" Vgl. J. Anouilh, Becket oder die Ehre Gottes, München 1966, S. 91, wo König Heinrich auf die Nachricht von dem glänzenden Erfolg Beckets bei dem gegen ihn aufgestellten Gericht "sein Lachen nicht verbergen (kann) und fröhlich ruft: Gut gespielt, Thomas, dieser Punkt geht an dich!"

38 D. O. Via, Die Gleichnisse Jesu. Ihre literarische und existentiale Dimension, München 1970, S. 149.

39 Gen 25,29–34; 27; 29,22ff; 30,38ff; 31,19ff; 32,23ff (Gott selbst bedient sich beim Kampf einer List (Gen 32,26)); 34,13ff; 38,1ff; Jos 19,1ff; Ri 4,17ff; 16,4ff; Jdt 11,1ff; 13. Auf Grund des erfolgreichen In-der-Welt-sich-Durchsetzens konnte "listig-verschlagene Schläue" auch Weisheit genannt werden (G. Fohrer, Einleitung in das Alte Testament, Heidelberg, 11. Aufl. 1969, S. 332).

40 Die Auslegungsgeschichte des Jakobsbetrugs zeigt viele Parallelen mit Lk 16,1–8a. "Vergeblich haben viele Theologen versucht, die Geschichte zu einer sittlichen zu stempeln . . . Der Inhalt dieser Geschichte ist und bleibt also, daß ein Betrug schließlich ein glückliches Ende nimmt: der Schelm Jaqob gewinnt den Segen wirklich für sich, Esau zieht den Kürzeren ohne sittlich schuldig zu sein, und die Hörer sind die glücklichen Erben des Betrügers" (H. Gunkel, Genesis, Göttingen 8. Aufl. 1969 (= 3. Aufl. 1910) (HK I/1), S. 30). G. v. Rad, Das erste Buch Mose Genesis (ATD 2/4), Göttingen 9. Aufl. 1972 meint, Gunkel habe sich damit in der Deutung "vergriffen" (S. 225). Er interpretiert die Geschichten von der Weissagung Gen 25,23 aus, und kommt so zu dem Urteil, "daß in dem so menschlichen Kampf um den Segen des Sterbenden letztlich Gottes Pläne zu ihrem Ziele kommen" (S. 225), womit er auf der Ebene der Endredaktion sicherlich recht hat, die Ebene der Betrugsgeschichten in den verschiedenen Quellenschichten aber nicht trifft. Vgl. Fohrer, a. a. O., S. 140–143, 160f, 167, 175; O. Eissfeld, Hexateuch-Synopse, Darmstadt 1973 (= Leipzig 1922), S. 44–51 des Textes.

41 D. O. Via, a. a. O., S. 152, auf Lk 16,1–8a bezogen. Erst spätere Interpreten finden in den Esaugeschichten moralische Züge. Hosea (12,4) sieht in Jakobs Betrug den Abfall Israels von Jahwe präfiguriert, Maleachi (1,2f) die souveräne Liebe Gottes zu seinem Volk. Hbr 12,16f begründet den Mißerfolg Esaus mit dessen Leichtsinn und Unbußfertigkeit, die Rabbinen gelangen schließlich zu einer kühnen Neuinterpretation, in der Jakob sämtliche guten, Esau, – Synonym für Rom – sämtliche schlechten Eigenschaften beigelegt werden (Midrasch Bereschit Rabba z. St. (ed. Wünsche, S. 297–303; 308–326); vgl. auch Gen 34, 30f mit Jdt 9,2ff; Test Levi 5–7).

42 Auch für Lk 16 gilt in ähnlicher Weise, was Gunkel, a. a. O., S. 307, zur Esaugeschichte schreibt: "Man kann also in diesen Betrügereien nicht

Sünde und Schande, sondern nur lustig gelungene Streiche gesehen haben. Auch sollte man einsehen, daß eben durch diesen Humor dieser Geschichten das Unsittliche darin gemildert wird." D. O. Via, a. a. O., S. 152, spricht vom Element einer komischen Befreiung und einer "glückhaften Erdgebundenheit" des Gleichnisses.

43 Ehler, a. a. O., S. 4–22; Jeremias, Redaktion und Tradition, S. 255–257.

44 Jeremias, Gleichnisse, S. 154.

45 So W. Ott, Gebet und Heil. Die Bedeutung der Gebetsparänese in der lukanischen Theologie, München 1965 (StANT 12), S. 69, zu Lk 18,1.

46 Gen 18,23ff; Num 12,10–16; 14,11ff; 16,10ff; 22,22 u. ö. Jos 9,1ff; Ri 3,9.15 u. ö. vgl. 2 Sa 12,15ff.

47 Vgl. Billerbeck, I, S. 450–58; II, S. 187, 238; IV, S. 109f; zum Pharisäismus (Ps Sal 5,5.7; 7,7; 8,32) vgl. J. Schüpphaus, Die Psalmen Salomos. Ein Zeugnis Jerusalemer Theologie und Frömmigkeit in der Mitte des vorchristlichen Jahrhunderts, Leiden 1977, S. 113f. Griechisches und römisches Vergleichsmaterial bietet O. Weinreich, Gebet und Wunder. Zwei Abhandlungen zur Religions- und Literaturgeschichte, Stuttgart 1968, S. 1–298 (= Tübinger Beiträge zur Altertumswissenschaft 5 (1929) S. 169–464).

48 K. Berger, Materialien zu Form und Überlieferungsgeschichte neutestamentlicher Gleichnisse, in: NT 15 (1973), S. 1–37, hier: S. 35.

49 Vgl. außer den bei Berger genannten Stellen: syrBar 49,1; 54,1ff; 4 Esr 11,7f; aeth Hen 60,9.

50 In syrBar 85 wird ausdrücklich ein entsprechendes Fürbittgebet zur Entsündigung (85,2), wie es von den ehemaligen Generationen der Gerechten und Propheten einst gesprochen wurde, für die Endzeit abgelehnt (85,12ff); vgl. 48,1–24.26f; 4 Esr 7,102–105; 8,15ff; 8,42–45; 8,55–62; 9,9–13.59–61. Der künftige Äon bleibt allein den Gerechten vorbehalten. Vgl. W. Harnisch, Verhängnis und Verheißung der Geschichte. Untersuchungen zum Zeit- und Geschichtsverständnis im 4. Buch Esra und in der syr. Baruchapokalypse, Göttingen 1968 (FRLANT 97), S. 175–178). S. ferner: aeth Hen 13,6 mit 14,4; c.50; 63,1; Apk Esdr 1,8. 15; 2,23; 5,6; c.7 (abgeschwächte Gebetserfüllung); Syb 4,161–168.

51 Berger, Materialien, S. 35.

52 Siehe z. B. Lk 12,39f par; 12,49 vgl. ThEv 82; Lk 12,51–53 par, vgl. ThEv 101; Lk 19,14 und 27 (Reste eines Gleichnisses vom "Thronpätentenden", dessen Bildgehalt so blutig war, daß es nur noch in verschmolzener und entschärfter Form (Lk 19,12–27) überliefert werden konnte. Vgl. Jeremias, Gleichnisse, S. 56).

53 Lk 6,27–30 par; 6,35; 9,59–62; 14,12–14; 15,29f; Mt 20,12; Mk 3, 31–35; 8,35.

54 Auch die Logien Lk 17,37b; 16,16b par Mt 11,12 könnten von dieser Sicht her durchaus positiv gemeint sein. Der Verweis auf die ethische Dimension der Basileiaverkündigung – Mk 8,35 par ist z. B. Lk 16,1–8a diametral entgegengesetzt – zeigt, daß selbige nur perspektivisch, ja daß ihre Wirklichkeit hier nur in Paradoxa wiedergegeben werden kann.

55 Durch ἐπῄνεσεν ist das Einverständnis des Herrn signalisiert. V 8a gehört also formgeschichtlich wie inhaltlich zum Gleichnis, da dieses nach Vers 7 theoretisch auch ähnlich Lk 12,16–19.20 hätte enden können.

56 Die "ungewöhnlichen Züge" innerhalb des Gleichnisses weisen nicht nur auf seine Interpretationsebene (gegen T. Aurelio, Disclosures in den Gleichnissen Jesu. Eine Anwendung der disclosure Theorie von I. T. Ramsey, der modernen Metaphorik und der Theorie der Sprachakte auf die Gleichnisse Jesu, Frankfurt 1977 (Regensburger Studien zur Theologie 8), S. 104), sondern sie gehen in diese mit ein.

57 Die Neuinterpretation geschieht schrittweise: Aus dem "ungerechten Verwalter" (V 8a) wird der "ungerechte Mammon" (V 9); lukanisch gesehen kann dies nur Geld sein, das von Ungerechtigkeiten herrührt, nicht aber für sich ungerecht ist (vgl. Vv 10–12), auch wenn es das Fremde bleibt. Dieses wiederum soll man für Almosen verwenden (V 9) und nicht zu eigenem Nutzen (V 3f). Von der Aufnahme in die ewigen Zelte (V 9), im Gegensatz zu den vergänglichen Häusern (V 4), ist der Weg zur treuen Bewährung im Alltag (Vv 10–12) dann nicht mehr so weit.

58 Die Alternative von Vers 13 ist damit verwischt. Mit der Betonung der Almosenpraxis und dem Hinweis auf das dem Christen Eigentliche (V

12) ist aber ein gangbarer Weg in möglichster Nähe zum Herrenwort (V 13) eingeschlagen.

59 Kümmel, Lukas 16,16; Dömer, Heil Gottes, S. 38–40.

60 Kümmel, Lukas 16,16, S. 93.

61 Ebd., S. 90f; H. Conzelmann, Die Mitte der Zeit. Studien zur Theologie des Lukas, Tübingen 5. Aufl. 1974 (BHTh 17), S. 17.

62 Kümmel, Lukas 16,16, S. 93. Mag diese Sicht noch angehen, wenn man den ursprünglichen Sinn der ja redaktionell überarbeiteten Verse 16–18 bestimmen will, so geht dies jedoch nicht mehr, wenn man nicht annehmen will, daß Lukas in seltener Borniertheit ihm Unverständliches in getreuer Abfolge berichtet, noch dazu wenn man in Lk 16,14.16b die lukanische Redaktion nachgewiesen hat (ebd., S. 91 Anm. 8, S. 94–98). Bultmann, Synoptische Tradition, S. 193, hat die Verknüpfung mit dem folgenden Gleichnis gesehen (Vv 14f leiten 19–26; 16–18 die Vv 27–31 ein). Zum folgenden vgl. Hoffmann, Studien S. 51ff und Hoyt, Poor in Luke – Acts, S. 155ff.

63 Gegen Schürmann, a. a. O., (vgl. Anm. 3 und 4).

64 Jeremias, Redaktion und Tradition, S. 258.

65 Sonst im NT nur 1 Tim 6,10; 2 Tim 3,2; vgl. Kap. III und IV dieses Aufsatzes.

66 Jeremias, Redaktion und Tradition, S. 163; ὑπάρχειν für εἶναι: Lk 7x, Ac 16x, Mk und Mt nie.

67 Im NT nur noch Lk 23,35 diff Mk 15,31; vgl. Lk 5,30 diff Mk 2,16; Lk 15,2.

68 Bultmann, Synoptische Tradition, S. 360; Jeremias, Redaktion und Tradition, S. 258.

69 Das Sich-selbst-Rechtfertigen (Lk 10,29; 16,15; 18,9; 20,20) unter Abwendung von Gott und dem Recht (7,29.35; 12,57), ist bei Lukas ein spezifischer Zug der Gegner Jesu (s. Kap. II und III dieses Aufsatzes). Die Wortstatistik bestätigt dies: δίκαιος: Lk 11x, Ac 6x, Mk 2x, Mt nie; δικαιόω: Lk 5x, Ax 2x, Mk und Mt nie; ἐνώπιον: Lk 22x, Ac 13x,

Mk und Mt nie; καρδία: Lk 22x, Ac 21x, Mk 11x, Mt 16x. Der pointierte Gebrauch in 2,19.51; 2,35; 3,15; 24,25.32.38 und die Einfügungen in den Mk-Stoff und in Q (6,45 diff Mt 12,35; 8,23 diff Mk 4, 15; 8,15 diff Mk 4,20; 9,47 diff Mk 9,36; 21,14 diff Mk 13,11) lassen auch hier an lk Stil denken (vielleicht eine Aufnahme von Lk 5,22 par Mk 2,8).

70 Jes 2,11–19; 5,14–16; aeth Hen 38,1–6; c. 62f u. ö.; Lk 1,51f; 14,7–11. Auch Vers 15b zeigt die Hand von LkR (ενώπιον), doch spricht die Form und die apodiktische, unkonditionale Schärfe des Inhalts für ein Herrenwort (Bultmann, Synoptische Tradition, S. 110).

71 Das Gleichnis Lk 16,19–26 sowie die Verse 16–18 sind zu den und damit gegen die Pharisäer gesprochen. Zur pharisäischen Auslegung von Dtn 24,1ff vgl. Billerbeck, I, S. 303–321.

72 Vgl. Kap. III dieses Aufsatzes.

73 Lk 16,17 gibt im Gegensatz zu Mt 5,18 keine zeitliche Begrenzung und kein Ziel an, sondern betont die grundsätzliche, absolute Geltung des Gesetzes. Vers 17 entspricht dem rein jüdischen Gesetzesverständnis (vgl. Hübner, Gesetz, S. 15–31); εὐκοπώτερον dürfte aus Mk 10,25 par Lk 18,25 eingedrungen sein, womit der Anklang an das dortige "nie" (vgl. aber Mk 10,27) federführend war.

74 Ἀπὸ τότε (Lk 16,16) ist vermutlich inklusiv zu verstehen (vgl. Lk 3,18; Ac 1,21; 10,37 und Kümmel, Lukas 16,16, S. 98–102). Lk 16,16b wird fast allgemein wegen des uneigentlichen, auf Lk/Ac beschränkten εὐαγγελίζεσθαι (im Sinne von "predigen") und wegen des angedeuteten Motivs der Heidenmission als sekundär zu Mt 11,12 angesehen (Kümmel, Lukas 16,16, S. 94–96; Hoffmann, Studien, S. 55, S. Schulz, Q die Spruchqulle der Evangelisten, Zürich 1972, S. 261; Dömer, Heil Gottes, S. 34–40. Jeremias, Redaktion und Tradition, S. 39, der εὐαγγελίζεσθαι wegen des Passivs (gemäß Lk 4,18; 7,22 par Mt 11,5) für vorlukanisch hält, argumentiert rein formal; da aber in Lk 4,18; 7,22 εὐαγγελίζεσθαι "die Frohbotschaft verkünden", hier und die übrigen 23x in Lk/Ac einfach "predigen, verkündigen" heißt, ist das Sachargument zwingend.

75 Vers 18 hat Hübner, Gesetz, S. 40–67, als eine Kombination aus Q (Mt 5,31f) und Mk 10,11f par Mt 19,9 nachgewiesen.

76 Hoffmann, Studien S. 52f, verkennt dies. Die Gültigkeit und Fortwirkung von Gesetz und Propheten endet nach Lukas nicht mit Johannes (= "Wendepunkt der Epochen, mit dem die alttestamentliche Periode

endet"; S. 52); gerade ihre prophetische Funktion wirkt weiter (vgl. Lk 24,27.44; Ac 1,16f; 2,16ff; 28,23 und Kap. I dieses Aufsatzes).

77 Zur Abschwächung der jesuan. Kultkritik s. Kap. I dieses Aufsatzes. Das spannungsvolle Nebeneinander von "AT" und Christusglauben zeigt deutlich Ac 13,38f vgl. Ac 4,12; 10,42f.

78 S. Kap. II und III dieses Aufsatzes.

79 Ebd.

80 Vgl. Billerbeck, I, S. 303–321; Hübner, Gesetz, S. 40–67.

81 In der jesuan. Gesetzesinterpretation (V 18) sieht Lukas also die beiden Gedanken der Verse 16f dialektisch "aufgehoben", aber nicht so, als ob es die Widersprüche nicht mehr gebe – die Markusauslassung und die Q-Bearbeitung (Mt 5,31f) beweisen das Gegenteil –, sondern aufgehoben in einem neuen Handeln.

82 Obwohl die Frage einer vorlukan. Einheit der Verse 16–18 verneint wurde (s. Anm. 4), bliebe zu fragen, ob der Zusammenhang der Verse 16f ursprünglich ist. Der Stürmerspruch in seiner vermutlichen Q-Fassung Lk 16,16a; Mt 12,11 (s. Anm. 74 und Kümmel, Lukas 16,16, S. 94–98) bietet Anknüpfungspunkte an einen Täuferkomplex, aber auch an eine Gesetzesdiskussion. Vgl. Hoffmann, Studien, S. 57 Anm. 4: "ursprünglich isolierte Sprüche . . . spätestens in Q ad vocem Johannis" zusammengefügt; Schulz, Q, S. 261 Anm. 581 (Literatur), S. 262: ursprünglich isoliert, Kontext bei Lk und Mt "wahrscheinlich sekundär"; Dömer, Heil Gottes, S. 39 Anm. 88 (Literatur), S. 38: ". . . Zusammenstellung sub voce Gesetz dürfte die ältere sein." Folgendes spricht dafür, daß Mt getreuer am Q-Text bleibt: 1. LkR fügt in die Q-Vorlage die Verse 7,29f ein, welche auf Vers 35 vorbereiten (*ἐδικαίωσαν-ἐδικαιώθη* (Vv 29.35), *τελῶναι* (Vv 29.34); vgl. Hofmann, Studien, S. 194f) und die ablehnende Haltung der Pharisäer, die sich damit als die Hauptgegner Jesu bzw. Gottes zu erkennen geben, zusätzlich als ethisches Versagen deuten (vgl. 3,10–14). 2. LkR scheut sich, Johannes mit Elias zu identifizieren (zwar Lk 1,17, aber Auslassung von Mk 9,11–13; Mt 11,14), da die mit dessen Kommen erwartete *ἀποκατάστασις πάντων* (vgl. Mk 9,12) bei Lukas Jesus (Gott?) vorbehalten bleibt (Ac 3,21). Er rückt vielmehr Jesus und Elias näher zusammen (Lk 7,11–16 vgl. U. Busse, Die Wunder des Propheten Jesus. Die Rezeption, Komposition und Interpretation der Wundertradition im Evangelium des Lukas, Stuttgart 1977 (Forschungen zur Bibel 26), S. 161–175).

83 Jeremias, Gleichnisse, S. 182–185: Doppelgipfliges Gleichnis mit "Achtergewicht", das "vor dem drohenden Verhängnis . . . warnen" will (S. 185); Degenhardt, a. a. O., S. 133–135. Erstmals vertreten wurde diese Auslegung von H. Greßmann, Vom reichen Mann und armen Lazarus, in: Abh. d. preuß. Akad. d. Wiss. 1918, phil.–hist. Klasse Nr. 7. Die jüdische Geschichte ist abgedruckt bei N. Perrin, Was lehrte Jesus wirklich? Rekonstruktion und Deutung, Göttingen 1972, S. 122. Vgl. Schnider/Stenger, Offene Tür, S. 273f; Bultmann, Synoptische Tradition, S. 193, 212f, 221 dachte an ein, allerdings erst spät überliefertes jüdisches Märchen, das von einer warnenden Botschaft aus der Unterwelt berichtete und das durch die Verse 27–31 "polemisch umgebogen" (S. 213) worden sei.

84 Schnider/Stenger, Offene Tür, S. 275ff, weisen mittels einer Strukturanalyse die formale Einheitlichkeit und gekonnte antithetische Darstellungsweise auf. Doch ist die in Vers 29 enthüllte "eigentliche Schuld des Reichen", nämlich "mangelndes Hören auf die Schrift" (S. 282), nur aus dem redaktionellen Rahmen verständlich.

85 Vgl. Kap. II–IV dieses Aufsatzes. In den Versen 14–18 wurde dieser Mangel durch ihre Geldgier (V 14) und das Ehebruchslogion (V 18) exemplifiziert. Der reiche Mann wird durch die lk Zusammenstellung und Redaktion (Vv 1–15), auch ohne ausdrückliche Identifikation, ebenso wie der ungerechte Verwalter, auf pharisäischer Folie gesehen und so ein Beispiel pharisäischen Fehlverhaltens.

86 Zit. n. Jeremias, Gleichnisse, S. 182.

87 Text s. Perrin, a. a. O., S. 122.

88 Ernst, Lukas, S. 473: "Insgesamt aber bleibt unbestritten, daß die ethischen Gesichtspunkte hinter der Zustandsbeschreibung 'arm–reich' fast völlig verschwinden." Ebenso R. Bultmann, Jesus, München 3. Aufl. 1967, S. 74; Hoyt, Poor in Luke – Acts, S. 165f. Jeremias, Gleichnisse, S. 185 und Degenhardt, a. a. O., S. 123 meinen, eine weitere Begründung der Schicksalswende sei unnötig gewesen, da der Stoff bekannt gewesen sei. Gerade in der ägyptisch-jüdischen Vorlage kommt es jedoch auf die Gründe (gut-böse) besonders an, denn für jüdische Hörer und deren Verständnis vom Tun-Ergehen-Zusammenhang ist das Gleichnis bis Vers 21 "völlig in Ordnung" (Ernst, Lukas, S. 474).

89 Im Gleichnis standen sich ursprünglich wohl nur ein Reicher und ein Armer gegenüber. Die Einfügung des Eigennamens entspricht der lukanischen Tendenz zu größerer Anschaulichkeit, Dramatisierung und Individualisierung. Zum redaktionellen Sprachgebrauch von Nomen — τίς — ὀνόματι — Eigenname (Lk 1,5; 10,38; 16,20; Ac 8,9; 9,33; 10,1; 16,1) vgl. Jeremias, Redaktion und Tradition, S. 15.

90 L. Schottroff, Das Magnificat und die älteste Tradition über Jesus von Nazareth, in EvTh 38 (1978), S. 298—312 , hat bei ihrer Untersuchung von Lk 1,51—53 auf genannte Stellen hingewiesen (S. 306). Das "hermeneutische Problem" (ebd., S. 312), das hinter der Interpretation solcher Stellen steht, ist treffend so gekennzeichnet: "Christen, die sich nicht als materiell Arme verstehen konnten, haben immer wieder solche und ähnliche Deutungen (Spiritualisierung z.B.) vorgenommen, mit denen sie sich eine Brücke zur Jesusüberlieferung gebaut haben."

91 Eine wie immer geartete "Spiritualisierung" mildert die "Härte dieses Gedankens" und ist durch "nichts zu begründen" (Schottroff, a. a. O., S. 307). Vgl. Schulz, Q, S. 76—84; Hoffmann, Studien, S. 114f.

92 Zu Abrahams Schoß (Gen 47,30; Dtn 31,16; Ri 2,10) und Hades vgl. Jeremias, Gleichnisse, S. 183f; Billerbeck, II, S. 225—27; IV, S. 1016—1029. Die Unterscheidung von Zwischenzustand (= ᾅδης Lk 16,23) und Endzustand (= γεέννεα; vgl. Lk 12,5; 13,28) von Jeremias (ebd., S. 184) ist aus dem Text weder positiv noch negativ herauszulesen. Vers 26 deutet in Richtung eines Endzustandes.

93 Dupont, Individuelle Eschatologie (s. Anm. 28); Ernst, Herr der Geschichte, S. 78ff.

94 Neuhäusler, a. a. O., S. 96f, denkt an eine von Lukas überarbeitete theologische Schicht, "welche mit dem Begriffsmaterial der frühen Gemeinde arbeitet" (S. 96) und der Lk 16,8b—9.10.12; 12,13ff; 16,19ff; 18, 1—8.9—14 angehören.

95 Lukas nimmt diese adverbielle Verbindung aus Mk 14,49 par Lk 22,53/ Mt 26,55 (sonst nie bei Mk und Mt) auf und fügt sie im selben Kontext (Jesus im Tempel) in 19,47 ein. Der Praxis Jesu entspricht die der Urgemeinde (Ac 2,46.47), welche durch ihre Vertreter Petrus und Johannes dem Lahmen auch mehr als die täglichen Almosen (Ac 3,2 vgl. 3,6) bieten kann; vgl. Ac 16,5; 19,9; 17,7; 13,27; 15,21; 18,4. Die theologisch gewichtigen Einfügungen des Adverbs in Lk 9,23 diff Mk 8,34; Lk 11,3

diff Mt 6,11 – das Herrenwort im christlichen Alltag, die brennende Naherwartung (Mt 6,11: σήμερον) ist verschwunden – weisen es als lukanisches Vorzugswort aus. Λαμπρῶς schreibt Jeremias, Redaktion und Tradition, S. 80.260, LkR zu; vgl. Lk 2,9; 17,24; 23,11; Ac 10,30; 12, 7; 20,8; 26,13.

96 Durch die Verse 27–31 gibt Lukas dem Gleichnis seine Deutung. Die von Jeremias, Redaktion und Tradition, S. 261f, gefundenen Hinweise auf Tradition sind gering und nicht zwingend so zu deuten. Ein zentraler Begriff für Lukas ist μετάνοια/μετανοεῖν (Mk 3x, Mt 7x, Lk 14x, Ac 11x). Umkehr zu bewirken wird als Ziel und Inhalt der Tätigkeit Johannes' (Lk 3,3.8; vgl. Lk 1,17; Ac 26,20), Jesu (Lk 5,32 diff Mk 2,17; Lk 24,47) und der Apostel und Jünger (Ac 2,38; 3,19; 17,30; 20,21 vgl. Lk 16,28; Ac 26,20) bezeichnet. Bußfertige werden gerettet (Lk 11,32; 15,7.10; 16,30), Unbußfertige kommen um. Wie hier (16,30), gibt Lukas durch Voranstellung von Lk 15,7.10 – beides wohl redaktionelle Weiterbildungen aus Lk 15,4f par Mt 18,12–14; bzw. Lk 15,8f – dem Gleichnis vom verlorenen Sohn (Lk 15,11–31) als Interpretament das Stichwort Umkehr, dort positiv, hier negativ. Πείθεσθαι (Lk 16,31; Mt 3x; Mk nie; Lk 4x, Ac 17x) ist, wie in Ac 28,23, dem μετανοεῖν sachlich gleichgestellt. Sich überzeugen lassen, heißt "umkehren" (Ac 28,23f), zu überzeugen versuchen heißt "Umkehr predigen" (Ac 28,23;26,20;19,8f). Umkehr ist bei Lukas ein "Attribut", welches das wahre Israel – von den Niniviten (Lk 11,32) bis zu den Juden in Rom (Ac 28,23f) – kennzeichnet (vgl. dagegen Ac 7,39.41; 26,20f). Die Deutung der 6 Brüder als dem halben und zwar dem verstockten Israel wäre von hieraus durchaus passend (A. Jülicher, Die Gleichnisreden Jesu, Darmstadt 1963 (= Tübingen 1910), II, S. 639.

97 Die Verse 19–26 sind stilistisch bearbeitet (vgl. Jeremias, Redaktion und Tradition, S. 260f), doch können sie, von unserer Auslegung her gesehen, wohl nicht von Lukas stammen. "Schoß Abrahams" und "Hades" – die LXX übersetzt Scheol mit Hades – weisen auf eine jüdische Trägergruppe. Sprachlich deutet das Praesens historicum im Vers 23 auf Tradition (vgl. Jeremias, Gleichnisse, S. 182); durch dessen Wiederholung in Vers 29 (λέγει) zeigt Lukas an, daß er die mit ὁρᾷ (V 23) beginnende Auseinandersetzung durch die Antwort Abrahams beendet sieht.

‚Mappō' — Gedanke bei Shinran. Ein japanischer buddhistischer Endzeit-Gedanke

Shuko Hara

Vorbemerkung

Ähnlich wie im Christentum gibt es auch im Jōdo-Buddhismus einen Endzeit-Gedanken in der Form des Mappō-Gedankens, welcher im japanischen Jōdo-Buddhismus während der Kamakura-Periode (1192—1333) in seiner Aussage den höchsten Punkt erreichte.

In diesem Aufsatz soll die Rede von dieser Denkweise sein. Am Beispiel Shinrans (親鸞, 1173—1262) — eines der bedeutendsten japanischen buddhistischen Denker — soll der Mappō-Gedanke dargestellt werden. Dabei wird hauptsächlich sein Hauptwerk Kyōgyōshinshō (1) verwendet.

Gleichzeitig aber wirft dieser Versuch einer Darstellung die Frage nach der Möglichkeit und Begrenztheit einer Übersetzung auf, auch die Frage nach der Tragfähigkeit der Hermeneutik als Methode.
Das Problem der Übersetzung meint aber nicht nur die Verschiedenheiten der Struktur der hier betroffenen Sprachen, des Deutschen und Japanischen; das Problem taucht bereits in den japanischen Texten auf. Denn die Schriften Shinrans sind in der alten japanischen Sprache geschrieben, welche wieder ihre eigene Struktur und Grammatik hat. Zudem wurde Kyōgyōshinshō zwar in Japanisch, aber nach der chinesischen Grammatik (漢文 = Kanbun) geschrieben. So sind also mehrmalige Vorübersetzungen nötig, bevor man überhaupt die Originaltexte von Shinran in die deutsche Sprache übersetzen kann.

Die Schwierigkeiten der Übersetzung bestehen ferner auch darin, daß manche Begriffe des asiatisch-buddhistischen Denkhorizontes von einer anderen Denkwelt geprägt sind als der abendländischen, so daß in bestimmten Fällen keine richtigen Worte dafür gefunden werden können. Allein das Wort Mappō zeigt die Problematik deutlich. Wie die Verbindung, die wir zwischen Mappō und "Endzeit" zogen, erkennen läßt, ist der Begriff Mappō nicht von der "Zeit" und damit auch nicht von der "Geschichte" als einem in der "Zeit" geschehenden Phänomen zu trennen. Der Buddhismus aber kennt keine "Zeit" im abendländischen oder jüdisch-christlichen Sinne. Der Ur-Buddhismus übernahm den Gedanken des Karman und des Saṃsāra von Brahmanismus, der damit einen immer wiederkehrenden Kreislauf vorstellt, im Gegensatz zum jüdisch-christlichen und philosophischen "Zeit"-Verständnis, welches eine lineare, teleologische Zeit meint. Aus dieser Sicht kann es im Buddhismus weder Anfang noch Ende geben. Zeit entsteht dann nach den Vorstellungen des Buddhismus erst im Unwissen des Menschen darüber, daß ein solcher Kreislauf im Grunde genommen nicht existiert. Mit anderen Worten: die Zeit wird erst entstehen, wenn der Mensch sein Dasein als ein im Kreislauf gefangenes Dasein sieht – wobei doch alle Phänomene, auch das "Ich", nicht etwas "Bleibendes", "Feststehendes" sind (2). Im Buddhismus versucht der Mensch, sich von diesem Kreislauf zu befreien, sich vom "Ich–Bewußtsein" zu erlösen (oder: vom "Ich–Bewußtsein" erlöst zu werden), ins Nirvana einzugehen.
Bei solchem Verständnis von "Zeit" dürfte man auch nicht von "Vergangenheit", "Gegenwart" und "Zukunft" im abendländischen Sinne reden. Freilich wird auch im buddhistischen und japanischen Sprachgebrauch von drei Zeiten geredet, da jede Sprache zur Aussage dessen zwingt, was seinen Sitz in der täglichen Erfahrung hat. In der Hoch-Theologie einer Religionsform aber muß transformiert, im Falle des Buddhismus sogar negiert werden, so daß eine Art "Sprachzwang" immer vorhanden sein wird.

Ich möchte im folgenden versuchen, die Worte zunächst einmal soweit wie möglich zu erklären, damit die ins Deutsche übersetzten Begriffe in ihrer je auf den gegebenen Zusammenhang beschränkten Weise verstanden werden können.

I. Ursprung des Mappō-Gedanken

1.

Der jōdo-buddhistische Mappō-Gedanke beruht auf der buddhistischen Geschichtsauffassung, nach der der Ablauf der geschichtlichen Zeit nach dem Eingehen Gautama Buddhas ins Nirvana (3) in drei Phasen eingeteilt wird, welche in der japanischen buddhistischen Terminologie Shōbō, Zōhō und Mappō genannt werden. Es gibt verschiedene Auffassungen, wie lange die einzelnen Perioden dauern (4). Shōbō ist der erste Zeitraum seit dem Eingehen Gautama Buddhas ins Nirvana. Es übersetzt das Sanskritwort sad-damma und besteht wie die beiden anderen Begriffe aus zwei Schriftzeichen. Shō = bedeutet allgemein "richtig", und Bō = 法 das "Gesetz", im buddhistischen Bereich das "Sein", "wie das Sein als Sein sein wird" oder die "Lehre Gautama Buddhas (5). In diesem Fall ist Bō die Lehre Gautama Buddhas (6). Mit Shōbō wird die Epoche ausgedrückt, in der die drei zentralen Inhalte des Buddhismus aufrechterhalten bleiben können, nämlich: 1: Kyō (教) = "Lehre Gautama Buddhas"; 2: Gyō (行) = "Tat im Streben, sehend zu werden" (7); 3: Shō (証) = "Zeugnis", d.h. daß der Mensch Buddha geworden ist bzw. werden kann. Shōbō ist somit eine Periode, in der der Mensch der richtig überlieferten Lehre Gautama Buddhas begegnen, die Tat des Sehendwerdens vollbringen und Buddha werden kann (8). Es ist die Zeit der "richtigen Lehre".

Die zweite Ära heißt Zōhō (snsk.: dhamma-patirupaka). Zō (像) bedeutet in der japanischen Sprache "etwas nach dem Modell bilden" oder "die durch Bilden entstandene Gestalt". Dieses Schriftzeichen wird in der Bedeutung gebraucht, daß etwas zwar dem Original sehr ähnlich sieht, aber nicht mehr echt ist (9). Hō ist eine Aussprachevariante von Bō. Damit drückt dieser Begriff im buddhistischen Bereich folgendes aus: In diesem zweiten Abschnitt bleiben zwar "Lehre" und "Tat" noch üblich, aber es kann kein Mensch mehr Buddha werden, weil beides nur "Bilder" sind. Zōhō ist somit die Zeit der "Bilder-Lehre" (10).

Als dritte Phase folgt Mappō. Das diesem Begriff entsprechende Wort im Sanskrit heißt saddharma-vipralopa; es stellt die letzte Epoche des geschichtlichen Zeitablaufs dar. Ma (末 bzw. Matsu) heißt das "Ende" und Pō (Ppō) ist wieder eine Aussprachevariante von Bō. In diesem Zeitraum bleibt zwar die "Lehre" weiter erhalten, aber es gibt weder "Tat" noch "Zeugnis". Mappō ist somit die Zeit, in der die "Lehre" zu Ende geht (11). So ist diese dreistufige Zeiteinteilung eine Geschichtsauffassung, die den ständigen Abfall von dem "e i n m a l G e w e s e n e n" darstellt (12).

2.

Das älteste Sutra, in dem diese Abfall-Vorstellung erwähnt wird, dürfte Zōagonkyō (雑阿含経, snsk.: Sṃyutta-nikāya, entstanden um 260 vor Christus) sein (13). Dort wird gesagt, daß die "Zeit Zōhō kommen wird, nachdem Shōbō verschwunden ist" (14). In anderen mahayana buddhistischen Sutras wie in Hokkekyō (法華経, snsk.: Saddharmapuṇḍrīka-Sutra), Hikakyō (悲華経, snsk.: Karunā-puṇḍarīka-Sutra), Daishūkyō (大集経, snsk.: Māhā-saṃnipāta-Sutra), Daihannyakyō (大般若経 , snsk.: Māhā-parinirvāna-Sutra) u. a. findet man den Ausdruck "Verschwinden der Lehre". Dabei geht es um die Warnung in der buddhistischen Gemeinde, daß die Lehre Gautamas ins Vergessen geraten wird und daß die Moral der Mönche und Nonnen verfällt (16). Der Verfall, der Umschlag von Shōbō zu Zōhō, liegt in einem Charakterzug des Buddhismus mitbegründet, denn "der Weg der religiösen Praxis, die religiöse Philosophie und der religiöse Gedanke, wie sie der Buddhismus darstellt, wird durch die lebende Person hervorgebracht" (15); d.h. aber, daß die Lehre von der Persönlichkeit des Lehrers abhängig ist. Solange der Lehrer – Gautama – lebte, war es nicht problematisch, die richtige Lehre zu verkünden, "so brauchte man nicht von Shōbō zu reden" (17). Sobald aber Gautama ins Nirvana eingeht, wenn also der Lehrer, der durch seine Persönlichkeit die Lehre dargestellt hat, nicht mehr anwesend ist, wird deutlich, daß die Lehre nicht richtig erhalten bleiben kann. In dem Moment, in dem ein Unterschied im Wortgebrauch zwischen Shōbō und Zōhō gemacht und das Wort Shōbō extra erwähnt werden muß, zeigt sich schon, daß Zōhō da ist (18). So wird in diesen Sutras vor dem "Verschwinden der Lehre" gewarnt. Man findet aber kein Sutra, in dem der dreistufige Abfall im geschichtlichen Zeitablauf auftaucht. Die dritte Phase Mappō wird in diesen Schriften, die ja verhältnismäßig frühe Zeugnisse des Buddhismus sind, nicht genannt.

Aufgrund des Fehlens der Mappō-Vorstellung darf man wohl annehmen, daß der indische Buddhismus zwar den Gedanken einer "zuendegehenden Lehre" kannte, diese aber nicht mit der Dreistufigkeit der Geschichte in Shōbō, Zōhō und Mappō reflektiert hat (19). Dies gilt auch für die drei jōdo-buddhistischen Sutras, auf die der japanische Jōdo-Buddhismus seine Lehre stützt.

Es sind:

1: *Bussetsu Muryōjukyō* (佛説無量寿経, snsk.: sukhā-vatī-vyūha: das Große Sutra) (20)
2: *Bussetsu Kanmuryōjukyō* (佛説觀無量寿経 das Sutra der Meditation) (21)
3: *Bussetsu Amidakyō* (佛説阿弥陀経, snsk.: sukhāva ti-vyūha: das Kleine Sutra) (22).

Diese drei Sutras wurden von Hōnen (法然, 1133–1212) als die Sutras des Jōdo-Buddhismus ausgewählt.

Allerdings wird im Großen Sutra der Gedanke ausgesprochen, daß dieses Sutra noch 100 Jahre in der Welt bleibt (23), die mit dem Verschwinden der Lehre kommen wird, damit die Menschen in dieser "kommenden Welt" die Möglichkeit haben, ins Nirvana einzugehen. "Diese kommende Welt" ist die Welt, in der alles Böse wieder getan wird, "wie es in der Welt vor der Lehre war" (24).
Im Sutra der Meditation findet man nicht diesen Gedanken der "kommenden Welt". Es wird aber die "Zukünftigkeit" der Lehre des Sutra betont. In diesem Sutra geht es darum, daß Gautama auf die Bitte Königin Idaikes (snsk.: Vaidehī) ihr den Weg zeigt, wie sie von den Leiden und Qualen befreit werden kann. Insofern ist die Lehre an Königin Idaike gerichtet, aber gleichzeitig soll sie auch für die in Zukunft lebenden Menschen gelten. "Nyorai (Gau-

tama Buddha) lehrt sowohl Königin Idaike als auch den in der Zukunft lebenden Menschen, wie sie die 'Paradiesische Welt im Westen' (25) sehen können. Sie können dieses 'Reine Land' (= Jōdo) durch die Kraft Buddhas sehen" (26). Diese Betonung, daß die Lehre auch an die Menschen in der zukünftigen Welt gerichtet ist, "entspricht" der kommenden Welt im Großen Sutra (27). Dabei ist es wichtig zu beachten, daß Königin Idaike wie ein Mensch dargestellt wird, der nicht durch eigenes Streben sehend werden kann. So spricht Gautama Buddha zu Königin Idaike, "Du bist ein gewöhnlicher Mensch . . . " (28).

Im Kleinen Sutra werden weder das "Verschwinden der Lehre", noch die "in Zukunft lebenden Menschen" erwähnt. Es ist lediglich die Rede davon, daß diese jetzige Welt eine böse, unreine Welt ist und daß die Menschen in einer solchen Welt leben (29). Dieser Gedanke ist dem Jōdo-Buddhismus nicht fremd, vielmehr grundlegend, denn der Name Jōdo = "Reines Land" zeigt deutlich, daß der Jōdo-Glaube diese Welt als die unreine erkannte.

3.

Als das älteste Zeugnis, in dem das Wort Mappō und der Mappō-Gedanke vorkommt, wird die Gelöbnisschrift (Nangokushidaizen Risseiganmon, abgk. Risseiganmon 南嶽師大禪立誓願文) des chinesischen buddhistischen Mönchs Eshi (慧思, chin.: Hui-ssu, 515–577) aus dem Jahre 558 genannt. Darin schreibt er, daß Shōbō 500 Jahre, Zōhō 1 000 Jahre und Mappō 10 000 Jahre gedauert haben und daß Gautama nach Hongikyō (本起経) im Jahre 1067 vor Christus ins Nirvana eingegangen sei und daß er aus eigenen Erlebnissen, nämlich daß man ihn töten wollte, die Zeit als Mappō erkannt habe (30).

Die Echtheit dieser Schrift wird heute aber in Frage gestellt. Die Gründe dafür sind:

a) In seinen anderen Schriften erwähnt Eshi den Mappō-Gedanken nicht.

b) Wenn er einen solchen Gedanken gehabt hätte, müßte sein Schüler Tendai Chigi (天台智顗, chin.: Chih-i, 538–597) ihn aufgenommen haben. Man findet aber bei diesem keine Spur des Mappō-Gedankens.

c) Auch in dem "Leben der berühmten buddhistischen Mönche" (Kosoden = 高僧伝, chin.: Kao-seng chuan), das während der T'ang-Zeit (617–907) geschrieben wurde und dessen 17. Kapitel über Eshi geht, steht nichts von einer solchen Gelöbnisschrift.

d) Man findet keinerlei Anhaltspunkte, die erklären, woher Eshi diesen Gedanken hat, denn die Sutras wie Daishukyō, besonders dessen Teil Getsuzobu (月蔵部), in dem Mappō- bzw. "Verschwinden der Lehre"-Vorstellungen vorkommen, wurden erst acht Jahre später als die Gelöbnisschrift von Eshi ins Chinesische übersetzt (31).

Allerdings gibt es noch keine eindeutigen Beweise, um über die Echtheit und Unechtheit dieser Schrift von Eshi entscheiden zu können (32). Allgemein kann man sagen, daß die chinesischen Buddhisten um die Zeit Eshis noch keinen Mappō-Gedanken hatten. Sie wußten zwar von der Mappō-Vorstellung, aber sie waren der Meinung, daß sie noch in der Zōhō-Zeit lebten. Donran (曇鸞, chin.: T'an-luan, 465–542), der Gründer des Jōdo-Buddhismus in China, ist darin keine Ausnahme (33). So ist deutlich zu erkennen, daß der Jōdo-Buddhismus in seinen Anfängen nicht unbedingt den Mappō-Gedanken vorausgesetzt hat, welcher freilich auf der Entwicklungsstufe des Jōdo-Buddhismus in China "das Fundament" dieser Glaubensrichtung wurde (34).

Erst bei Shingyō (信行, 540–594) und Dōshaku (道綽, chin.: Tao-ch'o, 562–645) taucht das Mappō-Bewußtsein auf, und zwar in der Reflexion, daß das, was in der Mappō-Vorstellung gesagt wurde, z.B. die fünf Unreinheiten, in der Jetzt-Zeit eingetroffen ist. Die fünf Unreinheiten sind: 1. Gōjoku (劫濁); 2. Kenjoku (見濁); 3. Bonnōjoku (煩悩濁); 4. Skūjoku (衆濁); 5. Meijoku (命濁). Sie sind fünf verschiedene Unreinheiten (= Joku). Die erste Unreinheit ist die Unreinheit Gōs. Gō (snsk.: kalpa) bezeichnet eine unfaßbar lange Zeit. Nach buddhistischer Überlieferung ist ein Gō länger als die Zeit, die gebraucht wird,

wenn ein 160 qm großer Fels mit einem dünnen Gewandstoff alle 100 Jahre einmal leicht abgewischt wird, bis er dadurch ganz abgenutzt ist (35). In diesem Fall ist Gō die "Zeit", und damit gibt das Wort Gōjoku die Bedeutung der "Unreinheit der Zeit" wieder. In dieser Zeit wird es viel Unglück, Naturkatastrophen etc. geben und es wird an Nahrung und Kleidern mangeln.
Die zweite Unreinheit ist die Unreinheit Kens. Ken (snsk.: drsti; selten auch: darśana) bedeutet "sehen", "Gedanke" oder "Meinung", meistens wird mit diesem Wort die "falsche Meinung" bezeichnet (36). So ist Kenjoku die "Unreinheit der Meinung". Es werden viele Meinungen außer dem Buddhismus verbreitet sein.
Die dritte Unreinheit ist Bonnōjoku. Bonnō (Snsk.: klesá) wird im Buddhismus allgemein als "Hindernis" verstanden, und zwar als das "Hindernis", das dem Bemühen, Buddha zu werden, im Wege steht. Es ist also die "Unreinheit des Geistes". Gier, Zorn, Blindheit (gegenüber der Wahrheit), Eitelkeit, Zweifel und Fehlurteil werden den Geist des Menschen beherrschen.
Die vierte Unreinheit ist Shūjoku. Shū bedeutet die Menschen, somit Shūjoku die "Unreinheit der Menschen". Der Körper der Menschen wird kleiner und schwach.
Die fünfte Unreinheit ist Meijoku. Mei heißt das "Leben". Meijoku ist die "Unreinheit des Lebens", die sich darin zeigt, daß die Lebenserwartung sinkt (37).

Shingyō und Dōshaku nehmen an, daß geschichtliche Gegebenheiten, wie das Verbot des Buddhismus im Jahre 574 in Nord-Chou oder der moralische Verfall der buddhistischen Mönche und Nonnen, die Zeichen des Mappō in ihrer Zeit seien.

Der Aussage Dōshakus über Mappō kommt im Jōdo-Buddhismus bis heute allgemeine Gültigkeit zu. So schreibt er zunächst: *Wenn der sich Bemühende von ganzem Herzen den Weg sucht, soll er ernsthaft die Zeit und das Mittel betrachten: wenn es nicht Zeit ist, gibt es kein Mittel. Dies wird Verlust genannt, nicht Nutzen. Weshalb? Weil dies ist, wie wenn einer mit feuchtem Holz Feuer zu machen versucht, er bekommt kein Feuer, oder wenn er trockenes Brennholz knickt und versuchen will, damit Wasser zu bekommen, er bekommt keins. Weil es keine Weisheit gibt* (39).

Ob das Holz trocken oder feucht ist, ist eine Frage der Zeit, in der das Holz sich befindet. Wie das Wesen des Holzes von der Zeit abhängt, so wird auch der Charakter des Menschen von der Zeit, in der er lebt, beeinflußt (40). Deshalb soll der sich Bemühende genau die Zeit betrachten, sonst findet er kein richtiges Mittel zum Buddha-werden und infolgedessen kann er nicht Buddha werden, so sehr er sich bemühen mag. Die Mittel hier sind die Tat, mit der der Mensch ins Nirvana eingehen will, und die Lehre, in der gelehrt wird, für welche Tat er sich entscheiden soll.

So macht Dōshaku in der Lehre des Buddhismus den Unterschied zwischen dem Jōdomon und Shōdōmon. Jōdomon (浄土門: das "Tor des Reinen Landes") besteht darin, daß man an Amida und dessen "Reines Land" glaubt, Ōjō (往生, wörtlich übersetzt: "gehen" und "geboren werden", ergibt also die Bedeutung, daß man in das "Reine Land" Amidas gehen will, um dort geboren zu werden; hier wird es mit dem Wort "Hinübergeburt" übersetzt) erlangen und dort ohne Hindernisse die Tat des Buddha-werdens vollbringen will. Wer ins "Reine Land" Amidas hinübergeboren wird, dem ist das Eingehen ins Nirvana gesichert. Shōdōmon (聖道門: das "Tor des Weges der Heiligen") bedeutet hingegen, daß man mit eigenen Bemühungen, Taten und eigenem Streben versucht, in dieser Welt Buddha zu werden (41).

Dōshaku sagt weiter: *Es wird auch in Daishūkyō gesagt, daß in der Mappō-Zeit mehrere 10 Millionen Menschen zwar den Willen zur Tat haben und danach streben werden, daß aber keiner dies vollenden wird. Jetzt herrscht Mappō, die von den fünf Unreinheiten geprägte böse Welt. Es gibt nur Jōdo als das einzige Tor, durch das hineingegangen werden soll (42), denn es wird gesagt, daß die Zeit, in der die Lehre Shakamunis* (Gautama Buddhas) *verbreitet sein wird, in drei Phasen geteilt ist, nämlich in Shōbō 500 Jahre, in Zōhō 1 000 Jahre und in Mappō 10 000 Jahre. In Mappō wird sich die Zahl der Menschen verringern; jede Lehre wird verschwinden. Aber Nyorai* (Gautama Buddha) *erbarmte sich der durch den Einfluß der Zeit von brennenden Schmerzen verzehrten Menschen und ließ dieses Sutra* (das große Sutra) *für die Welt nach Mappō überdauern, dieses Überdauern wird 100 Jahre währen* (43).

So ist der jōdo-buddhistische Mappō-Gedanke von drei Elementen geprägt, nämlich von der Zeit, in der japanisch-buddhistischen Terminologie Ji (時), vom Menschen, Ki (機), wobei Ki als der Charakter des Menschen, der den Menschen bestimmt, verstanden wird, und von der Lehre, Kyō. Dabei ist die Legitimität der Lehre von den beiden anderen Faktoren abhängig. Die Zeit ist die Zeit der letzten Phase des Geschichtsablaufes. Die Menschen sind die, die in Mappō leben und unter diesem Einfluß leiden. Die Lehre ist gespalten in die, welche der Zeit Mappō entspricht, und die, welche nur noch dem Buchstaben nach besteht.

II. Mappō und Shinran

1.

Die drei Elemente des jōdo-buddhistischen Mappō-Gedankens sind auch bei Shinran von entscheidender Bedeutung für das Verständnis seiner Mappō-Auffassung und damit seiner Lehre, denn die seine Lehre beherrschenden Begriffe wie Ekō, Jiriki – Tariki oder Akunin Shōki (44) sind nicht von seinem Mappō-Gedanken zu trennen.

Shinran behandelt Mappō ausführlich im zweiten Abschnitt des 6. Kapitels seines Hauptwerkes Kyōgyōshinshō. Dort rechnet er nach, wieviele Jahre nach dem Eingehen Gautamas ins Nirvana vergangen sind und in welchem Jahr des Mappō er und seine Zeitgenossen leben. Dabei übernimmt er die von dem chinesischen Buddhisten Hōjō (法上) aufgestellte These, daß Gautama im Jahr 949 vor Christus ins Nirvana eingegangen sei. So stellt er fest, daß das J e t z t , das erste Jahr des Ganni (元仁, 1224), das 683. Jahr des Mappō ist (45). Hier geht er davon aus, daß Shōbō 500 Jahre und Zōhō 1 500 Jahre dauerten (46).

Dabei war Shinran keine Ausnahme hinsichtlich des Glaubens daran, daß Mappō schon in der geschichtlichen Zeit eingetroffen sei, wobei allgemein die Meinung herrschte, daß die Mappō-Periode im

Jahr 1052 begonnen habe, da man von der Annahme ausging, daß sowohl Shōbō als auch Zōhō 1 000 Jahre dauerten. So schreibt Minamoto no Tamenori (源為憲) schon im Jahre 985 in seinem Buch Sanbōekotoba (三宝絵詞: Die buddhistischen Erzählungen), daß jenes Jahr das 1933. Jahr nach dem Eingehen Gautama Buddhas ins Nirvana sei und in 67 Jahren die Mappō-Phase beginnen werde (47). Fujiwara no Takafusa (藤原資房, 1007–1057) bemerkt in seinem Tagebuch Shungi (春記), als er am 25.8.1052 über das Abbrennen des buddhistischen Tempels Hasedera schreibt: "Es ist das erste Jahr Mappōs. Dies geschah" (48).

Man findet außerdem verschiedene profane Literatur, vorwiegend Tagebücher aus dem 11. und 12. Jahrhundert, in der der Einfluß der Vorstellung vom Eintreffen der Mappō-Zeit bemerkbar ist, und in der auch die Betroffenheit darüber ausgesprochen wird, daß man in einem solchen Zeitalter lebt (49), je nachdem ob die jeweiligen Verfasser vor dem Jahr 1052 oder danach lebten. Sie sahen in den Geschehnissen der Welt, z.B. in Kriegen, Hungersnöten, dem moralischen Verfall der Mönche und Nonnen und in Verbrechen Zeugnisse für die Mappō-Periode. Mit anderen Worten: Mappō ist d e r Grund für solche Ereignisse. So wird z.B. in Eigamonogatari (栄華物語: Die Geschichte über die Herrlichkeit des Geschlechtes Fujiwara) geschrieben: *In der Welt herrscht Unruhe, die Menschen sterben. Dies liegt, obwohl das Herz des Tennō rein ist und der Herr gut regiert, daran, daß die Welt dem Ende entgegengeht* (50).

Charakteristisch ist dabei, daß die Verfasser Mappō als eine geschichtliche, zeitliche, unvermeidbare Sache verstanden haben, die nach dem Eingehen Gautamas ins Nirvana in der Geschichte erscheinen muß. So ist Mappō für sie eine Geschichtsauffassung, die auf die zeitliche Entfernung von Gautama gegründet ist; sie findet ihre Bestätigung in den Ereignissen der Welt (51). Bei dieser Auffassung von Mappō steht der Mensch hilflos vor der Tatsache, daß Mappō schon da ist. Er kann nur über sein Unglück klagen, daß er gerade in einem solchen Zeitalter geboren wurde, doch er steht Mappō passiv gegenüber. Aus einer solchen Haltung heraus wird der Wunsch sehr stark, diese trügerische und unreine Mappō-Welt zu verlassen und in ein "Reines Land" hinübergeboren zu werden (jap.: Onri Edo Gongu Jōdo 厭離穢土・欣求浄土). Es ist aber gleichzeitig eine unbeteiligte Haltung, denn man hat Distanz zu allen katastrophalen Geschehnissen, indem man die Gründe dafür in der Zeitepoche Mappō sieht. Die Menschen fühlen sich von Mappō betroffen, aber Mappō ist für sie eine Tatsache außerhalb ihrer selbst, und deshalb führt diese Betroffenheit nicht zu einer inneren, religiösen Reflexion über die eigene Person oder den Menschen überhaupt.

Das erste Zeugnis innerer, religiöser Reflexion ist Mappōtōmyōki (末法灯明記: das Licht, das Mappō leuchtet) von Saichō (最澄, 767–822) (52). In dieser Schrift wird versucht, die Bedeutung von Mappō in der Geschichte und für den Menschen klar zu machen. Dies geschieht in der Form, daß man sagt: es gibt kein Übertreten der Gebote mehr.

In Mappō gibt es nur die "Lehre" durch das Wort, weder "Tat" noch "Zeugnis". Wenn es das Halten der Gebote gäbe, wäre auch ein Übertreten der Gebote möglich. Aber es gibt kein Halten der Gebote mehr . . . Wenn es kein Übertreten der Gebote gibt, wie können dann Gebote gehalten werden? (53).

Der Verfasser deutet Mappō anhand des Problems der Gebote. Dabei wird Mappō als das Bewußtsein der Gebotlosigkeit verstanden; einmal in dem Sinn, daß es in Mappō gar keine Gebote mehr geben kann, zum andern in der Weise, daß sie von den Menschen nicht mehr gehalten werden können.

Solche Erkenntnisse über Mappō führten zu zwei verschiedenen Richtungen in der weiteren Entwicklung des Mappō-Gedankens. Die erste besteht darin, daß man mit Mappō entschuldigt, weshalb man sich an keine Gebote mehr halten kann. Diese Richtung wird in Mappōtōmyōki vertreten, wo gesagt wird, daß der buddhistische Laie kein Recht habe, den moralischen Verfall der Mönche zu tadeln, weil er selber auch keinen Willen mehr habe, Buddhist zu sein (54). Diese Denkweise ist noch dem früheren Mappō-Verständnis verhaftet, nämlich daß Mappō für alles d e r Grund sein soll. Die andere Entwicklung geht dahin, daß man die Ohnmacht des traditionellen Buddhismus sieht, – "man kann sich nicht mehr an Gebote halten" – und nach einem neuen Buddhismus sucht, der in einer solchen Zeit fähig ist, den Menschen ins Nirvana zu leiten (55); denn der traditionelle Buddhismus fordert immer noch die "Tat" und das "Zeugnis", obwohl es diese in Mappō nicht mehr gibt. Die Zeit eines solchen Buddhismus ist vorbei, jetzt muß die Lehre, die Mappō entspricht, verkündet werden. Dieses Verlangen gab um die Zeit Shinrans den Anstoß für die verschiedensten buddhistischen Lehren. Shinrans Lehre ist eine von ihnen. Bezeichnend ist dabei, daß in dieser neuen buddhistischen Bewegung eine tiefe Reflexion über den Menschen, die Menschheit anhebt (56).

So übernimmt Shinran zwar die Zeiteinteilung aus Mappōtōmyōki und zitiert dieses Buch fast vollständig – bis auf den letzten Teil, wo die buddhistischen Mönche gegen die Vorwürfe der Laien entschuldigt werden. Dies zeigt, daß "Shinran diesen Aspekt des Mappōtōmyōki, wo in billiger Selbstverteidigung der Fluchtweg gesucht wird, nicht akzeptieren konnte" (57).

Dieses "Nicht-akzeptieren-können" ist von seinem Mappō-Gedanken her zu verstehen, und zwar von seiner Behauptung, daß die Zeit des traditionellen Buddhismus abgelaufen ist; denn Shinran schreibt unmittelbar vor seiner Zeitberechnung:

So wie bis hierher gesagt wurde, sind alle Lebewesen von dieser trägen, bösen und unreinen Welt. Sie wissen nicht Bescheid über Mappō, deswegen tadeln sie die Mönche und die Nonnen wegen ihres Benehmens. Ob Mönche oder Laien, denkt über Euch selbst nach (58).

Diese kritische Mahnung Shinrans scheint auf den ersten Blick die Verteidigung der Mönche und Nonnen in Mappōtōmyōki zu unterstützen; er schreibt aber am Schluß, daß alle, ob Mönche oder Laien, über sich selbst nachdenken sollen. Damit bringt er eine

Wende: die kritische Mahnung ist nicht nur an die Laien gerichtet, auch nicht allein an die Mönche, sondern an alle, die nicht Bescheid über Mappō wissen. "Über Mappō nicht Bescheid wissen" heißt, daß man nicht weiß, daß die Shōbō- und die Zōhō-Zeit schon vergangen sind und man deshalb so lebt, als ob noch keine Mappō-Epoche angebrochen wäre. Allein die Kenntnisnahme oder die Betroffenheit, wovon die obengenannte Literatur berichtet, ist für Shinran noch lange kein Beweis dafür, daß man über Mappō Bescheid weiß. Deshalb wiederholt Shinran in Kyōgyōshinshō die Mahnung, daß alle Jetzt-Lebenden über sich selbst nachdenken sollen (59).

Shinran sieht auch in den Ereignissen der Welt Zeichen für Mappō, aber nicht nur in den Kriegen, Hungersnöten oder dem Verfall der Moral, sondern vielmehr im fehlenden Bewußtsein der Menschen über Mappō, so daß sie infolgedessen gegen den Jōdo-Glauben vorgehen und dessen Verbot fordern, indem er sagt: *Wenn ich es genau betrachte, sind die traditionellen buddhistischen Lehren von "Tat" und "Zeugnis" schon veraltet. Die wahre Lehre von Jōdo ist lebendig. Die traditionellen Buddhisten wissen nichts von der Lehre* (der Lehre über den dreistufigen Ablauf der geschichtlichen Zeit), *so daß sie auch keine Ahnung haben vom "Wahren Tor"* (die Lehre über Tariki, die Rettung durch die Kraft des 18. Gelübdes von Amida) *und vom Shintor* (die Lehre von Jiriki, dem vergeblichen Versuch der Rettung aus eigener Kraft; sie gilt bei Shinran als Mittel, um zur wahren Lehre hingeführt zu werden). *Deshalb klagten die Mönche von Kōhukuji gegen Nembutsu* (vgl. 124) *und forderten dessen Verbot bei Dajō Tennō — genannt Gotokuin, Takanari war sein Eigenname zu Lebzeiten — und Kinjō — genannt Tsuchimikado, sein Eigenname zu Lebzeiten war Tamehinto am Anfang des April im ersten Jahr Shōgen* (1207)*Herrscher wie Gefolgschaft, alle widersetzten sich der "Gesetzlichkeit", verstießen gegen die "Gerechtigkeit"; dieses Verhalten rief Zorn und Groll hervor. Aufgrund der Klage wurden Genkū Hōshi* (Hōnen), *verurteilt, einige zum Tode; den anderen wurde ihr Mönchsein aberkannt, sie bekamen bürgerliche Namen und wurden mit dem Bann belegt. Ich gehörte auch zu ihnen. So bin ich weder Mönch noch Laie, deshalb nenne ich mich Toku* (60).

2.

Shinrans Selbstbezeichnung Toku gibt uns einen weiteren Anhaltspunkt, um seinen Mappō-Gedanken zu untersuchen, und zwar hinsichtlich seines Menschenverständnisses, denn das zweite Element des jōdo-buddhistischen Mappō-Gedankens ist der Mensch.

Shinran nennt sich in seinen Schriften Gutoku Shaku Shinran, Gutoku Shaku no Shinran, Gutoku Shaku no Ran oder Gutoku Shinran (61). Daraus ist zu schließen, daß er in sich einen Gutoku sieht und sich dafür hält. Gu (愚) bedeutet "dumm", "töricht". Toku (禿) ist eine sich selbst demütigende Bezeichnung des buddhistischen Mönchs. Shaku (釈) ist der allgemeine Nachname des buddhistischen Mönchs, da er keinen eigenen Nachnamen hatte. Mit Shaku bezeichnete er sich als den Schüler Shakas (釈迦 = Gautama Buddhas) (62). Die Selbstbezeichnung Shinrans gibt somit folgende Bedeutung wieder: "Shinran, der nur törichte, nur noch dem Buchstaben nach Mönch, dennoch Schüler Gautama Buddhas" (63).

Der Name Gutoku wird im Jahre 1360 im ersten Kommentar zu Kyōgyōshinshō, Kyōgyōshinshō Rokuyō shō (教行信証六要鈔), von Zonkaku (存覚) als eine von Shinran gewollte Selbstdemütigung und Selbsterniedrigung ausgelegt, so als ob es nur eine Höflichkeitsfloskel sei (64). *Gu heißt Torheit, das Gegenteil von Weisheit, das Gegenteil von Klugheit. Shōnin* (Shinran) *war tugendhaft, weise und klug. In der Tat war er ein Weiser, kein Tor; wenn er sich jetzt Gu nennt, ist dieses Wort eine Selbsterniedrigung und Selbstdemütigung* (65).

Hinter dieser Auslegung steht die Absicht, Shinran als weise und intelligent darzustellen. Dadurch geht aber die besondere Aussage der Selbstbezeichnung verloren, die den Kern seines Selbstverständnisses, seines Menschenverständnisses und damit auch seiner Lehre bildet.

Eine der wichtigsten Lehren Shinrans wird in der japanisch-buddhistischen Terminologie Akunin Shōki genannt und am deutlichsten in Tannishō (66) ausgedrückt, wo gesagt wird: "Zennin naomote Ōjō wo togu iwanya Akunin woya"(67). Dies könnte ins Deutsche folgendermaßen übersetzt werden: "Warum können die 'Bösen' Ōjō nicht erlangen, wenn schon die 'Guten' Ōjō erlangen!" Shinran meint damit: Die Bösen (Akunin) können ins "Reine Land" Amidas hinübergeboren werden, und zwar mit Recht, weil sie böse sind. Ja, sie sind sogar der einzige Grund dafür, daß Amida das Gelübde überhaupt ablegte (68).

Hier stellt sich zunächst die Frage, wer Akunin ist.
Ienaga Saburō versucht aufgrund der damaligen sozialen, gesellschaftlichen und geschichtlichen Situation darauf zu antworten (69). Dabei untersucht er zunächst, welcher sozialen Schicht diejenigen angehörten, die an die Lehre Shinrans glaubten. Dieses Verfahren begründet er folgendermaßen: *Wenn eine Lehre wie Akunin Shōki direkt auf den persönlichen Lebenserfahrungen Shinrans basiert, so muß man auch bedenken, daß die Worte und Gedanken einer Person nicht frei geschaffen werden können, sondern Produkt einer langen geschichtlichen Tradition sind; dann darf man jedoch nicht gleich annehmen, daß die Lehre Akunin Shōki, wenn sie durch die eigenen Erlebnisse Shinrans und seine Persönlichkeit schöpferisch verändert wurde, von geschichtlichen Gegebenheiten völlig unabhängig war* (70). Ienaga Saburō kommt zu dem Schluß, daß die fragliche Schicht die des Bushi (武士, der Krieger, der Ritter) war, dessen gesellschaftliche Funktion darin bestand, andere Menschen zu töten. Andererseits gibt es auch eine Hypothese, die darauf hinweist, daß das "Böse" im Mittelalter nicht die Taten, die von Berufs wegen begangen wurden, bedeutete, sondern daß man solche Berufe haben mußte. Infolgedessen waren die Ackerbauern die ersten Anhänger der Lehre Shinrans, denn ihr Berufsstand war der schwierigste (71).

Die beiden Thesen finden insofern im Jōdo-Buddhismus ihre Gültigkeit, als die Lehre den Menschen und der Zeit entsprechen muß. Aber es stellt sich die Frage, ob der Begriff Akunin bei Shinran vom Beruf abhängig ist.

Shinran nennt freilich auch den Krieger oder den Ritter Akunin (72). Es gibt aber die überlieferten Worte Shinrans, welche die Gleichrangigkeit der Berufe deutlich aussprechen: *Ob man auf dem Meer oder am Fluß Netze auswirft oder angelt und damit sein Leben verbringt, ob man auf den Feldern oder im Gebirge Tiere jagt und Vögel fängt und damit sein Leben unterhält, ob man Handel treibt oder mit Ackerbau seine Zeit verbringt, es ist alles gleich* (73).

So stellt sich also die Frage, wer eigentlich bei Shinran Akunin ist. Nach dem buddhistischen Glauben bedeutet die Tatsache, daß ein Mensch jetzt lebt, nichts anderes als daß er nicht fähig war, sehend zu werden. Er ist gebannt in den Kreis der Wiedergeburt. Er lebt als Folge seines früheren Versagens. Alle Lebewesen, die in der Mappō-Phase leben, sind solche, die "vom 'Beginn ohne Anfang' an (74) bis heute, bis jetzt, unrein und verseucht" sind und "kein reines Herz haben" (75). Shinran betont, daß alle Lebewesen ein "böses" (Aku) und "dummes, törichtes" (Gu) Dasein darstellen. Dabei faßt er "böse" und "dumm" als das Dasein auf, das von Bonnō beeinflußt und gepflegt wird. "Alle Lebewesen wiederholen ständig das Geborenwerden und Sterben (76) vom 'Beginn ohne Anfang' an im Meer des Unwissens" (Mumyō, 無明 ; wörtlich übersetzt: ohne das Licht) (77).

Shinran sieht somit, daß das jetzige Dasein nicht einfach das Leben von der Geburt bis zum Sterben ist, sondern daß in diesem j e t z i g e n Dasein jedes Versagen des v o r h e r g e h e n d e n Lebens mit eingeschlossen ist; d.h.: wenn Shinran den Menschen als den Unreinen, den Bösen bezeichnet, nennt er ihn nicht wegen seiner moralischen Verwerflichkeit so oder weil er im jetzigen Leben ein Unreiner und Böser, sondern weil er als solcher ein Mensch ist. Dieses Bewußtsein, dieses Jetzt-noch-Mensch-Sein (78), läßt Shinran kein Gutes mehr für den Menschen geltend machen. Shinran zitiert Zendō (善導 613–681, chin: Shan-tao) im 3. Kapitel Kyōgyōshinshōs, wo es um die drei Herzen geht, die der Mensch beim Anruf des Namen Amidas haben sollte, um in dessen "Reines Land" hinübergeboren werden zu können.

Das erste Herz heißt Shiseishin (至誠心 : das "Herz der Treue").

Zendō:
Shi heißt das "Wahre",
Sei das "Wirkliche".
Hier wird klargemacht, daß die Taten, die allen Lebenden mit ihrem Körper, Mund und Herzen tun, die Taten sein sollen, die Amida mit seinem "wahren Herzen" vollbrachte.
Ihr sollt Euch nicht außen zeigen, als ob Ihr weise und gut wäret; wenn Ihr in Eurem Inneren Unwahres hegt, wachsen Gier, Zorn, Leidenschaft, Lüge und Arglist immerfort, so daß dieser böse Charakter nicht mehr geändert werden kann, er ist wie eine giftige Schlange oder ein Skorpion.

Wenn Ihr Euch dann auch mit dem Körper, mit dem Mund und mit dem Herzen bemüht, die Taten zu tun, so werden sie dennoch das vergiftete Gute oder die unwahren Taten genannt, aber sie werden nicht die wahren genannt.
Wer nach solchen Taten strebt, dessen Taten werden alle das vergiftete Gute genannt, wenn er auch mit dem Körper und dem Willen Tag und Nacht danach strebt, als ob er Feuer über seinem Kopf zu löschen versuchte. Wenn er mit solchen Taten in

Shinran:
Shi heißt das "Wahre",
Sei das "Wirkliche".
Hier wird klargemacht, daß die Taten, die alle Lebenden mit ihrem Körper, Mund und Herzen tun, die Taten sind, die im "wahren Herzen" Amidas vollbracht worden sind.
Ihr sollt Euch nicht außen zeigen, als ob Ihr weise und gut wäret, weil Ihr in Eurem Innern Unwahres hegt und in Eurem Innern immerfort Gier, Zorn, Leidenschaft, Lüge und Arglist wachsen, und daß Ihr Euren bösen Charakter nicht ändern könnt, gleicht der giftigen Schlange oder dem Skorpion.
Wenn Ihr Euch mit dem Körper, mit dem Mund und mit dem Herzen bemüht, die Taten zu tun, werden sie das vergiftete Gute oder die unwahren Taten genannt, aber sie werden nicht die wahren genannt.

Wer nach solchen Taten strebt, dessen Taten werden alle das vergiftete Gute genannt, wenn er auch mit dem Körper und dem Willen Tag und Nacht danach strebt, als ob er Feuer über seinem Kopf zu löschen versuchte. Wenn er das "Reine Land" hinübergeboren werden will, ist es sicher nicht möglich, weil Amida, während er als Boddhisattva (79) *die Tat des Buddhawerdens vollbrachte, wahrlich alles jederzeit aus wahrem Herzen tat.*

Alles was Amida für sich und was er für die anderen getan hat, beides ist das Wahre (80).

mit solchen Taten in das "Reine Land" hinübergeboren werden will, ist es sicher nicht möglich. Weshalb? Weil Amida, während er als Boddhisattva (79) *die Tat des Buddhawerdens vollbrachte, wahrlich alles jederzeit aus wahrem Herzen tat.*
Daß alles Lebende das Ōjō sucht, beruht auf dem "Wahren" Amidas, dies aber ist ein Geschenk, so daß alles Wollen "wahr" ist (81).

Hier ist auf den ersten Blick wahrzunehmen, daß Shinran die Sätze von Zendō nicht wortwörtlich zitiert hat. Shinran gibt sie auf seine eigene Lesart wieder. Das Zitat, wie es im Originaltext von Zendō steht, läßt sich aufgrund der chinesischen Grammatik nicht so lesen, wie es Shinran liest.

Diese Art, Texte zu lesen, wird im Tendai-Buddhismus als Kodenmon (口伝門) vertreten, d.h. man interpretiert die Sutras oder die Schriften auf eigene Weise, um ihre Bedeutung zu erklären oder um sie auf eine neue Art auszulegen. Dadurch ergibt sich auch der Fall, "daß die gegensätzliche Deutung zu den Originaltexten behauptet wird" (82). Daß Shinran diese Praxis kannte, ist wohl sicher, da er zwanzig Jahre lang auf dem Berg Hiei, dem Mittelpunkt des Tendai-Buddhismus, als Mönch gelebt hat (83). Ausserdem "ist anzunehmen, daß Shinran in Kantō vom Kantō-Tendai beeinflußt wurde" (84).

Hier verwendet Shinran diese Methode wahrscheinlich mit der Absicht, eine eigene Auslegung zu geben. Diese wird deutlich, wenn man die Unterschiede zwischen den beiden Zitaten untersucht. Zendō schreibt: wenn der Mensch danach strebt, Buddha zu werden, soll er die "Tat" so vollbringen, wie Amida sie ausführte. Dagegen sagt Shinran: wenn der Mensch die "Tat" volbringt, ist sie bereits von Amida auf seine "wahre" Weise vollbracht worden, so daß sich der Mensch der "Tat" Amidas zu seinem eigenen Nutzen bedient (85).

Nach Zendō ist die Möglichkeit, daß der Mensch Ōjō erlangen kann, noch nicht ausgeschlossen. Er soll die Bedingungen des "wahren Herzens" erfüllen. Deshalb soll er auch nicht äußerlich gut und weise sein, während er in seinem Innern Unwahres hegt, sonst hat es keinen Sinn, so sehr er sich auch bemühen mag; seine Tat wird das vergiftete Gut genannt. Shinrans Lesart sagt aus, daß alles Lebende böse ist, wie die giftige Schlange oder der Skorpion. Weil es innerlich unwahr ist, soll es auch äußerlich nicht weise und gut sein (86).

Aus den letzten Sätzen geht der Unterschied zwischen den beiden Denkweisen deutlich hervor. Nach Zendō ist der Text so zu verstehen, daß Amida als Boddhisatva die Tat des Buddhawerdens vollendete und daß er dieses Verdienst nicht nur für sich allein behielt, sondern den anderen weitergab, und daß diese beiden "Taten" das "Wahre" sind (87). Ganz anders ist es bei Shinran. Nach ihm kann der Mensch Ōjō erlangen wollen, weil Amida den Willen schenkt, so daß der Wille des Menschen nichts anderes als der Wille Amidas ist. Und da der Wille Amidas das "Wahre" ist, ist der Wille des Menschen auch das "Wahre" (88).

Das zweite Herz heißt Zinshin (深 心 : das "tiefe Herz").

Shinran schreibt darüber: *Was das "tiefe Herz" heißt ist der "tiefe Glaube"* (Zinshin (深 信) hat dieselbe Aussprache wie das "tiefe Herz"). *Im Hinblick darauf gibt es auch zwei Arten des tiefen Herzens, nämlich: erstens, daß der Mensch tief glaubt und nicht daran zweifelt, daß er selbst jetzt kein anderer ist als ein dummer, der als sündhafter das Immer-wieder-geboren-werden und -sterben wiederholt und seit undenkbar langer Zeit das Immer-versinken und das Immer-wieder-geboren-werden und -sterben wiederholt, so daß er keine Möglichkeit hat, einen festen Halt zu finden, um aus diesem Kreislauf herauszukommen; zweitens , daß der Mensch tief glaubt und nicht zweifelt, daß er sich ohne Zweifel und Überlegung auf die Kraft der Gelübde Amidas verläßt und dadurch Ōjō erlangen kann, da die 48 Gelübde Amidas alle Lebenden zu ihm kommen lassen und retten* (89).

Die erste Hälfte der Sätze wird Ki no Zinshin (機深心) und die andere Hō no Zinshin (法深心) genannt. Wie schon erwähnt wurde, bedeutet Ki "der Mensch" (90) und Hō "die Lehre" (91), somit heißt Ki no Zinshin im Deutschen "tiefer Glaube an die Menschen" und Hō no Zinshin "tiefer Glaube an die Lehre".

Ki no Zinshin heißt für Shinran, wie er hier schreibt, daß sich der Mensch zu sich selbst bekennt, und zwar in der Weise, daß er einsieht, daß er vom "Beginn ohne Anfang" an ständig versagte und jetzt keine Möglichkeit mehr hat, Buddha zu werden. Diese Selbsterkenntnis führt ihn zum tiefen Glauben an die Lehre, in der gesagt wird, daß die Kraft der Gelübde Amidas alle Lebenden rettet. Von der Rettung durch Amida ist kein Mensch ausgeschlossen, so daß einer, der sich dazu bekennt, daß er Bompu ist, auch gerettet werden kann (92). Shinran macht damit die Ausweglosigkeit des Daseins in dieser Zeit klar und weist gleichzeitig auf die rettende Kraft Amidas als die für den Menschen e i n z i g mögliche hin.

Das dritte Herz heißt Ekōhotsuganshin (廻向発願心: das "sich zuwendende Herz").

Zendō schreibt zunächst, was Ekōhotsuganshin ist: *Es ist der Wille des Menschen, alle Verdienste, die er durch seine Tat sowohl in der Vergangenheit als auch in der Gegenwart erworben hat, mit wahrem Herzen Ōjō zuzuwenden, um dadurch Ōjō zu erlangen.* Dann sagt er weiter: *Wer mit diesem Herzen Ōjō erlangen will, soll unbedingt tief glauben und nicht zweifeln, mit "wahrem Herzen" alles für Ōjō aufwenden und den Willen zu Ōjō gewinnen wollen* (93). Shinran zitiert den ersten Teil überhaupt nicht und schreibt: *Wer mit diesem Herzen Ōjō erlangen wird, glaubt tief und zweifelt nicht, daß er durch das Gelübde Amidas, wenn er ihm sein wahres Herz zuwendet, Ōjō erlangen kann* (94).

Hier verwendet Shinran wieder die Methode des Kudenmons. Der Unterschied zwischen den beiden Zitaten dürfte klar sein, zumal Shinran die Sätze Zendōs nicht zitiert, in denen es um das Streben mit eigener Kraft geht. Bei Zendō kann der Mensch noch mit e i g e n e m Willen Ōjō erlangen. Dagegen ist das Erlangen von Ōjō bei Shinran nur möglich, weil Amida sich den Menschen zuwendet. Hier erlangt man Ōjō mit f r e m d e r Kraft bzw. der Kraft Amidas (= Tariki). Mit dieser Lesart macht Shinran deutlich, daß der Mensch unfähig ist, für sein eigenes Ōjō etwas zu tun.

Wie die Aussagen über die drei Herzen zeigen, ist für Shinran der Mensch derjenige, der vom "Beginn ohne Anfang" an bis heute, bis jetzt, das Immer-wieder-geboren-werden und -sterben wiederholt und keine Möglichkeit mehr hat, Buddha zu werden, sondern nur durch das Gelübde Amidas noch gerettet werden kann.

In der Reflexion über den Menschen bleibt Shinran aber nicht an diesem Punkt stehen; er geht vielmehr noch tiefer, indem er sagt: *Wie jämmerlich versinke ich, Gutoku no Ran, in dem weiten Meer der Leidenschaft und irre ich im Gebirge des Ruhmes und Nutzens umher und freue ich mich nicht daran, daß ich zu denen gehöre, für die auf dieser Welt entschieden worden ist, daß sie Buddha werden können; ich kann auch nicht daran Freude finden, daß ich der Wahrheit näher komme. Ich sollte mich schämen, es sollte mir weh tun* (95).

Hier klagt Shinran, daß er (= der Mensch) sich nicht einmal freuen kann, daß er durch Amida gerettet ist. Er weiß, daß er von sich aus nicht Buddha werden kann. In dieser aussichtslosen Lage erscheint Amida und rettet ihn. Er weiß es, dennoch kann er sich nicht vom Menschsein lösen. Dies ist für Shinran das Mensch-sein schlechthin (96); in diesem Bewußtsein nennt er sich Gutoku. Angesichts eines solchen Selbstbekenntnisses kann hier nicht von einer Höflichkeitsfloskel die Rede sein; es ist vielmehr "die Äußerung eines tiefen religiösen Sündenbewußtseins" (97).

Im Zusammenhang mit einem solchen Jetzt-noch-Mensch-Sein und religiösen Sündenbewußtsein sieht Shinran das Wesen des Menschen als ein absolut Böses, das über die Gegenwart hinaus als immerwährendes Böses Gültigkeit besitzt (98). Bei einer solchen Auffassung spielen äußere Unterschiede, wie berufliche, gesellschaftliche oder geschlechtliche, überhaupt keine Rolle mehr. Akunin sind alle Menschen, sind w i r .

3.

Der dritte Faktor des jōdo-buddhistischen Mappō-Gedankens ist die Lehre, wobei deren Legitimität davon abhängt, ob sie der Zeit und den Menschen entspricht, mit anderen Worten, ob sie in der Mappō-Periode noch fähig ist, den Menschen ins Nirvana zu führen. Im japanischen Jōdo-Buddhismus werden dafür die drei Sutras, das Große Sutra, das Sutra der Meditation und das Kleine Sutra, genannt. Nach Shinran ist das Große Sutra die wahre Lehre. Sowohl das Große Sutra als auch die anderen zwei Sutras beruhen wie fast alle anderen Sutras auf Gautama Buddha, d.h. auf seinen Lehren, die in den Sutras niedergeschrieben sind (99). Amida ist ein Buddha wie die anderen Buddhas, dessen Existenz erst durch die Predigten Gautama Buddhas erklärt wurde. Infolgedessen könnte man sagen, daß Amida von Gautama Buddha abhängig ist, bzw. wenn Gautama Buddha die Kunde von Amida nicht verbreitet hätte, wäre Amida von den Menschen nicht erkannt worden (100). So wird im Jōdo-Buddhismus allgemein und auch in den Schriften der sieben Meister (101) Gautama Buddha als der "Lehrende" und Amida als "das Gelehrte" verstanden. Beide erscheinen auch als zwei nebeneinanderstehende unter mehreren anderen Buddhas; so ist z.B. nach Ryōju Amida einer der 107 Buddhas (102) und Gautama Buddha einer der acht Buddhas (103), so daß sie eigentlich gleichwertige Buddhas darstellen.

Tenjin (天親 bzw. Seshin世親, snsk.: Vasubandhu, ca. 320–400) schreibt am Anfang seines Buches Jōdoron: *Seson* (Gautama Buddha), *ich bekenne mich von ganzem Herzen zu Amida, der überall auf der Welt hingeht und rettet, und wünsche mir, in sein Reines Land hinübergeboren zu werden.* Dann schreibt er weiter, daß er aufgrund der Predigten Gautama Buddhas Amida weiterverkünden wolle (104). Hier ist zu erkennen, daß Gautama als "der Lehrende" und Amida als "das Gelehrte" verstanden wurden.

In Anrakushū von Dōshaku wird geschrieben: *Die wunderbaren Wirkungen der zwei Buddhas sind gleichwertig. Nur redet Shaka Nyorai* (Gautama Buddha) *nicht über seine eigene Wirkung, sondern betont besonders, welch ein wunderbarer Buddha Amida ist, da er sich wünscht, daß sich alle Menschen zu ihm bekennen; deshalb bewunderte Shaka Amida immer wieder von neuem. Dies sollt Ihr genau erkennen* (105). Hier handelt es sich um die Wundertat Amidas, daß er die unter Krankheit leidenden Menschen geheilt hat. Zunächst kamen die Leidenden aber zu Gautama Buddha. Er erbarmte sich ihrer und lehrte sie, daß sie sich von ganzem Herzen wünschen sollen, Amida zu sehen. Auf die Bitte der Leidenden hin erschien Amida und heilte sie (106), so daß hier die zwei Buddhas gleichwertige und doch verschiedene Buddhas sind. Zendō redet sehr oft von diesen zwei Buddhas in seinem Kankyōshishōso (107). Dabei ist Niga no Tatoe (二河譬: "Die Parabel von den zwei Flüssen") eine der bekanntesten Parabeln im Jōdo-Buddhismus und maßgebend für die weitere Entwicklung der jōdobuddhistischen Gedanken. In dieser Parabel wird die Situation der Menschen geschildert, die auf der Suche nach Ōjō sind.

Ein Reisender will mehrere hunderttausend Ri (1 Ri = ca 4 km) *in Richtung Westen gehen. Inmitten der Strecke befinden sich zwei Flüsse. Einer ist der Fluß des Feuers und liegt im Süden, der andere ist der des Wassers und liegt im Norden. Beide sind 100 Schritte breit, bodenlos tief und haben keine Ufer. In der Mitte zwischen den beiden Flüssen führt ein weißer Weg, dessen Breite ca. 4–5 Sun* (ca . 12–15 cm) *und der 100 Schritte lang ist, von Osten nach Westen. Der Weg wird ununterbrochen das eine Mal vom Feuer und das andere Mal vom Wasser überflutet. Als sich der Reisende auf den Weg nach Westen machte, folgten ihm Räuber und wilde Tiere, da sie ihn allein gehen sahen. Er rannte, um ihnen zu entkommen, und stand plötzlich vor den zwei Flüssen. Er dachte: "Wenn ich zurückkehre, warten die Räuber und die wilden Tiere auf mich. Wenn ich nach Süden oder Norden renne, greifen mich die wilden Tiere und die giftigen Insekten sofort an. Wenn ich nach Westen gehe, falle ich in einen der Flüsse". Dann stellte er fest: "Wenn ich zurückkehre, sterbe ich, wenn ich bleibe, sterbe ich, wenn ich weitergehe, werde ich auch sterben. Wenn ich so oder so dem Sterben nicht entgehen kann, gehe ich auf dem Weg weiter vorwärts; wenn der Weg schon da ist, dann müßte es auch mir möglich sein, zwischen den Flüssen hindurch zu gelangen". Als er so bei sich dachte, empfahl ihm eine Stimme aus dem Osten: "Zögere nicht, sondern geh auf diesem Weg! Dir droht keine Todesgefahr. Wenn Du aber stehenbleibst, stirbst Du!". Eine Stimme aus dem Westen aber rief: "Du sollst mit Leib und Seele bei Dir sein. Geh geradeaus und komme zu mir. Ich stütze Dich. Du brauchst keine Furcht vor der Gefahr des Wassers und des Feuers zu haben!"* (108).

Nach der Interpretation von Zendō ist die Stimme aus dem Osten die Stimme Gautama Buddhas und die aus dem Westen die Amidas (109). Dies bedeutet, daß Amida die Menschen auf die Empfehlung Gautama Buddhas hin ruft. Die Identität der Lehre der zwei Buddhas wird bei Zendō klarer, denn während bei ihm Gautama Buddha lehrt, daß die Menschen auf den weißen Weg gehen sollen, ruft Amida die Menschen, daß sie auf dem weißen Weg zu ihm kommen sollen, so daß das Verhalten der beiden auf einer Linie angesiedelt ist. Allerdings ist Gautama Buddha in diesem Fall noch derjenige, der als *erster* auf Amida hinweist (110). Deshalb nennt Zendo diese beiden Buddhas in der Reihenfolge Shaka-Amida (111).

Anders ist es bei Shinran. Er nennt bis auf wenige Ausnahmen (112) die beiden Buddhas in der Reihenfolge Amida – Gautama Buddha (113). Es ist zu fragen, ob diese Umänderung, nämlich daß Amida vor Gautama Buddha steht, eine von Shinran beabsichtigte Änderung ist. Wenn dies jedoch der Fall ist, erhebt sich die Frage, aus welchem Grund Shinran diese Veränderung vornahm, welche Absichten in bezug auf die Lehre er damit verfolgte.

Eine der Stellen, in der die Reihenfolge Amida – Gautama Buddha im Zusammenhang mit der Lehre auftaucht, ist das erste Kapitel Kyōgyōshinshōs, wo von der Lehre die Rede ist. *Wenn ich mit*

Respekt den Jodo-Shinshū (die "wahre Jōdo-Lehre") *überdenke, gibt es darin zwei Ekōs: Ōsō und Gensō (1). Im Hinblick auf sie gibt es die wahre Lehre, die wahre Tat und das wahre Zeugnis (2). Nun, was ist die wahre Lehre? Sie ist das Große Sutra. Die Grundbedeutung dieses Sutras besteht darin, daß Mida* (Amida) *das unübertreffliche* (114) *Gelübde* (das 18. Gelübde Amidas) *ganz bewußt ablegte, er erbarmte sich der unbedeutenden, schwachen Menschen und wählte die Schätze des Kudokus* (hier der Name Amidas) (115) *aus, um sie ihnen zu schenken (3). Shaka* (Gautama Buddha) *erschien in dieser Welt, er erklärte die Lehre des Weges des Buddhismus und verkündete sie, er wünsche insbesondere Gunmo* (116) *durch die Vorschußgaben* (hier der Name Amidas) *zu retten (4). Somit besteht das Wichtigste des Großen Sutras in der Lehre über das Grundgelübde Nyorais* (das 18. Gelübde Amidas), *d.h. das wesentliche im Sutra ist der Name Buddhas* (Amidas) (117) *(5).*

Dann versucht Shinran zu begründen, wodurch man wissen kann, daß der wahre Sinn der Epiphanie Gautama Buddhas in dieser Welt nur in der Verkündigung des Großen Sutras besteht (118) *(6)*. Shinran zitiert verschiedene Sutras, in denen gesagt wird, daß Gautama unbeschreiblichen Glanz ausstrahlte, als er die Lehre verkündete *(7–41)*. Shinran schließt das erste Kapitel in Kyōgyōshinshō mit den folgenden Sätzen: *So sind die genannten Sätze der Sutras die deutlichsten Zeugnisse dafür, daß das Große Sutra die wahre Lehre ist (42). In der Tat wird in diesem Sutra der "wahre Wille" gelehrt, infolgedessen Gautama in der Welt erschien, und das ist das Sutra, das keinem anderen gleicht; das ist das Sutra, das die einzige höchste Lehre aufstellt, nämlich wie alle Lebewesen gerettet werden; dieses Sutra sind die goldenen Worte Gautama Buddhas, durch die alle Lebewesen sofort mit Kudoku* (119) *erfüllt werden, dies sind die wahren Worte Buddhas, die von Tausenden von Buddhas gelobt werden, dieses Sutra ist die wahre Lehre, die der Zeit und den Menschen entspricht (43). Wisset! (44)* (120).

Das 18. Gelübde Amidas lautet: *Hochverehrter Meister, wenn ich sehend geworden sein werde und wenn alle Lebenden von wahrem*

Herzen glauben, sich freuen und der Wunsch erwachen wird, in mein Land hinübergeboren zu werden, wenn sie auch nur zehn Mal meinen Namen anrufen werden und wenn diese Lebenden nicht zu mir ins "Reine Land" hinübergeboren sind, dann will ich auf keinen Fall sehend werden. Ausgenommen davon sind diejenigen, welche die fünf Verbrechen (121) *begangen haben und welche die richtige Lehre tadeln* (122). Hier wird deutlich ausgedrückt, daß Amida auf seine Buddhaschaft verzichten will, bis der letzte in sein "Reines Land" hinübergeboren sein wird.
Dabei ist Ekō der Schlüsselbegriff, um den Gedanken Shinrans über die Lehre bzw. das 18. Gelübde Amidas und auch um Shinrans Ideen überhaupt zu verstehen. Er leitet ja (s.o. V 1) das ganze Buch, in dem seine Auffassung vom Jōdo-Buddhismus dargestellt ist, mit Ekō ein.

Ekō (迴向; snsk.: pariṇāma) bezeichnet im Mahayana-Buddhismus allgemein eine "Zuwendung", die der Mensch als Lohn für seine guten Taten (123) bekommt, welche er aber nicht für sich benutzt, um Buddha zu werden, sondern die er an andere bzw. an alle Lebewesen weitergibt, damit auch sie sehend werden können. Dabei wird der Verzicht auf das eigene Buddhawerden als eigene Tat verstanden, die ihm als Verdienst anerkannt wird, um Buddha zu werden.

Ekō steht als Bezeichnung für ein bestimmtes Verhalten in der Beziehung der Menschen oder der Lebewesen zueinander. Einer strebt danach, Buddha zu werden, aber er will nicht allein ins Nirvana eingehen, sondern mit den anderen; deswegen begibt er sich in eine Beziehung zu den Mitmenschen bzw. Mitlebewesen, worin die Grundidee des Mahayana-Buddhismus besteht. Wer nach einer solchen Tat strebt, wird Boddhisattva genannt.

Im Jōdo-Buddhismus ist diese "Zuwendung" in zwei Funktionen geteilt, und zwar in die "Hingehende Zuwendung" = Osō (往相) und in die "Zurückkehrende Zuwendung" = Gensō (還相). Schon Ryōju (ca. 150–250) schrieb darüber in Daichidoron (snsk.: Mahāprā juāpārmutā – sāstra), was wiederum von Tendai Chigi (538–567) in seinem Buch Ma kashikan (摩訶止觀,chin: Mo-ho chinkuan, "Über die große Meditation") zitiert wurde. Danach ist Ekō der Weg eines Boddhisattvas. Hier werden zwar zwei Arten von Ekōs erwähnt – einmal die Tat, die ein Boddhisattva als Lohn für sich benutzt (自利行, Jirigyō), ein anderes Mal die, welche er für die anderen vollbringt (他利行, Tarigyō) –, es handelt sich aber im Grunde genommen um eine Tat unter den anderen, die zum Wesen des Boddhisattvaseins gehören, weil er ja Buddha werden will, so daß die beiden Ekōs Shōdō–Taten sind (124).

Nach Ryōju ist Tenjin (ca. 320–400) zu nennen. In seinem Buch Jōdoron tauchen die zwei Deutungen von Ekō ebenfalls auf. Bei Tenjin ist Ekō eines der fünf Tore, durch die man zum Buddhasein gelangen kann.
Die fünf Tore sind:
1. Tor des Gebetes; 2. Tor des Lobpreises; 3. Tor des Gelübdes; 4. Tor der Meditation; 5. Tor des Ekōs; Tenjin machte dadurch den Unterschied zwischen dem Weg des eigenen Nutzens und dem des Nutzens anderer deutlich (125). Die ersten vier Tore sind die Wege, auf denen der Mensch aus eigener Kraft zum Buddhasein gelangen kann. Hinsichtlich des 5. Tors, nämlich dem Tor des Ekōs, taucht der Gedanke auf, daß das Buddhawerden nicht nur für die eigene Person von Bedeutung ist, sondern auch für die anderen (126). Er nennt das erste Ekō "Hineingehende Zuwendung" (入相, Nyūsō), das zweite "Hinausgehende Zuwendung" (出相, Shutsusō), und zwar in dem Sinne, daß in der "Hineingehenden Zuwendung" der Prozeß beschrieben wird, wie ein Boddhisattva durch eigenes Streben Buddha wird; im zweiten Ekō geht es darum, wie ein durch das erste Ekō Buddha gewordener Boddhisattva wieder auf diese Welt zurückkommt, um den anderen beim Streben nach Ōjō zu helfen. Diese Ekōs sind aber eigentlich wie bei Ryōju und Chigi der Weg eines Boddhisattvas (127).

Der nächste wichtige jōdo-buddhistische Priester ist Donran (ca. 476–542), der Amida als den einzigen Buddha bestimmte, an den der Mensch glauben soll und dessen Namen er anrufen (念仏, Nembutsu) soll (128). Seine Deutung von Ekō steht in Ojōronchū (chin.: chu-luu), welches ein Kommentar zu Jōdorōn von Tenjin ist. Er benutzte dabei Ōsō = "Hingehende Zuwendung" und Gensō

= "Zurückkehrende Hinwendung" für die zwei Ekōs von Tenjin. Ōsō entspricht Nyūsō und Gensō Shutsusō. Bei ihm kann man beobachten, daß einerseits die Wirkung des Gensō eines Buddhisattvas auf den Menschen betont wird, andererseits das Selbststreben als Antwort auf diese Ekōs verlangt wird, damit der Mensch Ōjō erlangen kann. Insofern konnte man sagen, daß Ekō nach Donran die Tat des Boddhisattvas und auch die des Menschen ist (129). So schreibt er über Ekō: *Wie wird Ekō zugewendet? Ekō heißt, daß der Mensch keinen leidenden Mitmenschen im Stich läßt und sich in seinem Herzen immer wünscht, den anderen Menschen Wohltaten erweisen zu können, denn ihn erfüllt Taihi* (130). *Es gibt zwei Ekōs: einmal Ōsō, einmal Gensō. Die "Hingehende Zuwendung" ist der Wunsch des Menschen, die Kraft, die er durch seine guten Taten bekommen hat, allen Menschen zuzuwenden, damit sie mit ihm gemeinsam ins "Reine Land" Amida Nyorais hinübergeboren werden können. "Zurückkehrende Zuwendung" heißt, daß sich die Menschen, nachdem sie ins "Reine Land" hinübergeboren worden sind, konzentrieren, sich die Wirkung der Weisheit klarmachen und Mittel und Kraft bekommen, so daß sie in den Wald des Geborenwerdens und Sterbens* (auf dieser Welt) *zurückkehren wollen, um alle Menschen auf den Weg Buddhas zu führen. Ob Ōsō oder Gensō, beides ist für alle Menschen, damit sie das Meer des Geborenwerdens und Sterbens überqueren können. Deshalb ist Ekō Daijihishin* (131) *für die Hinübergeburt* (132). D. h. Ekō ist das große Erbarmen des Menschen, das den Wunsch zum Hinübergeborenwerden hervorruft. Seine Interpretation wird von Zendō (613–681) aus China und von Hōnen (1133–1222) übernommen.

Ein grundlegender Wandel, verglichen mit den bisherigen Deutungen, tritt bei Shinran ein. Er zitiert die Sätze Donrans in Kyōgyōshinshō so: *In dem Buch Jōdoron* (133) *wird beschrieben, wie sich Nyorai* (Amida) *den Menschen zuwendet. Er verläßt keinen der leidenden Menschen und wünscht sich in seinem Herzen immer, ihnen Wohltaten erweisen zu können, ihn erfüllt Taihi. Es gibt zwei Ekōs. Einmal Ōsō, einmal Gensō. Die "Hingehende Zuwendung" heißt, daß Nyorai die Kraft, die er durch seine Taten gewonnen hat, allen Menschen zukommen läßt, damit sie alle gemeinsam miteinander ins "Reine Land" Amida Nyorais hinüberge-*

boren werden können. Die "Zurückkehrende Zuwendung" heißt, daß Amida die Menschen, die in sein Land hinübergeboren sind, sich konzentrieren, sich die Wirkung der Weisheit klarmachen und Mittel und Kraft bekommen läßt, so daß sie dann in den Wald des Geboren-Werdens und Sterbens zurückkehren, um alle Menschen auf dem Weg Buddhas zu führen. Ōsō wie Gensō ist von Amida gegeben, damit alle Menschen das Meer des Geboren-Werdens und Sterbens überqueren können. Darum sagt Donran, daß Amida sich immer wünschte, den Menschen Wohltaten zu erweisen, denn Taihi erfüllt ihn (134).

Wie bei der Auslegung der drei Herzen (135) wird auch hier sogleich deutlich, daß Shinran den Text von Donran nicht wortwörtlich zitiert. Er verwendet hier ebenfalls wieder die Methode Kudenmon und gibt die Sätze in seiner eigenen Lesart wieder. Dahinter steht das, was er behaupten will: es geht um Ekō. Aus den Sätzen von Donran ist zu lesen, daß Ekō eine Tat des Menschen ist, eine Tat, durch die der Mensch Ōjō erlangen kann. Dagegen ist Ekō bei Shinran eine Zuwendung Amidas an den Menschen. In gleicher Weise läßt sich nachweisen, daß Shinran das Wort Ekō in seinen Schriften konsequent als die Zuwendung von Amida zu den Menschen umdeutet, wenn der Begriff Ekō als die Tat des Menschens vorkommt (136). Man kann aus dem Vorhergehenden also folgern, daß es sich bei Ekō nach Shinran um eine Zuwendung Amidas zu den Menschen handelt, mit anderen Worten, um eine "schenkende Tat" Amidas (137).

Dementsprechend legt Shinran den weißen Weg in der Parabel von den zwei Flüssen aus, nachdem er die Sätze von Donran über Ekō "zitiert" hat. *Wahrlich, jetzt ist es klar geworden, was es heißt, daß der weiße Weg in der Parabel von den zwei Flüssen nur 4–5 Sun breit ist. Was ist das Weiße? Weiß ist das Gegenteil von Schwarz. Das Weiße ist nämlich die ausgewählte Tat* (d.h. die Tat, die Amida, als er noch Boddhisattva war, aus allen Taten als die reinste auswählte, nämlich das Anrufen seines Namens), *"die Hingehende Zuwendung" Amidas* (d.h. diejenige, durch die die Menschen hinübergeboren werden können durch das Anrufen seines Namens) ... (138).

Damit macht Shinran im Gegensatz zu Zendō deutlich, daß die Rettung der Menschen, das Erlangen von Ōjō, nur durch das Ekō Amidas möglich ist (139). Fest steht auch, daß Shinran mit seiner Interpretation von Ekō die Lehre in die schenkende Tat Amidas miteinschließt (V 2). In Vers 3 wird klar gesagt, daß das Große Sutra *die* wahre Lehre ist. Somit ist das Große Sutra die von Amida geschenkte wahre Lehre, und das Geschenk Amidas besteht darin, daß er das 18. Gelübde ablegte, um alle Menschen zu retten, und daß er dafür die ausgewählten Schätze, nämlich seinen Namen, schenkte. In Vers 4 wird erklärt, daß die Epiphanie Gautama Buddhas in dieser Welt gleichfalls die schenkende Tat Amidas ist, d.h. weil Amida durch die wahren Vorschußgaben, durch seinen Namen, alle Lebenden retten wollte, erschien Gautama Buddha und lehrte und erklärte die Wege des Buddhismus (vgl. die obengenannte Auslegung Shinrans über den weißen Weg).

Mit diesen Versen im 1. Kapitel Kyōgyōshinshōs tritt bei Shinran eine totale Wende ein, was die Stellung von Amida und Gautama Buddha betrifft. Nach Shinran ist der Wille Amidas das Entscheidende, weshalb Gautama Buddha in dieser Welt erschien und weshalb er lehrte, d.h. wiederum, daß das Große Sutra nicht deswegen die wahre Lehre genannt wird, weil Gautama Buddha sie lehrte, sondern weil in jenem Sutra das 18. Gelübde Amidas gelehrt wird, mit anderen Worten: weil dort der wahre Wille Amidas zum Ausdruck gebracht ist. Daß der Sinn des ganzen Erscheinens Gautamas in der Verkündigung dieser Lehrer besteht gilt nicht, weil Gautama dies selbst sagt – denn die anderen buddhistischen Richtungen behaupten auch, daß das Sutra, mit dem sie ihre Lehre stützen, das Sutra ist, dessentwegen Gautama Buddha in die Welt kam (140) –, sondern weil er dort das 18. Gelübde lehrt (141). Das 18. Gelübde ist auch nicht deswegen das wahre, weil Gautama Buddha es verkündete, sondern weil das 18. Gelübde das wahre ist, verkündet er es (142). Nach Shinran scheint somit die Lehre die Gautama Buddhas zu sein, weil dieser sie verkündete, aber in Wirklichkeit ist sie die Lehre Amidas, weil diese Lehre das Ekō Amidas ist, so daß Amida im Grunde genommen nicht von Gautama Buddha "abhängig" ist, weil der Wille Amidas als der *erste* in Bewegung geriet und weil Amida das Wahre ist (143).

Am Schluß des 1. Kapitels (ab V 42) greift Shinran dieses Thema noch einmal auf und stellt fest, daß das Große Sutra die von Amida gewollte wahre Lehre ist. Wichtig ist dabei, daß er das Kapitel über die Lehre mit dem Satz: "Diese Lehre ist die Lehre, die der Zeit und den Menschen entspricht. Wisset!" (V 43 – V 44) schließt. Dieses "Wisset!" wird in Kyōgyōshinshō als Mahnung in Zusammenhang mit der Mappō-Zeit gebracht, in der es darum geht, daß alle, Mönche wie Laien, über Mappō Bescheid wissen sollen (144). Damit ist Shinrans Mahnung an alle nicht nur die Mahnung, daß sie in ihrer Zeit das Eintreffen der Mappō-Phase erkennen sollen, sondern daß die Menschen auch wissen sollen, daß Amida seine Gelübde für sie ablegte, um sie zu retten, daß er seine Taten zu diesem Zweck vollbrachte und daß dadurch seine Gelübde, vor allem das 18. Gelübde, in Erfüllung gingen, denn dieser Buddha (Amida) ist jetzt wirklich Buddha. *Wahrlich wisset, daß das 18. Gelübde nicht umsonst abgelegt worden ist; wenn alle Lebenden seinen Namen anrufen, ist ihnen Ōjō wirklich gesichert* (145).

III. Der Mappō-Gedanke als Geschichtsauffassung bei Shinran

1.

Aufgrund der vorhergehenden Darlegungen darf hier festgestellt werden:

a) Shinran sieht in der Zeit, in der er und seine Zeitgenossen leben, die in der Geschichte eingetroffene Mappō-Periode; er erkennt dies daran, daß die Menschen nicht über Mappō Bescheid wissen.
b) Die Menschen sind nach Shinran absolut böse, nicht nur jetzt, sondern vom "Beginn ohne Anfang" an.
c) Die einzige Lehre, die einer solchen Zeit und ihren Menschen entspricht, ist das Große Sutra, das Ekō Amidas.
Abgesehen von diesen Feststellungen bleibt eine Frage offen: Wie versteht Shinran die Geschichte? Der Mappō-Gedanke ist nämlich eine buddhistische Geschichtsauffassung, die auf der zeitlichen

Entfernung vom historischen Gautama beruht und die Überlieferung seiner Lehre in der Geschichte betrifft. Wie aber in II. 3. deutlich darzulegen versucht wurde, ist Amida das entscheidende für Shinran. Nach Shinran fängt die Geschichte der buddhistischen Lehre nicht mit Gautama Buddha an, sondern mit Amida, so daß die Lehre bei Shinran eigentlich nicht Lehre Gautama Buddhas, sondern Lehre Amidas heißen sollte, da der Wille Amidas immer vorhanden war und ist.

Im Vorwort zu seinem Gesamtwerk Kyōgyōshinshō schreibt Shinran: *Wenn ich in mir still bedenke, so ist das undenkbare Gelübde Amidas* (das 18. Gelübde) *das große Schiff, welches das unüberquerbare Meer überquert, so ist das überall durchdringende Licht* (die Weisheit Amidas) *die Sonne, die die Finsternis des Mumyō* (Unwissen) *durchbricht (1).*
Deshalb geschah es, als die Zeit reif wurde, um die Lehre zu enthüllen, daß Amida den Chōdatsu (調達 ,bzw. Datta 提多 ; snsk.: Debadatta) *und den Jase* (闍世 , bzw. Ajase 阿闍世 , snsk.: Ajátásatru) *die äußerst schweren Verbrechen* (Vatermord und Mordversuch an der Mutter) *begehen ließ (2).*
Als die Menschen dafür bereit wurden, sich zu der Lehre zu bekennen, ließ Amida durch Gautama Buddha Frau Idaike sich für das Reine Land Amidas entscheiden (3).
Dies sind die Gonge, die aus dem Hi Amidas hervorgingen, weil Amida den Menschen, die die fünf Verbrechen begehen, und denen, die keinen Samen in sich haben, um Buddha zu werden, Wohltaten erweisen will (4) (146).

Hier spricht Shinran von der Entstehungsgeschichte der Jodō-Lehre, die im Sutra der Meditation erzählt wird. Es geht dabei um folgendes: Zu der Zeit, als Gautama Buddha auf dem Berg Ryōjusen (霊鷲山 , snsk.: gigghakūta,"die Spitze des Geiers" – bekannt als Predigtort Gautamas) vor seinen Schülern lehrte, lebte im Schloß Ōsha (王舎 , snsk.: Rājāgaha / Rājagṛha), das am Fuße des Berges liegt, ein junger Prinz namens Ajase. Dieser, angestiftet von seinem Freund Chōdatsu, verhaftete seinen Vater und warf ihn ins Gefängnis, um ihn Hungers sterben zu lassen. Als die Königin Idaike davon erfuhr, brachte sie dem Gefangenen heimlich Essen. Der

Prinz war darüber sehr erzürnt und kerkerte sogleich auch seine Mutter ein. Die verzweifelte Königin beklagte ihr Schicksal und bat Gautama Buddha um Hilfe. Daraufhin besuchte sie dieser und zeigte ihr die verschiedenen "Reinen Länder", weil sie diese unreine Welt verlassen und in ein "Reines Land" hinübergeboren werden wollte. Als Königin Idaike das "Reine Land" Amidas sah, sehnte sie sich dorthin: Man möge sie lehren, wie sie in jene Welt hinübergelangen könne. Auf diese Bitte hin lehrte sie Gautama Buddha den Weg der Meditation. nämlich das Sutra der Meditation (147).

Was im Vorwort zu Shinrans Gesamtwerk Kyōgyōshinshō auffällt, sind Ausdrücke wie *Als die Zeit reif wurde. . . (2), Als die Menschen bereit wurden . . . (3),* die Bezeichnung *Gonge* für die an der Entstehung der Jōdo-Lehre Beteiligten und auch die Schilderung wie die *Gonge aus dem Hi Amidas hervorgingen (4)*. Außerdem ist auch bemerkenswert, daß hier die Sünder der fünf Verbrechen nicht aus der Rettung Amidas ausgeschlossen werden, wie es im 18. Gelübde Amidas steht (148), sondern daß diese Verbrecher sogar als der Grund des Erscheinens der Gonge aus dem Hi Amidas angesehen werden (149).

Im 6. Kapitel von Kyōgyōshinshō greift Shinran die Enstehungsgeschichte der Jōdo-Lehre bzw. das Sutra der Meditation wieder auf und erörtert sie ausführlich. Der Titel des 6. Kapitels lautet: Ken Jōdo Hōben Keshindo Monrui (顕浄土方便化身土文類). Dabei ist Hōben eines der für die Geschichtsauffassung Shinrans entscheidenden Worte. Hōben (方便, snsk.: upāya) bezeichnet ursprünglich das "Sich-einem-Ziel-nähern" oder das "Erreichen eines Zieles". Im Buddhismus bezeichnet es eine "Tat", und zwar die "Tat", "die als das Mittel gebraucht wird, um Buddha zu werden" (150). Im Jōdo-Buddhismus wird Hōben als das "Mittel Amidas" verstanden, durch das Amida die Menschen zum Ōjō führen will. In der Bedeutung des Wortes Hōben schwingt die Vorstellung von "Schein" mit, da es nur ein Mittel darstellt, um zum Ziel zu gelangen, so daß es mit dem Erreichen des Zieles aufgehoben ist (151). Es ist aber andererseits nicht einfach "Schein", weil das "Wahre", nämlich Amida, durch das "Mittel" in Erscheinung tritt, mit anderen Woren: weil Amida derjenige ist, der das "Mittel" anwendet und sich in ihm zeigt (152). Ke (化) bedeutet "vorläufig", "provisorisch", "zeitweilig" oder "vorübergehend" (153). Es bezeichnet auch "Unwahres", und zwar in dem Sinne, daß es ein "Nicht-Bestehendes" ist, das mit der Zeit verschwindet oder aufgehoben wird (154). Somit heißt der Titel des 6. Kapitels von Kyōgyōshinshō sinngemäß: "Schriftensammlung, welche die Mittel und den Schein Buddhas und den Schein der Länder Buddhas deutlich macht". Dabei meint Shinran mit den Mitteln die Mittel Amidas, nämlich die Lehre im Sutra der Meditation und die im Kleinen Sutra, und mit dem Schein der Länder die Reinen Länder Amidas, die in denselben Sutras dargestellt sind (155). Es geht ihm also in diesem Kapitel – der Titel weist bereits darauf hin – um "Mittel" und "Schein" im Gegensatz zu den vorhergehenden fünf Kapiteln, in deren Überschrift jeweils das Wort "wahr" vorkommt.

Nachdem Shinran am Anfang des 6. Kapitels den Schein Buddhas und den Schein der Länder Buddhas definiert hat (156), fährt er fort: *. . . die in dieser unreinen Welt lebenden und die unter dem Einfluß von Bonnō leidenden Menschen ließen zwar von den Irrlehren ab* (157) *und gehen jetzt durch die Tore der buddhistischen Lehren, das der Hinayana-, das der Mahayana-, das der Schein-Lehre und das der wahren buddhistischen Lehre, aber das Wahre ist kaum vorhanden und das Wirkliche nur selten (6,5). Das Unechte ist sehr zahlreich und das Leere nimmt ständig zu (6,6). Deshalb enthüllte Shakamunibutsu* (Gautama Buddha) *die Lehre des 19. Gelübdes* (bzw. des Sutras der Meditation) *und lehrte es, um die Menschen anzulocken; Amida Nyorai hat das Gelübde* (das 19. Gelübde) *abgelegt, um die Menschen zu sich zu führen (6,7). Er hat sich dies bereits gewünscht . . . (6,8)* (158).

Dies ist die Entstehungsgeschichte der Jōdo-Lehre nach Shinran. Diese Lehre entstand, weil Amida wollte, daß sie verkündet wird. Aufgrund dessen legte er das 19. Gelübde ab, so daß auch die Lehre im Sutra der Meditation das Ekō Amidas ist. Die letztgenannten Zitatstellen entsprechen dem zweiten und dritten Satz im Vorwort zu Kyōgyōshinshō. "Als die Zeit reif wurde . . ." (2) spiegelt sich

in Satz 6,5 wider, wo die Situation der buddhistischen Lehre beschrieben wird. "Als die Menschen bereit wurden . . ." (3) ist in 6,6 und 6,7 wiederzuerkennen, und zwar in dem Sinne, daß die Menschen zwar durch die Verkündigung Gautama Buddhas die Irrlehre verließen, aber nur schwer der "wahren" Lehre begegneten, so daß sie, obwohl Gautama Buddha sie lehrte, nur selten Buddha werden können. (Auch hier sind die drei wesentlichen Elemente des jōdo-buddhistischen Mappō-Gedankens zu erkennen: auch hier ist die Lehre von den beiden anderen Faktoren, nämlich Ji ("Zeit") und Ki ("Mensch") abhängig). Die bisher verbreiteten Lehren sind unfähig, die Menschen zum Buddhawerden zu führen, wodurch sie ihre Gültigkeit verlieren. Die neue Lehre, die die Menschen zum Ōjō führen soll, ist das Sutra der Meditation bzw. des 19. Gelübde. Das 19. Gelübde Amidas lautet: *Hochverehrter Meister, wenn, nachdem ich sehend geworden sein werde, alle Lebenden vom Herzen her den Willen haben und Kudoku mit dem reinen und sich zuwendenden Herzen nutzen, um in mein Land hinübergeboren zu werden, wenn dann ihre Stunde des Sterbens kommt und ich ihnen nicht mit den mir Nachstrebenden beistehen kann, dann will ich auf keinen Fall sehend werden* (159).
In diesem Gelübde ist das Erlangen von Ōjō gesichert – aber mit Einschränkungen, denn hier wird verlangt, daß die Menschen sich um die Tat des reinen Herzens bemühen sollen, um in das Reine Land Amidas hinübergeboren zu werden. Shinran aber leugnet – wie schon erwähnt wurde – eine solche Fähigkeit des Menschen grundsätzlich (160). Diese Feststellung mag zwar zunächst widersprüchlich wirken, da im 19. Gelübde etwas verlangt wird, was für die Menschen nicht möglich ist, und dennoch soll es das Ekō Amidas sein. Shinran macht aber schon in der Überschrift des 6. Kapitels von Kyōgyōshinshō deutlich, daß diese Lehre das "Mittel Amidas" ist, wodurch bei den Menschen das Interesse für Amida geweckt werden soll (6,7), denn Amida wendet Hōben auf verschiedene Weise an, damit die Menschen Sehnsucht nach dem Ōjō in seinem Land bekommen (161). Die Lehre im Sutra der Meditation ist also eine "Schein-Lehre", die Amida als "Mittel" benutzt, d.h. aber, daß sie aufgegeben wird, wenn sie ihren Zweck erfüllt hat; damit verliert sie aber auch ihre Gültigkeit als Lehre. Shinran lehnt also einerseits eine für immer geltende Legitimität dieser Lehre ab,

andererseits jedoch sagt er, daß diese Lehre auch das "Wahre" in sich trägt, weil die Menschen durch sie den wahren Willen Amidas erkennen. Das "Wahre" geht nur nicht unmittelbar aus dem Text hervor, weil es im Sutra der Meditation auf verborgene Weise dargestellt ist, so daß die eigentliche Lehre des Sutras der Meditation und die Lehre des Großen Sutras im Grunde genommen identisch sind (162). Dabei geht Shinran davon aus, daß es im Sutra der Meditation zwei Bedeutungen gibt, nämlich eine offenkundige und eine verborgene (163). Die "verborgene Bedeutung", die er der Entstehungsgeschichte der Jōdō-Lehre unterlegt, ist die folgende:

Die offenkundige Bedeutung im Sutra der Meditation:	Die verborgene Bedeutung nach Shinran:
1. Die Verbrechen von Datta und Ajase	1. *Diese gibt Shaka* (Gautama Buddha) *als den wahren Grund seines Erscheinens aus.*
2. Die Entscheidung Frau Idaikes	2. *Durch sie wird das 18. Gelübde Amidas, das große Jihi Amidas veranschaulicht.*
3. *Führe mich und zeige mir die reine Welt, damit ich sie betrachten kann!*	3. *Die reine Welt ist die Welt, die durch das 18. Gelübde Amidas geschaffen wurde.*
4. *Lehre mich meditieren!*	4. *Die Meditation ist das "Mittel".*
5. *Lehre mich, (die Lehre) richtig zu empfangen!. . .*	5. *Das ist der diamantene Glaube, der Glaube schlechthin.*
6. *Du bist ein gewöhnlicher schwacher Mensch. . .*	6. *Jeder Akunin erlangt Ōjō.*
7. Alle Buddhas haben ihre eigenen Hōben.	7. *Die Lehren über das Erlangen von Ōjō aus eigener Kraft, durch Meditation und gute Taten, sind alles Schein-Lehren.*

8. *Durch die Kraft Buddhas wirst du das Reine Land sehen.*
9. *Wenn alle Lebenden nach dem Eingehen Gautama Buddhas ins Nirwana . . .* (164)

8. *Dadurch wird auf die Kraft Amidas* (Tariki) *hingewiesen.*
9. *Dies offenbart, daß die in Zukunft lebenden Menschen der Grund des 18. Gelübdes von Amida sind.* (164)

Mit dieser Interpretation Shinrans eröffnet sich ein neuer Aspekt der Entstehungsgeschichte der Jōdo-Lehre, aber zugleich auch der Geschichtsauffassung Shinrans, denn das Geschehen im Schloß Ōsha ist nach Shinran ein von Amida "geplantes" Geschehen, dessen Wirkung in die Zukunft gerichtet ist, d.h. daß alles Lebende in der Mappō-Zeit, nämlich ein absolut böses Dasein das Ziel der Rettung Amidas ist. Wenn Amida aber alle Lebenden retten will, wenn er aus diesem Willen heraus die Gelübde abgelegt und die "Tat" vollbracht hat, dann wäre alles umsonst, wenn die Menschen nichts davon erfahren würden. Der Wille Amidas muß kundgemacht, den Menschen erkennbar werden. Wenn Amida aber seinen Willen und somit auch sich zeigen will, müßte dies an einem Ort sein, wo sowohl er den Menschen als auch die Menschen ihm begegnen können. Die Menschen leben in dieser Welt, sie wiederholen das Geboren-Werden und Sterben, so daß Amida sich auch in diesen Kreis hineinbegeben muß (165), denn die Menschen, die sich aus diesem Kreislauf gelöst haben, brauchen die Rettung durch Amida nicht mehr, sie sind bereits Buddha geworden. Dies gilt auch umgekehrt: auch Amida braucht die Menschen, die Buddha geworden sind, nicht, denn seine Rettung zielt ja auf die Menschen ab, die noch im Kreislauf der Wiedergeburt leben.

So müßte Amida in der geschichtlichen Zeit erscheinen, weil es ihm dort allein möglich ist, die Menschen, die vom "Zeitlichen" begrenzten Lebenden zu treffen. Amida muß sich auch dem "Zeitlichen" unterwerfen (166). Demzufolge wäre auch die Entstehung der Jōdo-Lehre als Ereignis in der Geschichte notwendig anzusetzen. Dieser Gedanke findet eine Bestätigung auch in Vers 4 des Vorworts zum Gesamtwerk Kyōgyōshinshō durch die Bezeichnung Gonge für die an der Entstehungsgeschichte der Jōdo-Lehre Beteiligten: Shinran nennt diese nämlich entgegen der traditionellen jōdo-buddhistischen Auslegung Gonge. Gon (権) bedeutet das "Vorläufige", das "Zeitweilige" oder das "Vorübergehende" (167). Im Buddhismus bezeichnet dieses Wort das "Mittel, das vorübergehend angewandt wird, um das Ziel zu erreichen (168), somit ist Gon ein Synonym von Hōben. Ge (化) bedeutet das "Ändern", das "Sich-Ändern" oder das "Sich-Ändern—lassen" (169). Unter Gonge versteht also der Jōdo-Buddhismus die "Tat, daß Boddhisattvas oder Buddhas Menschengestalt annehmen und in dieser Welt erscheinen, um den Menschen beim Buddha-werden zu helfen" oder "die als Menschen erschienen Boddhisattvas oder Buddhas" (170).

Die traditionelle jōdo-buddhistische Denkweise betont, daß es sich bei dem Geschehen im Schloß Ōsha um "wirkliche" Menschen handelt. So schreibt beispielsweise Zendō: *Fünftens: Die Verse von "Buddha sagte zu Idaike" bis "ich lasse Dich sehen" zeigen, daß Idaike wirklich keine Heilige war. Weil sie keine Heilige war, konnte sie nur mit Hilfe der Kraft Buddhas das Reine Land trotz der Entfernung sehen. Da Nyorai (*Amida*) befürchtet hat, daß die Menschen sich irren und sagen werden, Frau Idaike sei eine Heilige gewesen, und daß die Menschen infolgedessen Zweifel bekommen, sich vor ihrem eigenen Verhalten fürchten, feig sein und sagen werden, Frau Idaike sei in Wirklichkeit ein Boddhisattva, sie sei nur eine seiner Erscheinungsformen, so daß sie sich nicht mit ihr vergleichen könnten, deshalb, um diesen Zweifel auszuschließen, sagt Buddha zu ihr, daß sie ein gewöhnlicher schwacher Mensch ist* (171).

Zendo will mit seiner Auslegung zeigen, daß die Lehre des Jodo-Buddhismus nicht für die Heiligen und Weisen gemacht ist, sondern für die gewöhnlichen und schwachen Menschen, so daß sich auch ihnen die Möglichkeit eröffnet, Ōjō zu erlangen. In dem Moment aber, in dem einer sich selbst in Frau Idaike findet und ihre Lehre als die ihm angemessene erkennt, wird von ihm verlangt, daß er in gleicher Weise wie sie handelt, um ins Reine Land hinübergeboren zu werden, denn er ist wie Königin Idaike gewöhnlich und schwach. Sie zeigt ihm den Weg, auf dem er gehen soll. Dadurch ergibt sich ein weiterer Gesichtspunkt, nämlich daß die hier gezeigte Möglichkeit, um Ōjō zu erlangen, gleichzeitig die Möglichkeit des Versagens in sich birgt; denn wo Leistung verlangt wird, ist auch das Versagen nicht zu vermeiden. In diesem Fall hieße dies, daß es auch Menschen geben wird, die an der Rettung durch Amida nicht teilhaben können.

Ist dies aber nicht ein Widerspruch in sich, wenn Amida doch alle retten will? Ist eine Erlösung nicht erst dann eine Erlösung, wenn kein einziger mehr von ihr ausgeschlossen wird? Erst mit dem Vollzug der Erlösung aller Lebenden kann Amida auch d e r Buddha sein, da er das Eingehen aller Menschen ins Nirvana als Grundbedingung für seine Buddhaschaft voraussetzt (172).

Demgegenüber sind bei Shinran sowohl Königin Idaike als auch die anderen Menschen Gonge, nämlich Erscheinungsformen von Boddhisattvas, die aus dem Hi Amidas hervorgegangen sind.

Da Königin Idaike einerseits ein gewöhnlicher schwacher Mensch ist, kann sich jeder mit ihr identifizieren, so daß ihm in ihrer Klage und Verzweiflung eine eigene Klage und Verzweiflung erkennbar werden. Damit wird ihre Sehnsucht nach dem Reinen Land Amidas auch seine Sehnsucht. Andererseits ist Idaike aber die Erscheinungsform eines Boddhisattvas. In dem Moment, in dem man annimmt, sie sei ein Gonge, ist sie nicht mehr diejenige — wie dies bei Zendō der Fall ist —, die den Menschen den Weg zeigt, um Ōjō zu erlangen. Sie ist vielmehr diejenige, die sich mit den Menschen identifiziert, und zwar in dem Sinne, daß sie als von Amida gewolltes Mittel in der Geschichte auftaucht, denn sie ist aus dem Hi Amidas hervorgegangen (vgl. V 4 im Vorwort zum Gesamtwerk Kyōgyōshinshō). Durch die Bezeichnung Gonge für die am Geschehen im Schloß Ōsha Beteiligten zeigt Shinran, daß in jenem Ereignis der Wille Amidas zum Ausdruck gebracht wird; damit bekommt es jedoch eine neue Bedeutung: das Geschehen ist nicht einfach ein Geschehen, das sich irgendwann einmal in der Geschichte ereignete, sondern es ist ein Geschehen, an dem die Menschen zu allen Zeiten Anteil haben. Mit dieser Interpretation Shinrans wird die von Königin Idaike vollbrachte Tat die Tat *aller* Menschen, so daß mit ihrer Vollendung die Menschen von der Pflicht befreit sind, die Tat des Reinen Herzens auszuführen. Dadurch ist aber die Möglichkeit des Versagens auch aufgehoben, d.h. kein einziger wird mehr von der Erlösung durch Amida ausgeschlossen. Dabei repräsentiert Königin Idaike den gewöhnlichen schwachen Menschen, nach Shinran den Menschen, der keinen Samen mehr in sich hat, um Buddha zu werden (V 4), während Ajase und Chōdatsu stellvertretend stehen für Menschen, die Kapitalverbrechen begehen (V 2). Da sogar sie durch Amida gerettet wurden, haben alle Menschen Anteil an dieser Rettung. Erst damit kann Amida auch *der* Buddha sein (173).

Nach Shinran ist also die Entstehungsgeschichte der Jōdo-Lehre ein geschichtliches Ereignis, in dem Amida seinen eigentlichen Willen, nämlich das 18. Gelübde, das durch sein Streben als Boddhisattva erfüllt wurde, den Menschen mitteilt. Infolgedessen ist alles, was mit der Entstehungsgeschichte der Jōdo-Lehre zusammenhängt, in die "Schenkende Tat" Amidas, d.h. in sein Ekō mit eingeschlossen.

2.

Die Deutung der Entstehungsgeschichte der Jōdo-Lehre durch Shinran, der sie als die in das "Zeitliche" eingreifende Initiative Amidas versteht, deren Ziel es ist, alle zu retten, läßt nach der Überlieferungsgeschichte dieser Lehre fragen.

Wie bereits erwähnt wurde, nennt Shinran als seine Meister die sieben buddhistischen Priester, die entsprechend der Ausbreitung des Buddhismus zunächst in Indien, dann in China und schließlich wie sein eigener Meister Hōnen in Japan beheimatet waren. Über sie gibt es eine Gedichtsammlung von Shinran, mit dem Titel Kōsōwasan (高僧和讚 : Lobpreisung der sieben Priester). Darin preist Shinran.

Ryōju: *Es wird ein Buddhist in Indien erscheinen,*
und er wird Nagarajuna-Boddhisattva genannt.
Er wird alle Irrlehren widerlegen,
So lehrte Gautama schon (174).

Zendō: *Aus dem Herzen Amidas, das so groß ist wie das Meer,*
erschien Amida in Zendos Gestalt
wegen der mappō-unreinen Welt,
er bittet um das "Zeugnis" aller Buddhas
...
Zendō erschien immer wieder,
ob als Hōshō, ob als Shōkō (175),
er öffnete die Schatzkammer des Kudoku
und vollendete den wahren Willen Buddhas (176).

Genkū (Honen): *Dank der Kraft der Weisheit Nyorais (*Amidas)
erschien mein Meister Genku,
er eröffnete den wahren Jōdo-Buddhismus
und er lehrte das wahre Gelübde Nyorais (Amidas).

Wenngleich Zendō und Genshin ihn empfohlen haben,
wenn es aber Genku nicht gäbe,
wie könnten dann die Menschen in der fernen und bösen Welt (Japan)
die wahre Lehre erkennen?
...
Das wesentlichste Wesen Genkus
wird von den Menschen überliefert,
sie nannten es einmal Dōshaku,
ein anderes Mal Zendō.
...
Jetzt in Japan bin ich (Amida) *geboren,*
um den Nembutsu-Glauben zu verkünden,
um die Menschen zu lehren,
so oft ich komme in dieses Land.

Da Amida Menschengestalt annahm,
zeigte er sich als Genkū,

als das Kuen (化 縁 : der Grund für seinen Aufenthalt in Japan) *nicht mehr gegeben war,*
kehrte er in sein Reines Land zurück (177).

In diesen Gedichten ist deutlich dargestellt, daß Amida die Absicht hat, die Menschen zu retten, und auch einen Plan, wie dies geschehen soll. So wurde Ryōju schon durch Gautama Buddha vorausgesagt.

Zendō und Hōnen sind Erscheinungsformen Amidas, mit denen er sich in der Geschichte zeigt, um die Menschen durch sein 18. Gelübde zu retten. Amida zielt mit seinem Plan auf Japan ab, denn er erscheint als Hōnen in der Mappō-Phase in Japan und verkündet sein 18. Gelübde. Die Vorgeschichte ist mit den Geschehnissen im Schloß Ōsha bereits abgeschlossen, von denen ausgehend Gautama durch Ryōju, Tenjin, Donran, Dōshaku, Zendō und Genshin eine Brücke von Indien nach Japan bauen läßt. Nachdem diese Basis geschaffen ist, kommt Amida in Gestalt Hōnens zur Welt, "um das seit ewiger Vergangenheit gewünschte große Gelübde des Erbarmens in der Geschichte zu verwirklichen" (178).

Shinran sieht also in der Überlieferung der Lehre eine Linie, die von Amida geleitet wird. Damit versteht er aber die Überlieferung der Lehre auch als Ekō Amidas.

Diese Linie ist gleichzeitig eine geschichtliche Linie, da der Wille Amidas nur in der Geschichte von den Menschen erkannt werden kann. Durch die Interpretation Shinrans bekommen die geschichtlichen Ereignisse eine andere Bedeutung, und zwar die, daß das geschichtliche Geschehen auch das Ekō Amidas darstellt. Damit jedoch erfährt die Vergangenheit bei Shinran eine andere Bewertung als in den zeitlich vorangehenden Interpretationen der Jōdo-Lehre, indem in ihr der Wille Amidas, der auf die Erlösung der Menschen in Mappō abzielt, offenbar wird, so daß die Shōbō- und die Zōhō-Zeit nur "Vorbereitungsphasen" der Mappo-Periode sind. Folglich erscheint Mappō nicht mehr als eine Zeit, in der "alles zu Ende geht", sondern es ist die Zeit, in der sich die Erlösung durch Amida vollendet. Damit ist der Mappō-Gedanke bei Shinran eine Geschichtsauffassung, aber nicht eine, die den Abfall von einem "E i n m a l - G e w e s e n e n" darstellt, sondern eine, nach der die Geschichte ein von Amida gewollter Aufstieg in sein Reines Land ist, und die das "E i n m a l - S e i n - W e r d e n d e', thematisiert.

Schlußbemerkung

Aufgrund der vorhergehenden Abhandlung darf hier wohl gesagt werden, daß Shinran, ausgehend von seiner Vorstellung des Begriffes Ekō, die Geschichte im Zusammenhang mit dem Shōbō- Zōhō-Mappō-Gedanken als eine "teleologische Heilsgeschichte" versteht. Sie bekommt ihre Linearität, mit der sie im Gegensatz steht zur traditionell-buddhistischen Auffassung vom immerwährenden Kreislauf der Wiedergeburt, durch eine vergangenheitsgerichtete und eine zukunftsorientierte Komponente. Erstere ist bedingt durch die Bekanntgabe von Amidas Heilswillen in der Vergangenheit, während letztere auf der Tatsache beruht, daß Amida e i n W a r t e n d e r ist: er wartet auf seine Buddhaschaft, obwohl er die Tat, die der Zustand des Buddhaseins voraussetzt, schon vollbracht hat. In der Zeitspanne zwischen dem "Schon" und dem "Noch-nicht" ereignet sich die Geschichte – nicht nur in der Mappō-Zeit, sondern überhaupt.

Natürlich darf der Begriff der "Zeit" hier nicht im abendländischen oder jüdisch-christlichen Sinne verstanden werden. Trotz vorhandener Ähnlichkeiten sind die hier dargelegten "Heils"-gedanken von jedem apologetischen Anspruch sowie einer klassifizierenden Wertung der Religionen frei. Sie sollen lediglich das Kennenlernen anderer Gedanken ermöglichen, um so einen Beitrag zum Verständnis des Andersdenkenden zu leisten.

Anmerkungen:

1 Kyōgyōshinshō, der Originaltitel heißt Ken Jōdo Shinjitsu Kjō Gyō Shō Monrui (顕浄土真実教行証文類: Die Schriftensammlung, die die wahre Lehre, die wahre Tat und das wahre Zeugnis Jodos deutlich zeigt). Seit der Zeit Kakunyos (覚 如 , 1270–1351), des Enkelsohnes Shinrans, nennt man dieses Schriftstück Kyōgyōshinshō (教行信証 : Lehre, Tat, Glaube und Zeugnis). Dieses Werk besteht aus sechs Kapiteln: 1. Über die Lehre; 2. Über die Tat; 3. Über den Glauben; 4. Über das Zeugnis; 5. Über das echte Land Buddhas; 6. Über das Schein-Land Buddhas und Schein-Buddha.

Der Inhalt ist, wie der Originaltitel zeigt, eine Sammlung von Schriften, die die Wahrheit des Jōdo-Glaubens deutlich darstellen. So sind mehr als die Hälfte des Textes Zitate aus den buddhistischen Kanones und Schriften. Shinran zeigt durch die Kommentare zwischen den Zitaten und dadurch, wie er die Schriften zusammengestellt hat, seine Lehre und seine Gedanken. Dabei geht es in erster Linie um die Rechtfertigung im Jōdo-Glauben. Über die Entstehungszeit wird gestritten, man nimmt aber im allgemeinen an, daß die Urfassung in Kantō (heutiges Tokio und dessen Umgebung), wo Shinran fast 20 Jahre lang missionierte, geschrieben und später in Kioto weiter überarbeitet wurde.

2 Vgl. Abe Masao, Art. Jikan, in: Shūkyōgaku Jiten (Art. "Zeit", in: Lexikon für Religionswissenschaft), hrsg. v. Hori Ichirō u. Oguchi Iichi, Tokio 1973, S. 226ff; Minamoto Jukō, Dōgen ni okeru Jikan no Mondai – 'Eien' no Seiritsukonkyo wo megutte – in: Shinshūkenkyūkai Kiyō (Problem der Zeit bei Dōgen – über die Grundlage der Entstehung von 'Ewigkeit', in: Journal des Instituts für Shin-Buddhismus Nr. 6), Kioto 1974, S. 93f.

3 Im Buddhismus wird geglaubt, daß Gautama mit der Beendigung seines Lebens auf dieser Erde ins Nirvana eingegangen sei. Daher redet man im Buddhismus von Gautamas Eingehen ins Nirvana anstatt von seinem Tod.

4.

	Shōbō	Zōhō	Mappō
a:	500 Jahre;	1 000 Jahre;	10 000 Jahre
b:	1 000	500	10 000
c:	500	500	10 000
d:	1000	1 000	10 000

Vgl. Matsubara Yūzen: Shinran to Mappō – Shisō (Shinran und Mappō-Gedanke), Kioto 2. Aufl. 1976, S. 88f. Vgl. die Millenien in Apk 20,2–7.

5 Vgl. Masutani Fumio, Bukkyōgairon (Einleitung in Buddhismus), Tokio 2. Aufl. 1976, S. 10; Mizuno Kōgen, Bukkyo no Kisochishiki (Grundkenntnisse über den Buddhismus), Tokio 6. Aufl. S. 98–103; ders., Bukkyō Yōgo no Kisochishiki (Grundkenntnisse über die buddhistischen Wörter) Tokio 6. Aufl. 1976, S. 62–78; Bukkyoyōgo Daijiten (Großes Lexikon der buddhistischen Wörter), hrsg. v. Nakamura Hajime, Tokio 2. Aufl. 1975, S. 1227f.

6 Masutani Fumio, a. a. O., S. 10.

7 Satori = 悟 (snsk.: boddhi). Dieses Wort beschreibt den Zustand, in dem der Mensch erkennt, was er bis dahin nicht erkannte, als ob er aus dem Schlaf erwachte. Daher wird es meist mit dem Wort "Erwachen" übersetzt. Wer Satori erreicht hat, hat Nirvana erlangt, mit anderen Worten, er ist Buddha geworden.

8 Vgl. Bukkyōgaku Jiten (Lexikon für Buddhologie), hrsg. v. Funabashi Issai, Taya Raishun und Ōchō Enichi, Kioto 9. Aufl. 1974, S. 403f.

9 Vgl. Kadokawa Kan-Wa-Chū-Jiten (Kadokawa Lexikon für die chinesischen und japanischen Schriftzeichen), hrsg. v. Kaizuka Shigeki, Fujino Ganyū und Ōno Shinobu, Tokio 120. Aufl. 1977, S. 80; Bukkyoyōgo Daijiten, a. a. O., Bd. II, S. 880.

10 Vgl. Bukkyogaku Jiten, a. a. O., S. 421f.

11 Ebd., S. 421f.

12 Es wäre grundsätzlich zu fragen, ob die Begriffe Shōbō, Zōhō und Mappō im Deutschen mit Ausdrücken wiedergegeben werden können und dürfen, die mit dem Wort "Zeit" zusammengesetzt sind; denn in den drei Begriffen kommt das Wort "Zeit" nicht vor. Die Schattierungen der Vorstellung "Zeit", wie sie die Worte "Periode", "Phase", "Ära" oder "Epoche" in sich tragen, tauchen gleichfalls nicht auf; ebensowenig wie der Begriff "Zeit" im Sinne von "Raum" aufgefaßt wird. Wie schon in der Vorbemerkung erwähnt wurde, wird im Buddhismus allgemein die "Zeit" als solche verneint. Die "Zeit" im metaphysischen abstrakten Sinne ist fremd. Es gibt weder Anfang noch Ende. Daher

dürfte es auch keine Einteilung der Zeit in "Vergangenheit", "Gegenwart" und "Zukunft" im abendländischen Sinne geben. Andererseits ist die Mappō-Vorstellung ohne eine Auffassung von "Zeit", wie sie der abendländischen Denkweise entspricht, nicht denkbar, was durch die Aufeinanderfolge der drei historischen Zeitabschnitte gezeigt wird. In diesem Fall wird deutlich, daß die Vorstellung von "Vergangenheit", "Gegenwart" und "Zukunft" inhärent ist. Man könnte sagen, daß in dieser Dreistufigkeit des Ablaufs einzelne Stufen als ein jeweils in sich abgeschlossener Komplex verstanden werden. Insofern ist der Wortgebrauch von "Periode", "Phase", "Ära" und "Epoche" gerechtfertigt, wobei gleichzeitig gesagt werden muß, daß er nur mit Einschränkung der Bedeutung möglich ist.

13 Vgl. Matsubara Yūzen, a. a. O., S. 75.

14 Zitat nach Matsubara Yūzen, a. a. O., S. 75.

15 Vgl. Kumoi Shōzen, Indo-Bukkyō no Mappō-Shisō, in: Bukkyō Shisō, Bd. II, Aku, hrsg. v. Bukkyōshisō Kenkyūkai (Der 'Mappō'-Gedanke des indischen Buddhismus, in: Gedanken des Buddhismus, Bd. II, Stichwort "Böses", hrsg. v. d. Studiengruppe über den Gedanken des Buddhismus, Kioto 1976, S. 327.

16 S. Ishida Mitsuyoshi, Shinran Kyōgaku no Kisoteki Kenkyū (Grundstudium über die Lehre Shinrans), Bd. II, Kioto 1977, S. 52f.

17 Matsubara Yūzen, a. a. O., S 76.

18 Ebd.

19 Vgl. Kumoi Shōzen, a. a. O., S. 327f.

20 Bussetsu bedeutet die "Lehre Buddhas". Muryō besteht aus zwei Schriftzeichen, nämlich Mu (無) und Ryō (量). Mu bedeutet "nicht" oder "ohne", Ryō "Maß", "meßbar". Damit gibt das Wort Muryō die Bedeutung "Unmeßbares" wider, welche die sinngemäße Übersetzung des Sanskritwortes Amita (= Amida) ist. Ju heißt das "Alter" oder das "Leben", so daß das Wort Amida "unfaßbares Leben" bedeutet. Der Originaltitel lautet "Glanz Jōdos". Ins Chinesische übersetzt wurde das Werk ca. im 3. Jh. n. Chr. von Kosogai (康僧鎧). Da dieses Sutra denselben Titel wie Amidakyō trägt, nannte es M. Müller "The larger sukhavativ-yuha" und Amidakyō "The smaller sukhavati-vyuha", als er es

im Jahre 1895 aus dem Sanskrit ins Englische übersetzte. Hier wird die Bezeichnung von M. Müller übernommen, nämlich "Das Große Sutra" bzw. "Das Kleine Sutra".

21 Wir besitzen dieses Sutra weder in Sanskrit noch in Tibetisch, sondern nur in der chinesischen Übersetzung von Kyōryōyasha (畺良耶舎 snsk: kālayasas), im Jahr 424 n. Chr. Daher fehlt der Originaltitel des Sutras. Da das Wort Kan (觀) "betrachten" oder "meditieren" bedeutet, wird dieses Sutra das "Sutra der Meditation" genannt.

22 Amidakyō, übersetzt "das Sutra Amidas". Hier wird es nach M. Müller "das Kleine Sutra" genannt. Vgl. Anm. 20.

23 Muryōjukyō, in: Shinshū Seikyōzensho, I, Sankyō Hichisōbu, hsrg. v. Shiūkyōseikyōzensho-hensansho (Das Große Sutra, in: Schriftsammlung der shinbuddhistischen Lehre, Bd. I: Die drei Sutras und die sieben Meister, hrsg. v. Institut für shin-buddhistische Schriften), (abgk. Zensho, Bd. I), Kioto 2. Aufl. 1972, S. 46.

24 Ebd.

25 Im Jōdo-Buddhismus wird geglaubt, daß das "Reine Land" Amidas im "Westen" liegt.

26 Das Sutra der Meditation, in: Zensho, Bd. I, S. 51. Vgl. auch S. 50 und S. 54. Auch an diesen Stellen werden Königin Idaike und die in Zukunft lebenden Menschen betont.

27 Vgl. Asano Kyōshin, Mappōshisho no Ichikōsatsu, in: Shinshūgaku (Eine Betrachtung über den Mappō-Gedanken, in: Zeitschrift für Shin-Buddhismus) Nr. 41.42, Kioto 1970, S. 175.

28 Das Sutra der Meditation, in: Zensho, Bd. I, S. 51.

29 Das Kleine Sutra, in: Zensho, Bd. I, S. 71f.

30 Vgl. Asano Kyōshin, a, a. O., S. 172. Die Umschrift der chinesischen Namen erfolgt noch nach dem bis 1980 gültigen System.

31 Vgl. Sanshiju Ryūzen, Zendō ni okeru Mappō-Shisō, in: Bukkyōdaigaku Kenkyūkiyō (Der Mappō-Gedanke bei Zendo, in: Journal für Forschung von Bukkyōdaigaku) 48, Kioto 1965, S. 24ff.

32 So nimmt Matsubara Yūzen oder Asano Kyōshin die Echtheit der Schrift an. Vgl. Matsubara Yūzen, a. a. O., S. 82; Asano Kyōshin, a. a. O., S. 176ff.

33 Vgl. Sanshiju Ryūzen, a. a. O., S. 26; Michihata Ryōshū, Chūgoku ni okeru Mappō-Shisō, in: Bukkyōshisō, Bd. II, Aku, hrsg. v. Bukkyōshisō Kenkyūkai (Der Mappō-Gedanke in China, in:Gedanken des Buddhismus, Bd. II, Stichwort "Böses", hrsg. v. d. Studiengruppe über den Gedanken des Buddhismus), Kioto 1976, S. 342.

34 Die Gründe, warum und wieso der Mappō-Gedanke "das Fundamentale" im Jōdo-Buddhismus wurde und ob das Zusammentreffen der beiden Gedanken und die weitere Entwicklung eine geschichtliche "Notwendigkeit" seien, sind weitere Fragen, die im philosophischen Sinne bearbeitet werden sollten. Die Antwort der Gläubigen dürfte klar sein, da sie in der Entwicklung die "Kontinuität" sehen wollen. Hier wird auf eine solche Fragestellung verzichtet, da dies über die Aufgabe dieser Arbeit hinausginge.

35 Vgl. Bukkyōgaku Jiten, a. a. O., S. 115.

36 Vgl. ebd., S. 106f.

37 Vgl. Shinran Jiten (Lexikon über Shinran), hrsg. v. Kikumura Itaru, Tokio 1978, S. 83. Man darf hier an die ähnlichen Vorstellungen im AT erinnern.

38 Vgl. Michihata Ryōshū, a. a. O., S. 343f; Sanshiju Ryūzen, a. a. O., S. 26f; Ishida Mizumaro, Chūgoku no Jōdo – Shisō, in: Kōza Tōyōshisō, Bd. IV, Bukkyoshiso 2 (Der Jōdo-Gedanke in China, in: Seminar über die Gedanken in Asien, Bd. IV, Buddhistische Gedanken 2), hrsg. v. Nakamura Jajime, Tamaki Koshiro u. Uno Seiichi, Tokio 1967, S. 40.

39 Dōshaku, Anrakushū (Lehre über Jōdo, chin.: An-lochi), in: Zensho, Bd. I, S. 378; die Worte in Klammern, die in den Zitaten vorkommen, sind von der Verfasserin (S.H.) hinzugefügt.

40 Takeuchi Yoshinori, Shinran to Gendai (Shinran und die Gegenwart), Tokio 3. Aufl. 1977, S. 175.

41 Vgl. Dōshaku, a. a. O., S. 40ff, 410.

42 Ebd., S. 410.

43 Ebd., S. 427.

44 Auf die Begriffe wird später noch eingegangen.

45 Shinran, Kyōgyōshinshō, in: Zensho, Bd. II, S. 168

46 An anderen Stellen, z.B. in 50 Gedichte des Kōtaishi Shōtoku Hōsan (皇太子聖徳奉讃: Lobpreis über die Prinzenlegende Shōtoku) nimmt Shinran an, daß Shōbō und Zōhō jeweils 1 000 Jahre dauerten.

47 Vgl. Ishida Mizumaro, Jōdokyō no Tenkai (Entwicklung des Jōdo-Buddhismus), Tokio 4. Aufl. 1977, S. 146.

48 Zitat nach Ishida Mizumaro, a. a. O., S. 146. Vgl. dazu die Bedeutung des Untergangs Israels und des Tempels ca. 70 n. Chr. für die urchristliche Apokalyptik.

49 Z.B. Fujiwara no Sanesuke (藤原実資, 957–1046): Shōuki (小右記); Fujiwara no Munetada (藤原宗忠, 1062–1141); Chūki (中右記); Kujō Kanesane (九条兼実, 1149–1207): Gyokuyō (玉葉) u. a.

50 Zitat nach Matsubara Yūzen, a. a. O., S. 183; Eigamonogatari ist eine chronologische Geschichtsdarstellung, in deren Mittelpunkt Fujiwara-no Michinaga (藤原道長 966–1027) steht, sie umfaßt 15 Generationen ca. 200 Jahre (ca. 887–1092). Vgl. auch die Aussagen im NT, daß der Anfang des Endes in Kriegen, Hungersnöten oder in den Naturkatastrophen gezeigt wird. Z.B. Mk 13,3–8 (par. Mt 24,3–8; Lk 21,7–11).

51 Vgl. Ishida Mizumaro, a. a. O., S. 181f.

52 Die Echtheit dieser Schrift ist heute umstritten, aber in der Zeit Shinrans glaubte man, daß sie von Saicho stammt.

53 Zitat nach Ishida Mizumaro, a. a. O., S. 183. Vgl. die Bedeutung der Anomia in apokalyptischen Texten im NT. Z.B. Mt 24,12.

54 Vgl. Ishida Mizumaro, a. a. O., S. 183.

55 Ishida Mitsuyuki, a. a. O., S. 82.

56 Vgl. Ōsumi Kazuo, Kamakurabukkyō to sono Kakushinundō, in: Iwanami Kōza Nipponrekishi, Bd. V, Chūsei 1 (Der Buddhismus in der Kamakura-Periode und seine Reformbewegung, in: Iwanami Seminar Geschichte Japans, Bd. V, Mittelalter 1) Tokio 1975, S. 219–223. Ein gewisser universalischer, damit kosmologischer Zug scheint jedem apokalyptischen Entwurf eigen zu sein, auch der apokalyptischen Jesu-Lehre und dem Grundcharakter von Röm. Vgl. E. Käsemann, An die Römer, Tübingen 3. Aufl. 1974.

57 Ishida Mizumaro, Nippon ni okeru Mappō-Shisō (Der Mappō-Gedanke in Japan), Kioto 1976, S. 379.

58 Shinran, a. a. O., S. 168.

59 Z.B. im 3. Kap. "Ob ihr Mönche oder Laien von dieser unreinen Welt seid, denket genau über eure Fähigkeit nach. Wisset." S. 147; vgl. auch S. 47, 167 und 203. Vgl. Mk 4,11. Das Geheimnis der βασιλεία τοῦ θεοῦ besteht nämlich in dem Wissen um ihre bedrohliche Nähe. Vgl. dazu auch die sog. kleine Apokalypse in Mk 13 und die Joh-Apokalypse; M. Pammet, The Kingdom of Heaven According to the first Gospel, in: New Testament Study, 1981, S. 217–232.

60 Shinran, a. a. O., S. 201f.

61 Gutoku Shaku Shinran, a. a. O., S. 2, 5, 47 u. ö.; Gutoku Shaku no Shinran, ebd., S. 47; Gutoku Shaku no Ran, ebd., S. 166, 202; Gutoku Shinran, in: Gutokusho (dt.: Über Gutoku), ebd., S. 463, 479, u. ö. Shinran wechselte öfter seinen Namen. Zunächst nannte er sich Shakuku (綽空), dann Zenshin (善信), dann Shinran. Sein bürgerlicher Name ist aber nicht überliefert.

62 Kōjien (Das große japanische Lexikon), hrsg. v. Niimura Izuru, Tokio 2. Aufl. 1978, S. 1027.

63 Vgl. Kaneko Daiei, Kyōgyōshinshō Sōsetsu – Shinshūgairon to shiteno Kyōgyōshinshō – (Grundrisse Kyōgyōshinshōs – Als Einführung in den Shin-Buddhismus –), Kioto 3. Aufl. 1977, S. 24f.

64 Diese Verhaltensweise, sich erniedrigend und demütigend über sich selbst zu äußern, ist im Japanischen eine Höflichkeitsform höchsten Grades.

65 Zonkaku, Kyōgyōshinshō Rokuyōshō, in: Zensho, Bd. II,S. 205.

66 Tannishō (歎異抄: Klagebuch über die Häresien) ist ein Buch, das nach dem Tode Shinrans von seinem Schüler Yuien verfaßt wurde. Yuien wollte die richtige Lehre, wie er sie von Shinran gehört hat, niederschreiben, damit die Zweifel der Glaubensgenossen beseitigt würden. Vgl. Tannishō, in: Zensho, Bd. II, S. 773. Es wird die Frage gestellt, ob die Lehre im Tannishō dieselbe wie in den anderen echten Schriften Shinrans ist. Auf eine Erörterung des Problems wird hier jedoch verzichtet, da dies über den Rahmen dieser Arbeit hinausginge. Die damit verbundene Frage, ob man die Lehre von Akunin Shōki als die Lehre Shinrans verwenden darf, wird hier auf die Weise zu beantworten versucht, daß dieser Gedanke eben auch in den anderen Schriften Shinrans ausgedrückt wird.

67 Tannishō, in: Zensho, Bd. II,S. 775.

68 Vgl. Die Aussage im NT, daß Jesus gekommen ist, um die Sünder zu rufen, nicht die Gerechten. Mk 2,17 auch Lk 15,4ff.

69 Ienaga Saburō, Shinran no Shūkyō no shakaiteki Kiban, in: Chūsei Bukkyōshisōshikenkyū (Die gesellschaftliche Basis der Lehre Shinrans, in: Studium zur Geschichte des buddhistischen Denkens im Mittelalter), Tokio 6. Aufl. 1976, S. 201–209.

70 Ienaga Saburō, a. a. O., S. 204.

71 Vgl. Kasahara Kazuo, Shinran to Tōgokunōmin (Shinran und der Ackerbauer im Ostteil Japans), Tokio 5. Aufl. 1975, S. 279–303, bes. S. 281f, 297.

72 Shinran, Kyōgyōshinshō, a. a. O., S. 70.

73 Tannishō, a. a. O., S. 784.

74 Jap.: Mushi (無始) besteht aus zwei Schriftzeichen. Mu bezeichnet allgemein die Negation dessen, was nach Mu kommt, so daß je nachdem "ohne", "nicht" oder "nicht vorhanden sein" damit gemeint ist. Mu drückt das Gegenteil von "Sein" aus, was aber nicht als "Nicht-Sein" im europäischen Sinne verstanden werden darf, denn Mu ist nicht die Negation von "Sein". Shi bedeutet "Anfang" oder "Beginn". Somit gibt Mushi die Bedeutung "Beginn ohne Anfang" wieder. Dies ist aber nicht

"immer" oder "ewig", sondern ist hier als eine "unbegreiflich lange Zeit, die bis jetzt vergangen ist" zu verstehen. Vgl. Kan-Wa-Chu Jiten, a. a. O., S. 667.

75 Shinran, a. a. O., S. 60.

76 Jap.: Ruten. Ru (流) bedeutet "fließen", "strömen", "verfließen", Ten (転) "rollen", "umfallen", "sich wenden". So wird dieses Wort im buddhistischen Bereich in dem Sinne gebraucht, daß man ständig den Kreis des Geborenwerdens und Sterbens wiederholt wie ein Grashalm, der vom Strom hin und her getrieben wird. Vgl. Shinran Jiten, a. a. O., S. 223; Kogojiten, a. a. O., S. 1373.

77 Shinran, Kyōgyōshinshō, a. a. O., S. 62.

78 Analogien zur apk. Anthropologie der Paulinen legen sich natürlich nahe, z.B. Röm 3,9.23; 5,12f; 8,18f.

79 Boddhisattva (菩薩, = Bosatsu) ist ursprünglich einer, der ins Nirvana eingehen will und danach strebt. Im Mahayana-Buddhismus wird aber betont, daß man nicht nur für sich selbst ein solches Streben vollbringen soll, sondern auch zugunsten der anderen. Demnach ist Boddhisattva einer, der den Eid abgelegt hat, daß er den anderen das Eingehen ins Nirvana ermöglichen werde, bevor er selbst ins Nirvana eingeht. Dadurch, daß er diese Tat für die anderen vollbringt, gelangt auch er selbst ins Nirvana. Jeder, ob Mönch oder Laie, der dem Eid entsprechend lebt, wird Boddhisattva genannt. Schon dem Boddhisattva wird eine Existenz zugeschrieben, die "über" den Menschen steht, sie trägt eine "pronobis"-Funktion. In diesem Sinne gibt es mehrere Boddhisattvas, und infolgedessen existieren auch zahlreiche Buddhas im Mahayana-Buddhismus. Sie leben jeweils in einem eigenen Land, das Jōdo genannt wird im Gegensatz zur Welt, welche nach der Meinung des Mahayanabuddhisten unrein ist. Von diesen Buddhas gewannen besonders Aksobahaja, Bhaisyaguru, Mitreya und Amitaba (= Amida) Ansehen unter den Gläubigen. Vgl. Bukkyōgaku Jiten, a. a. O., S. 403f; Bukkyōyōgo Daijiten, a. a. O., S. 1219; Fujita Kōtatsu, Indo no Jōdo-Shisō, in: Kōza Tōyōshisō, Bd. IV, Bukkyōshisō 2 (Der Jōdo-Gedanke in Indien, in: Seminar über asiatische Gedanken Bd. IV, Gedanke des Buddhismus 2), hrsg. v. Nakamura Hajime, Tamaki Kōshirō u. Uno Seiich, Tokio 1967, S. 15f; Nakamura Hajime, Indoshisōshi (Geschichte des indischen Denkens), Tokio 12. Aufl. 1967, S. 112–128.

80 Zendō, Kangyō Shichōshō (觀經 四帖疏 , chin.: khan-ching ssu-t'ieh su, Auslegung des Sutra der Meditation), in: Zensho Bd. I, S. 533.

81 Shinran, a. a. O., S. 51f.

82 Tsuboi Shunei, Hōnen Jōdokyō no Tokushitsu ni tsuite – tokuni Kyūseiron wo Chūshin to shite –, in: Deai Kiristokyō to Shoshūkyō (Besonderheiten des Jōdo-Buddhismus bei Hōnen anhand der Erlösungslehre –, in: Begegnung des Christentums mit den Religionen) 5 Nr. 1, Kioto 1975, S. 14–24.

83 Von 1181–1201; als Shinran auf den Berg Hiei ging, war er neun Jahre alt.

84 Ishida Yoshihito, Kyūbukkyō no chūseiteki Tenkai, in: Nippon Bukkyōshi, II, Chūsei – hen (Die mittelalterliche Entwicklung des traditionellen Buddhismus, in: Geschichte des japanischen Buddhismus, Bd. II, Mittelalter), hrsg. v. Akamatsu Toshihide, Tokio 5. Aufl. 1975, S. 331. Kantō-Tendai ist der Name für eine Glaubensrichtung im Tendai-Buddhismus, die Kudenhomon vertritt. Da sie im Kantō (heutiges Tokio und seine Umgebung) stark verbreitet war, nannte man sie Kantō-Tendai.

85 Die Bedeutung der Soteriologie innerhalb eines religiösen Systems müßte noch genauer untersucht werden. Vgl. auch die Gestalten Adam-Christus in 1 Kor 15,20ff.

86 Vgl. Hoshino Genpō, Jōdo (das "Reine Land"), Kioto 4. Aufl. 1975, S. 55.

87 Ebd., S. 118.

88 Ebd..

89 Shinran, a. a. O., S. 52.

90 S. Ende des II. Teils.

91 S. Anfang des I. Teils.

92 Kaneko Daiei, Nishu Zinshin, in: Gendaigoyaku Shinranzenshū, Bd. VII, Kyōgyōshinshō 2 (Zwei Zinshins, in: Gesamtwerk Shinrans in der

modernen japanischen Übersetzung, Bd. VII, Kyōgyōshinshō 2), hrsg. v. Yūki Reimon, Tokio 2. Aufl. 1975, S. 150f.

93 Zendō, a. a. O., S. 538.

94 Shinran, a. a. O., S. 57.

95 Shinran, a. a. O., S. 80.

96 Vgl. die Dialektik in jedem möglichen Ich-Bewußtsein in Röm 7.

97 Ōhara Shōjitsu, Kyōgyōshinshō Gaistsu (Einleitung in Kyōgyōshinshō), Kioto 3. Aufl. 1977, S. 24f.

98 Vgl. Ishida Mitsuyuki, Kisokyōgauku, Bd. II, S. 447f.

99 Dies wird deutlich darin gezeigt, daß der erste Satz fast aller Sutras mit folgenden Worten angefangen wird: "So hörte ich, als Gautama Buddha lehrte . . ." Es dürfte aber auch hier klar sein, daß die Frage nach der historischen Echtheit der Lehre ungestellt blieb. Die historisch-kritische Untersuchung über die Sutras wurde vor ca. 100 Jahren begonnen.

100 Vgl. die Problematik der Subordinations-Christologie bzw. des Binitarismus im NT.

101 Sieben buddhistische Priester wurden von Shinran als seine Meister genannt. Shinran wählte jeweils ein Werk von ihnen als die Lehrbücher für den Jodo-Buddhismus aus. Es sind:
Ind.: *Ryōju* (龍 樹, snsk.: Nagarjuna, ca. 150–250), einer der bedeutendsten mahayana-buddhistischen Denker. Sein Werk: Igyobon (易行品 über die leichte Tat);
Tenjin (天親 bzw. 世親 Seshin, snsk.: Vasubandhu, ca. 320–400), er versuchte in seinem Hauptwerk Abidatsumagkusharon (阿毘達磨倶舎論 snsk.: Abhidharmakosa) die buddhistische Lehre systematisch darzustellen. Sein Werk: Jōdoron (浄土論: über das Reine Land);
Chin.: *Donran* (曇 鸞, chin.: T'an-luan, ca. 476–542), der Gründer des chinesischen Jodo-Buddhismus. Sein Werk: Ōjōronchū (往生論註 chin: Chin-t'u lun chu: Kommentar zu Jōdoron von Tenjin);
Dōshaku (道綽, chin.: Tao-ch'o, 562–645), bei ihm taucht zum ersten Mal ein tiefes Mappō-Bewußtsein auf. Sein Gedanke über Mappō prägte weitere Entwicklungen des jōdo-buddhistischen Mappō-Gedankens. Sein Werk: Anrakushū (安楽集. chin.: An-lo clu', die die Hinübergeburt ins Reine Land empfehlen);

Zendō (善導 chin.: Shan-tao, 613–681), mit ihm erreichte der chinesische Jōdo-Buddhismus seinen Höhepunkt. Er war Schüler von Dōshaku. Bei ihm wurden 5 Werke als Lehrbücher genannt. Es sind 1. Kankyōsho (觀經疏, chin.: Kuan ching ssu-t'su, Kommentar zum Sutra der Meditation); 2. Hōjisan (法事讃 chin.: Fa-shin tsan, Lobpreis über die Zeremonie für Ōjō); 3. Kannenhomon (觀念門, chin: Kuan-nien fa-men, Über das Tor der Meditation); 4. Ōjōreisan (往生礼讃, chin: Wang-sheng-li tsan: Lobpreis über Ōjō); 5. Hanshūsan (般舟讃, chin: Pan-chou tsan, Über die Methode der Meditation);
Jap.: *Genshin* (源信, 942–1017), einer der bedeutendsten Vorläufer des japanischen Jōdo-Buddhismus, er selbst aber gehörte zum Tendai-Buddhismus. Er veröffentlichte mehrere Werke; im Jōdo-Buddhismus wird Ōjōyōshu (往生要集: Die wichtigen Sachen, um Ōjō zu erlangen) als Lehrbuch aufgenommen.
Hōnen (法然 bzw. 源空 Genku, 1133–1222), der Gründer des japanischen Jodo-Buddhismus, der heute Jodo-Shu genannt wird, und der Lehrer von Shinran. Ihm ging es darum, wie oder womit die Armen, die Dummen und Sündhaften Ojo erlangen können, wenn die verschiedenen Taten oder Weisheit nötig sind, um ins Reine Land hinübergeboren zu werden, wie es vom bisherigen Buddhismus behauptet wird. Als Antwort darauf wählte er Nembutsu (das Anrufen des Namens Amidas) aus. Sein Werk: Senjaku Hongan Nembutsushū (選択本願念仏集: Die Sammlung der Schriften, die das 18. Gelübde als das Grundgelübde auswählen).

102 Vgl. Ryōju, Igyōbon, in Zensho, Bd. I, S. 258.

103 Ebd., S. 261.

104 Tenjin, Jōdoron, in: Zensho, Bd. I, S. 269.

105 Dōshaku, a. a. O., S. 431.

106 Ebd., S. 430.

107 Zendō, Kangyōsho, in: Zensho, Bd. I, S. 441, 443, 534, 612, 701, 707.

108 Ebd., S. 539.

109 Ebd., S. 540.

110 Vgl. Murakami Sokusui, Shinran Kyōgi no Kenkyū (Studium über die Lehre Shinrans), Kioto 3. Aufl. 1977, S. 39.

111 Ebd., S. 40.

112 Z.B. in Shō Zō Matsu Wasan (Gedichte über Shō Zō Mtasu), in: Zensho, Bd. II, S. 567–585, 588, u. ö.

113 In Jōdosankyō Ōjō Monrui (Über Ōjō in den drei jōdo-buddhistischen Sutras), in: Zensho, Bd. II, S. 443, 446, 454; Gutokushō (Über Gutoku), in: Zensho, Bd. II, S. 458 u.ö.

114 Jap.: Chōhatsu (超発). Chō bedeutet "über", "übertreffen", Hatsu "geschehen", "sich ereignen", "aufrichten". Damit gibt das Wort Chōhatsu hier die Bedeutung wieder, daß Amida das über allen buddhistischen und anderen religiösen Lehren stehende Gelübde abgelegt hat. Vgl. Kadokawa Kan-Wan-Chū Jiten, a. a. O., S. 741, 908; Kaneko Daiei, Kyōgyōshinshō Sōsetsu – Shinshū Gairon to shiteno Kyōgyōshinshō – (Grundrisse des Kyogyoshinshos – als Einleitung für den Shin-Buddhismus –), Kioto 3. Aufl. 1977, S. 73.

115 Kudoku (功徳) bedeutet, daß in den guten Taten die Fähigkeit, die ein gutes Ergebnis zustandekommen läßt, vorhanden ist. Hier wird der Name Amidas deswegen Kudoku genannt, weil er nach dem Verständnis Shinrans alle Kudoku in sich trägt.

116 Gunmō ist eine Metapher. Gun (群) stellt ursprünglich die "gesammelten Schafe" oder die "Schar von Schafen" dar, von daher "sich sammeln" oder die "Schar". Mō (萌)schildert, wie die Gräser sprießen. Mit der Zusammensetzung dieser zwei Schriftzeichen sind "wir", "alle Lebewesen" gemeint, die sich immer wieder auf dieser Welt sammeln wie die Gräser jedes Jahr zu treiben beginnen. Vgl. Kaneko Daiei, a.a. O., S. 77; Shinran Jiten, a.a.O., S. 65.

117 Shinran, Kyōgyōshinshō, in: Zensho, Bd. II, S. 2.

118 Ebd., S. 2f.

119 Ebd., S. 3f.

120 Ebd., S. 4.

121 Die fünf Verbrechen sind (wenn sie mit Absicht begangen wurden): 1. Vatermord; 2. Muttermord, 3. Arakanmord (阿羅漢, snsk.: Arahan: Allgemein ist Arakan bis heute eine Bezeichnung für den ver-

ehrten Menschen im religiösen Bereich in Indien. Der Buddhismus übernahm diesen Begriff. Im Buddhismus wird der Mensch so genannt, der die höchste Stufe als Schüler Buddhas mit eigener Kraft erreicht hat); 4. Unruhestiftung in der buddhistischen Gemeinde; 5. Verletzung des Körpers eines Buddhas (hier ist ein Mensch, der Buddha geworden ist, gemeint, also nicht Gautama Buddha allein.); Vgl. Bukkyōgaku Jiten, a. a. O., S. 7.

122 Das Große Sutra, in: Zensho, Bd. I, S. 9.

123 Jap.: Zenkon (善根, snsk.: Kusala-mula), wörtlich übersetzt: "eine gute Wurzel". Hier wird das Gute mit dem Bild einer Baumwurzel ausgedrückt, die die guten Früchte auf dem Baum wachsen läßt. So ist die gute Wurzel die gute Tat, die den guten Lohn bringt. Vgl. Bukkyōyōgo Daijiten, a. a. O., S. 849; Bukkyōgaku Jiten, a. a. O., S. 295.

124 Vgl. Shigematsu Akihisa, Nippon Jōdokyō Seiritsaku no Kenkyū (Studium zum Entstehungsprozeß des japanischen Jodo-Buddhismus), Kioto 4. Aufl. 1975, S. 564, Ishida Mizumaro, Jōdokyō no Tenkai (Entwicklung des Jōdo-Buddhismus), Tokio 4. Aufl. 1977, S. 16f.

125 Tenjin, a. a. O., S. 271.

126 Vgl. Ishida Mizumaro, a. a. O., S. 18ff.

127 Vgl. Shigematsu Akihisa, a. a. O., S. 564.

128 Nembutsu besteht aus sechs Schrifzeichen, nämlich
Na mu A mi da butsu. 南無阿弥陀仏.

129 Vgl. Shigematsu Akihisa, a. a. O., S. 563f.

130 Taihi (大悲) bedeutet Jihi des Boddhisattvas. Jihi besteht aus zwei Worten, nämlich Ji (慈) und Hi (悲). Ji heißt in der Sanskritsprache Maitri. Dieses Wort geht auf das Wort Mitra zurück, das der "Freund", der "Nahestehende" bedeutet und hat die Bedeutung die "wahre Freundschaft" oder das "reine Gefühl der Zuneigung". Hi bedeutet "Mitleid", "Erbarmen". Der Unterschied zwischen den beiden Worten besteht nach dem allgemeinen Verständnis des Mahayana-Budhismus (auch nach dem des Jōdo-Buddhismus) darin, daß Ji allem Lebenden das "Behagliche", die "Freude" gibt und Hi alle Qual, alle "Lei-

den" von allem Lebenden nimmt. Jihi wird heute allgemein als das Wort angesehen, mit dem man den Buddhismus charakterisieren könnte, wie Max Müller in seinem Buch "Buddhis Charity" (London 1898, S. 452) schreibt. Aber dieses Wort hatte nicht von Anfang an und auch nicht immer die große Bedeutung im Buddhismus, da der Begriff Jihi auch in der Jaina-Lehre bekannt war. Erst mit der Entstehung des Mahayana-Buddhismus und mit dessen Entwicklung gewann es mehr Gewicht. Die Trennung des Jihi-Boddhisattvas vom Menschlichen zeigt deutlich die Tendenz des Ur-Buddhismus zum Mahayana-Buddhismus. Hier sieht man die Charakterisierung des Boddhisattvas als Ü b e r - menschen. Vgl. Nakamura Hajime, Jihi, Kioto 9. Aufl. 1975, Umehara Takeshi, Jihi towa nanika – Kirisutokyō no Ai tono Hikaku –, in: Bukkyō no Shisō (Was heißt Jihi – im Vergleich mit der Liebe im Christentum –, in: Gedanken des Buddhismus, Bd. I), hrsg. v. Uno Seiich, Nakamura Hejime u. Tamaki Kōshirō, Tokio 1967, S. 21 – 101.

131 Anm. 126.

132 Donran, Ōjōronchū, in: Zensho, Bd. I, S. 316f.

133 Dieser Satz steht nicht im Jōdoron von Tenjin, wie Shinran hier schreibt, sondern in Ōjōronchū von Donran.

134 Shinran, a. a. O., S. 66.

135 Vgl. unter II,2 meines Artikels.

136 Z.B. in Kyōgyōshinshō, in: Zensho, Bd. II, S. 16, 66 (vgl. Donran, a. a. O., S. 316), S. 49 (vgl. Muryōjunyoraie, in: Zensho, Bd. I, S. 190), S. 49 (vgl. das Große Sutra, a. a. O., S. 9), S. 51 (Vgl. Muryōjunyoraie, a. a. O., S. 202), S. 54 (vgl. das Große Sutra, a. a. O., S. 24) u. ö.

137 Es ist schon oft beobachtet worden, daß dieser Ekō- bzw. Tariki-Begriff der Gnadenlehre bei Paulus und somit bei Luther nahe steht. Z.B. schrieb Karl Barth in seiner Dogmatik über die Lehre Shinrans und nannte sie den japanischen Protestantismus. Vgl. K. Barth, Die kirchliche Dogmatik, Bd. I/II, Zürich 5. Aufl. 1960, S. 372–377; F. Buri, Der Begriff der Gnade bei Paulus, Shinran und Luther, in: ThZ 31 (1975), S. 274–288.

138 Shinran, a. a. O., S. 67.

139 Vgl. Hosino Genpō, Jōdo no Tetsugaku Zoku Jōdo (Philosophie des Jōdo. Forsetzung des Buches Jōdo), Kioto 1975, S. 144.

140 Der Tendai-Buddhismus zum Beispiel stützt seine Lehre auf Hokkekyō, an dessen Anfang der Satz steht, daß Gautama nur dieser Lehre wegen auf der Welt erschien. Auch in Muryōgikyō, welches das Einführungssutra zu Hokkekyō ist, sagt Gautama Buddha, daß er zwar über 40 Jahre lehrte, aber noch nicht die Kunde von der wahren Lehre verbreitete. daher gab es die Streitfragen zwischen dem Jōdo- und dem Tendai-Buddhismus, welches Sutra das eigentliche, das von Gautama Buddha gewollte sei. Schon Zonkaku versuchte, in Kyōgyōshinshō Rokuyōshō, den Vorrang des Großen Sutras vor Hokkekyō zu behaupten. Dabei geht er davon aus, daß die beiden Sutras als solche gleich wahr sind, aber während das Hokkekyō für die Menschen gedacht sei, die das Buddha-Werden aus eigener Kraft versuchen, gelte das Große Sutra für alle; diese Lehre schließe niemanden aus, auch nicht die Frauen. So entspreche das Große Sutra allen Menschen, deshalb sei das Große Sutra das wahre. Vgl. Zonkaku, a. a. O., S. 222f; Kaneko Daiei, a. a. O., S. 106–109; Ōhara Shōjitsu, a. a. O., S. 107ff.

141 Vgl. Kaneko Daiei, a. a. O., S. 75; Ohara Shojitsu, a. a. O., S. 93.

142 Vgl. Ishida Yoshikazu, Shinran Shisō (Gedanken Shinrans), Kioto 1978, S. 175f.

143 Eine mündliche Überlieferung, die auch diesem Gedanken entspricht, sind die folgenden Sätze in Tannishō: *Wenn das Grundgelübde Amidas das Wahre ist, kann die Predigt Gautama Buddhas keine Lüge sein. Wenn die Lehre Gautama Buddhas das Wahre ist, kann die Auslegung von Zendō keine Lüge sein. Wenn die Auslegung von Zendō das Wahre ist, wie könnten die Worte Hōnens das Unwahre sein. Wenn die Worte Hōnens das Wahre sind, dann muß es auch das Wahre sein, was* (ich) *Shinran sagt.* Tannishō, a. a. O., S. 774f.

144 S. unter II,1 meines Artikels.

145 S. Shinran, a. a. O., S. 20.

146 Shinran, a. a. O., S. 1. Vgl. auch die Gedanken im NT, etwa Mk 1, 15a, auch Apk und Paulinen. Siehe auch im Exultet der Osternacht: *o felix culpa, quae talem ac tantum meruit habere Redemptorem.*

147 Vgl. Das Sutra der Meditation, a. a. O., S. 48ff.

148 Vgl. Das Große Sutra, a. a. O., S. 9.

149 Damit drückt Shinran aus, daß die Rettung der Bösen der Grund für das Gelübde Amidas ist, so daß das Gedankengut von Akuninshōki schon bei Shinran zu finden ist.

150 Vgl. Bukkyōgaku Jiten, a. a. O., S. 400.

151 Vgl. ebd., S. 401.

152 Shinran Jiten, a. a. O., S. 193.

153 Vgl. Kōjien, a.a.O., S. 468.

154 Kadokawa Kan-Wa-Chū Jiten, a.a.O., S. 48.

155 Vgl. Ōhara Shōjitsu, a. a. O., S. 327.

156 Vgl. Shinran, a. a. O., S. 143.

157 Es sind die Lehren, die zur Zeit Gautamas in Indien verbreitet gewesen sein sollen.

158 Shinran, a. a. O., S. 143.

159 Das Große Sutra, a. a. O., S. 9.

160 Vgl. II, 2.

161 Shinran, a. a. O., S. 147.

162 Ebd., S. 148.

163 Ebd., S. 147.

164 Das Sutra der Meditation, a. a. O., S. 50f; Shinran, a. a. O., S. 147f.

165 Vgl. das Brudersein Jesu in Heb. 2,11–18.

166 Amida war also auch ein Boddhisattva, als er die 48 Gelübde ablegte und die Tat vollbrachte, um Ōjō für alle zu ermöglichen.

167 Vgl. Kadokawa Kan-Wa-Chū Jiten, a. a. O., S. 552.

168 Vgl. Bukkyōgaku Jiten, a. a. O.,S. 141.

169 Vgl. Kadokawa Kan-Wa-Chū Jiten, a. a. O., S. 134.

170 Vgl. Bukkyōgaku Jiten, a. a. O., S. 141.

171 Zendō, a. a. O., S. 495f.

172 Vgl. Hoshino Genpō, a. a. O., S. 93f; Kaneko Daiei, a. a. O., S. 70ff.

173 Shinran, Kōsōwasan, in: Zensho, Bd. II, S. 501.

174 Ebd., S. 508.

175 Hoshō (法照) und Shōko (小康) sind chinesische Jōdo-Buddhisten, die nach Zendō lebten. Von ihnen wurde gesagt, daß sie wiedergeborene Zendō seien.

176 Shinran, a. a. O., S. 508.

177 Ebd., S. 513f.

178 Furuta Takehiko, Shinran Shisō-sono Shiryōhihan (Gedanken Shinrans – Kritik an der Historizität des Materials), Tokio 2. Aufl. 1976, S. 120.

Eschatologische Horizonte in der Wissenschaftsgeschichte — Ein Symptomenkomplex für Entzugserscheinungen?

Klemens Funk

Vorbemerkung

Die Beobachtung, daß die Eschatologie eine dominierende Thematik in der neutestamentlichen und (mit anderen Schwerpunkten) auch alttestamentlichen Exegese darstellt, wissenschaftsgeschichtlich zu ergründen, kann nicht ohne weiteres von der Einsicht in die Notwendigkeit abgehängt werden, die Legitimation solcher wissenschaftstheoretischen Begründung selber der Kritik auszusetzen. Sieht man für die thematische Genese die Verknüpfung mit der Entwicklung geschichtlichen und daran anschließend des hermeneutischen Denkens und die Beheimatung derselben in jener Rationalität, die auch die Entfaltung und Verselbständigung des naturwissenschaftlichen Denkens heraufführt, so kann der Auftrag nicht übersehen werden, diese historische Beschäftigung mit einer Klärung des Geschichtlichen zu unterfangen, wenngleich dieser Begründungs— und Ergründungsversuch, der nicht nur auf die "Ursachen", sondern auch auf die (welche?) "Konsequenzen" sich erstrecken müßte, nicht weiß, ob er die Heraufkunft des Geschichtlichen als Geschicklichen — wovon auch die Eschatologie in ihren Geschichten zu reden versucht — nicht eher verstellt.

Dieser Aufsatz will also

- die wechselseitige Verwiesenheit theologisch–geschichtlichen Denkens der neueren Exegese zum geschichtsphilosophischen Denken und dessen Erben zeigen, wovon auch das Denken der systematischen Theologie betroffen wird,

- die Vorstellungsrepräsentanz dieser Vergessens– und Erinnerungsarbeit charakterisieren,

- dieses Charakteristikum hermeneutischer Arbeit auf den Hintergrund des Arbeitsethos neuzeitlicher Wissenschaft projizieren,

- den Versuch wagen, in der Wiederholung den Verdrängungsmechanismus zu erspüren und auszuhalten, der die Wiederholung konstituiert und sich immer doch dabei entzieht.

I. Historie, eine Entfernung der Bilder – Überlegungen zur Motiv*geschichte* der Vorstellungsrepräsentanz

1. Dominanz der Bedeutung – Verlust des Blickes?

Eine Antwort auf die Frage, weshalb die Eschatologie im Laufe der testamentlichen Forschung zu einem Problemkomplex geworden ist, finden wir schon in der Zwischenbilanz A. Schweitzers zur Leben–Jesu–Forschung: "Sie zog aus, um den historischen Jesus zu finden und meinte, sie könnte ihn dann, wie er ist, als Lehrer und Heiland in unsere Zeit hineinstellen. Sie löste die Binden, mit denen er seit Jahrhunderten an den Felsen der kritischen Lehre gefesselt war, und freute sich, als wieder Leben und Bewegung in die Gestalt kam und sie den historischen Menschen Jesus auf sich zukommen sah. Aber er blieb nicht stehen, sondern ging an unserer Zeit vorüber und kehrte in die seinige zurück" (1). Diese Feststellung könnte ebenso angesichts der Prophetenforschung zutreffen, die sich ja auffallenderweise in den normativen Vordergrund der alttestamentlichen Exegese geschoben hat. Ja nicht von ungefähr wurde in der "literarkritischen Schule" (Wellhausen, Duhm) Jesu Wirken im Licht der vorexilischen Prophetie zu erhellen versucht: mit ihm endet die "Verpuppung" des Gottes der Propheten "in einer kleinlichen Heils– und Zuchtanstalt", die nach dem Exil begonnen hatte (2).

Erfolgte die Her-stellung des Prophetischen durch "historische Geistreichigkeit" (Schweitzer), so zeigte sich dem Blick der redaktionsgeschichtlichen Analyse spiegelbildlich die eigene methodische Vorbelastung: "Historie" wird nicht außerhalb der "Geschichte" betrieben (3), jeder Zugang wird durch die Hypothek des eigenen Interesses erkauft und trägt zur Tilgung dessen bei: Die hermeneutische Kritik dieses systematischen Fehlers von H.S. Reimarus, nämlich das eigene Leitinteresse nicht hinter der Erhebung des "historischen" Bildes (hier eines politischen Jesus) abblenden zu können (4), rückte die Problematik von Ereignisgeschichte (Historie) und Wirkungsgeschichte (Geschichte) (5) in den Vordergrund. Ob allerdings z.B. in den Versuchen hermeneutischer Philosophie und der Wissenschaftstheorie mit dem Problemkreis der Applikation eine Vermittlung der historisch-geschichtlichen Komponenten abgründig genug gedacht ist, ja ob das Postulat einer Universalgeschichte (W. Pannenberg) tatsächlich mehr ist als eine methodische Konzeption zur Rehabilitierung des eigenen Ansatzes, die ebenfalls von der Kritik am wirkungsgeschichtlichen Denken dabei ertappt wird, die Rolle der konstruktiven Ermächtigung und Herstellung von (erwarteten und brauchbaren, d.h. mithin einer Bedürfnisgeschichte genügenden) "Ereignissen" weiter zu spielen, diese Fragen sollen im vorliegenden Aufsatz gestellt werden. Möglicherweise läßt sich im Ansatz vielleicht weniger der Versuch als das Anliegen erkennen, das "zweite Gesicht" geschichtlichen Denkens hinter seiner alltäglich funktionierenden Leistung der Ermächtigung zu erahnen.

Ich vermute, daß der Problemkomplex Eschatologie nicht nur einen Gegenstandsbereich bezeichnet, sondern auch eine Methodengeschichte zugehörig hat. Als solcher wäre Eschatologie auch im

Denken der neuzeitlichen Wissenschaftstheorie ein Faktum (6). Ich vermute aber eine weitere Faktizität von Eschatologie, sei es die eines Deutungsmusters religiöser Erfahrung (in den Versuchen archäologischer und teleologischer Adaptation an Zeit-räume) (7), sei es eine Form geschichtlicher Lebenspraxis. Dieser letzteren Form von eschatologischer Faktizität eignet möglicherweise eine Intelligibilitätsstruktur, wo nun alle Versuche verstehender Deskription an ihre Grenze kommen, indem sie Eschatologie als "Form" der Lebenspraxis lediglich als bloße Anschauungsform oder als regulative Idee (8) oder als Gruppenprozeß verstehen können. Dieses aufklärerisch rationale Mißverständnis kann sich durchaus wirkungsgeschichtlich begründen, betrachtet man z.B. den normativen Einfluß eschatologischen und apokalyptischen Denkens auf jene im Lauf der Religionsgeschichten immer wieder auftauchenden chiliastisch-messianischen Gruppierungen und ihr ethisches (rigoristisches oder laxistisches) Verständnis im Hinblick auf Eschatologie bzw. Apokalyptik (9). Daß sich hier Eschatologie bzw. Apokalyptik auf Ethik reduziert ist ein Symptom nicht nur dieser sogenannten sektiererischen Gruppen (die gerade wegen ihrer Nähe zur infektionsbereiten Großgruppe als solche abgestempelt werden mußten), sondern diese Reduktion stellt den Versuch dar, sich in eine Position, in ein praktisches Verhältnis zu jener ersten und letzten Möglichkeit zu bringen, die alle verbleibenden Möglichkeiten zwar als notwendig erscheinen läßt, sie aber doch ins Vorfeld des bloß Möglichen und möglicherweise Wirklichen angesichts der einzigen Möglichkeit und ihrer "absolut anderen" (P. Ricoeur) Wirklichkeit verweist. Jedes praktische Verhältnis angesichts eines eschatologischen Horizonts muß sich aber sogar über seine Vorläufigkeit desillusionieren lassen (vergleiche die Vernichtung der Praxis durch die "Arbeit" der Askese bei den Wüstenvätern der Mönchstradition mit S. Becketts "Warten auf Godot"): läßt sich der eschatologische Blick kontemplativer als durch Praxis austragen?

Und damit stellt sich an den kritischen Historiker die Frage, welche Stellung seine Beschäftigung mit Eschatologie, gesteht er ihr die Möglichkeit bzw. Wirklichkeit zu, für bzw. als Lebenspraxis relevant geworden zu sein (wobei diese eine Wirklichkeit sein kann, aber nicht ihre letzte Wirklichkeit sein muß), beziehen kann und müßte. Es legt sich also nahe anzunehmen, daß in einem Zeitalter der totalisierenden Praxis, die alles, Natur, Mensch und Welt und überdies das Gottes–"Problem" (als solches ist Gott ein der Praxis zugänglicher Gegenstand) zu bewältigen versucht und sich darüber Einsicht erarbeitet, gerade eine hermeneutische Verwandtschaft zu bislang praxis–widerständigen Erscheinungen herausgearbeitet wird und damit diese der Praxis für ihren Prozeß der Praxiswerdung erschlossen werden. Andererseits vollzieht solche Beschäftigung mit der Geschichte möglicherweise historische Verlaufsformen nach, indem sie gerade Praxis in die Abhängigkeit einer Praxistheorie zurückstellt und sich so gegen den universellen Anspruch einer im Kontext von verschiedenen Praxen (nur vorläufigen) Praxis wehrt. Macht sie aber diese Desillusionierung, die in der Genesis der neuzeitlichen Wissenschaftsentwicklung zu beobachten ist, nicht zu ihrer konstitutiven Illusion, wenn jede Kritik einer Praxis selbstverständlich wiederum nur aus einer Praxis kommen kann und darf? Ich versuche im II. Teil meiner Arbeit gerade dies am "Beispiel" eschatologischer bzw. protologischer Usurpation zu zeigen, die nämlich das Zueinander von Protologie und eschatologischem Vorbehalt in der Normativität der Korrekturleistung (Descartes) einfriert und damit dieses Zueinander verwandelt tradiert und neu zusammenbestimmt (anders als die Geschichtskonzeptionen des Mittelalters).

De- und konstruktive Kritik – beides ist Praxis – verläßt mit ihrem Zeigen selber nicht die Praxis, möglicherweise aber gewohnte Praktiken; sie könnte evtl. sehen lassen, daß Praxis abkünftig und als solche immer Schein ist (10). Solche Kritik kann vielleicht darin unpraktischer werden, daß sie selber ihre Organisation, die Praxis zu wahren, entdecken läßt. Dann müßte uns aber ein Denken aus der Erfahrung der Geschichte gegen die Geschichte gelingen (ein "Denken", aber eben nicht nur im Sinne von "Bedenken").

Wiederum hat A. Schweitzer die Verschränkung von rationalistischer Konstruktion und dem davon abhängigen Geschichtsverständnis hervorgehoben (11), wobei deren "feed–back" erst Wirklichkeiten schafft (als Historizität vergangener Fakten) und deshalb appellativ (für die Realisation eines zukünftig Vorgestellten) sich aus–wirkt (12). Die Auslegung des Anspruches prophetischer (13) Botschaft als Appell (Ruf der Entscheidung) (14) ist stets die Maske, die die methodische Herausarbeitung und (ethische) Aufbereitung des Anspruches (durch den Propheten selber bzw. seine Redaktoren) diesem selbst verliehen hat. Ja die Zugänglichkeit wird unter dem methodischen Prinzip der Deskription schlechthin vorausgesetzt, und damit wird dann auch die Möglichkeit eingeräumt, Handlungs– und damit Appellationsraum (15) zur Verfügung zu haben. Kein Appell "re"–flektiert seine Eingebundenheit anders als in der apriorischen Setzung seines Entwurfs: ob "Wasser" oder "Land" (Erlanger Schule), nie wird die Substanz, der "Unterbau", im Vorgang des Appellierens (ap-pellere – *land*en) selbst ergründet; es werden die Wege nur zurückgelegt, nicht gebahnt; appellativer Gehorsam ist damit Einbindung, seine Bewegung bloße Bodenständigkeit, ohne daß der Grund allerdings heimatlich wird: Verflüchtigung der (vorläufigen) Zwecke (zu Mitteln zum Zweck), aber so, daß "Zweck" selbst als Fluchtpunkt richtungsweisend bleibt. Appellation versucht zwar die *Normativität* des *Faktischen* bzw. den "vorausliegenden Grund" im Sinne substanzmetaphysischer Normierung zu überwinden; gelingt diese Überwindung aber nicht gerade durch die Antizipation eines Fluchtpunktes, unter dessen Perspektive alle Verflüchtigung zu stehen kommt und unter der somit die *Faktizität* des *Normativen* letztlich anerkannt wird?

Der Unterschied zwischen prophetischer Botschaft und Rezeption ist aber nicht mit einem informationstheoretischen Modell von Input und Output, von Befehl und (vermeintlicher) Befolgung (16) zu beschreiben (wie es der literarkritischen Schule nach unserem heutigen Wissen als Hintergrundtheorie diente), auch beruht er nicht allein darin, daß prophetische Botschaft genuin wäre gegenüber epigonaler Adaptation an bestehende rezeptive Horizonte; vielmehr muß sich auch die Prophetie auf Bilder und Bildgeschichten berufen (Hoseas Wüstentradition: vgl. Hos 2,16ff; 11,1ff u.ö.) und ihre Botschaft darin ausbilden. Für "die Predigt Jesu vom Reiche Gottes" hat dies J. Weiß als erster in der neueren Exegese hervorgehoben und sich damit allen Versuchen, rationalistisch ein Jesus—(vor—)bild zu gewinnen, entgegengesetzt (17). Doch eignet dieser Bebilderung eine spürbare Verfremdung, die die Bilder aus dem Bannkreis der (z.B. rationalistischen) Fläche (18) in den Raum oder, mit Lacanscher Terminologie, in die "Feldtiefe" entläßt (19).

Sogar der Verlust des Raumes flüchtet sich ins Bild: die "Geschichte" des handelnden Jahwe, eingefroren auf Typiken, kann gelernt werden, und wer sie abzuschreiten weiß, kennt ihre Zukunft, da sie sich selbst den Blicken einer "hybriden Gnosis" (20) nicht entzieht. Während weisheitliche Lehre der geschichtlichen Distanzierung ent—spricht (21) (Entsprechungsmotive weisheitlicher Lehrrede sind ein Paradigma ihrer Methodik), weiß prophetisches Wort um die Entfernung, den Entzug des Bildes, das durch die gewonnene Perspektivik nicht mehr zu erkennen ist. Dem entspricht nicht nur die perspektivische Mehrdeutigkeit eines Bildes ("Wüste", in: Hos 2,5 und 2,16), sondern auch das beredte Scheitern der Evokation dieser Bilder (vgl. Jer 2,13 mit 15,18; vgl. ebenso Hos 2,14 oder 5,3 mit 2,23f, wo Jahwe baalitische Eigenschaften zugedacht werden), das für Jesaja sein prophetisches Schicksal charakterisiert (Jes 6,9ff). Gerade der quälende Verlust des Entzugs, das Erinnern des Vergessens, räumt nicht dem Begehren den dominierenden Platz ein: verstehen wir "Begehren als Vergessen"(22), so muß die Entfernung zu den Bildern so eine Art Vergessen—wollen dieser Distanz sein (Ent-fernung), worin die Bilder keineswegs unbeschadet überdauern, um für eine Zukunft heil gerettet werden zu können. Ist nicht der *verkündete* Untergang selber Ausdruck einer Perspektive, die sich durchstreichen muß (vgl. Jer 15,10), ist er nicht Destruktion der Bilder, die für die Usurpaten (und als solche entlarven sich alle "Erben" solcher "Verkündigung", da es gerade hier nichts zu retten gibt!) nur unter der Möglichkeit zu ertragen ist, das Prophetenschicksal selber ins Bild zu bringen (23)? Vielleicht ist dies die Psychogenese jener Manier, Protojesaja als Heilspropheten retten zu müssen, um die Angst, deren Blindheit alles zunächst ist, auch auf eine Seite im "Bilderbuch" (24) der Welt zu beschränken.

2. Erinnerung, Ausblick, Deutung: Jenseits von Wille und Vorstellung?

Für solche Auslegungsgeschichte scheinen mir Befindlichkeiten leitend zu sein, wie sie M. Heidegger in "Sein und Zeit" (in: "Die Grundbefindlichkeit der Angst als eine ausgezeichnete Erschlossenheit des Daseins") charakterisiert. "In der Angst begegnet nicht dieses oder jenes, mit dem es als Bedrohlichem eine Bewandtnis haben könnte. Daher sieht die Angst auch nicht" (wie die Furcht) "ein bestimmtes 'hier' und 'dort', aus dem sich das Bedrohliche nähert. Daß das Bedrohliche *nirgends* ist, charakterisiert das Wovor der Angst . . . 'Nirgends' bedeutet aber nicht nichts, sondern darin liegt Gegend überhaupt, Erschlossenheit von Welt überhaupt für das wesenhaft räumliche In—Sein" (S. 186). Verfolgt man die Analyse der Angst bei Heidegger, so eröffnet sich eine interessante Perspektive im Hinblick auf die Eschatologie, hier verstanden als Gegenreaktion oder besser als Vorstellungsrepräsentanz dieser Erfahrung der Angst: der Entwurf einer heilen Welt, die nicht in dieser Welt sein darf, ist die ontische Möglichkeit der Angst im Verfallensein ans "man", die die "Angst" umgibt (Protologie/Eschatologie) und so die Angst, ("die ihrerseits Furcht erst möglich macht"), auf *ihre* Weise "beengt" ob jener Nähe, die alles möglich macht (gleich—gültig) und deshalb "unheimlich" zu nennen ist. Verraten nicht die eschatologischen Bilder unserer Sprache (Heimat, die letzte Wirklichkeit, andere Welt ...) gerade einen Symptomenkomplex der Grundstruktur Angst, was auch noch in soziologischer Hinsicht für die "Verfallenheit ans man" spricht. (R. D. Laing interpretiert Eschatologie als Gruppenbildung). Da die Angst nicht nur "Angst vor ..., sondern als Befindlichkeit zugleich Angst um ..." ist, "wirft sie das Dasein auf das zurück, worum es sich ängstigt, sein eigentliches In—der—Welt—sein—können" (S. 187): Behält nicht diese Sorge eschatologische Jenseitswelt auch jenseits der Utopie im Bereich der Möglichkeit zurück?

In diesem Punkt setzt die neuzeitliche Religionskritik an, wenn sie den eschatologischen Zügen der Religionen vorwirft, damit sich gegen die Eigentlichkeit der Welt zu sperren. Die Religionskritik selber aber liefert sich mit ihren Versuchen appellativer Befreiung zur Eigentlichkeit dem selben Mißverständnis aus, Angst nur ontisch zu deuten: auch der Appell (25) hält sich im Unheimischen auf ("Verbesserung der verbesserten Welten", Brecht), ja er verflüchtigt zwar die Ziele, aber nicht den Zielgedanken, seine eigene Thetik. Die geschichtliche Entwicklung der religionskritischen Praxis zeigt zwar jene Angst vor Zielen, begreift sie aber nur vorläufig und nicht auch als "Angst um . . .". Vielmehr wird dieser Angst begegnet immer nur durch die Angst vor der "Angst um . . .", und damit die Gegend nicht gesehen, in der man sich ver—hält.

Vielleicht könnte man die Entwicklung der Hermeneutik als den Versuch erkennen, das Licht in ein Bild zu sammeln, in ein Bild, das immer schon Vorbilder und Abbilder kennt, also eine Bild (ungs)geschichte hat; das bedeutete dann doch den Versuch, die Gegend der Lichtung in einem Bild zu fassen und zu umgrenzen: Prophetisches Leben, so sagten wir, streicht sich durch: die Kunde davon aber gibt diese Destruktion konstruktiv auf, (sie erbaut), sie versteht den Entzug als Verbergen, das aber allerorten erkennbar ist. Und in dieser Verlaufsstruktur von Leben und Sprache, Phänomenen und Deskription verbirgt sich (oder entzieht sich) das Drama der Angst, deren Druck im Nacken man vor lauter Zuhandenem gar nicht mehr spürt, ja die abzuarbeiten ist und abgearbeitet werden kann, weil sie "so ist", wie sie erfahren wird und d.h. eben nur als zuhandene erfahren wird.

Da jeder Prophet eben in der Gefahr steht, als Botschafter verstanden zu werden, und jede Botschaft, auch die der Verstockung, an irgendeinem Punkt einnehmbar erscheint, und sei es auf dem Weg der Flucht, ja weil prophetische Existenz gerade dieses Schicksal der Flucht auf dem Hintergrund der Angst selber verkörpert, der Prophet sozusagen mit auf die Flucht genommen wird, scheidet sich an ihm Religion und Moralität. Um dies zu erklären, erinnere ich an meine Unterscheidung von prophetischem Leben und prophetischer Botschaft: prophetisches Leben wird immer schon als prophetische Botschaft tradiert — ohne diese sagte es nichts, aber sagt es als solche alles? —, als Bild für die Treulosigkeit Israels

(Hos 1, 2) oder die Unabänderlichkeit der Zukunftslosigkeit (Jer 16, 1ff). Der Priestersohn Jeremias klagt geradezu darüber, daß er unter der Botschaft von allem, was das Leben eines Gerechten erträumen läßt, ausgeschlossen ist, und sucht er noch nach einem Bezugspunkt seiner Lage, dann müßte er Jahwe als ebenso treulos wie Baal entlarven, als "rissigen Brunnen" (vgl. Jer 2, 13 mit 15, 18), als Trugbild. Er findet wie Hiob keine Vorbilder, die ihn über sein "Bild" verständigten, außer Trugbilder – oder lockt gerade die Vorbildlosigkeit, die Unähnlichkeit und Häßlichkeit seiner Gestalt, das Begehren in die Falle, in die Falle des Blickes (26) ? Sieht aber dieser Blick im Erblickten sich als Vorbild (Israels), wenn wirklich niemand sonst diesen Blick hat, am wenigsten Israel selbst? Oder dauert der Blick hier geradezu an, ohne sich in Bilder zu verflüchtigen? Und das gerade in jener Botschaft des andauernden Blicks, die besagt, daß keiner überdauert (Jer 16, 4). Gerade für Jeremia läßt sich zeigen, daß hier die Botschaft die seines Lebens ist, und nicht sein Leben Bild seiner Botschaft. Zumindest für ihn selber bleibt das Leben (auch) außerhalb des Kreises des Bildhaften.

Welche Sehnsucht entbirgt sich einem Begehren, dieser Flucht in Grenzen (27) (auf eine Grenze hin auf dem Weg von einer Grenze her), so daß sie einen Lehrer finden möchte, der den Blick auf die und über die Grenzen hat (28)? Fr. Nietzsche erspürt die Sehnsucht als den "Schmerz der Nähe des Fernen", doch diese Besinnung wich dem Willen zur Grenze, der aber auch nicht im starren und hypnotischen Blick die Grenze feststellt und wie eine Beute (der man nachstellt) in der Vorstellung festhält und sie damit herabsetzt (29); vielmehr will sich der Wille von diesem Widerwillen erlösen, aus der Rolle, in die ihn sogar noch der Widerwille als Willen gezwungen hat. Und so verspürt sich das Nachstellen des Willens, die "Rache" des Willens, in der Rächung des Widerwillens: als nachstellender Wille, der vom Widerwillen gewollt ist. Und darin besteht Zarathustras Hoffnung, die Hoffnung des Lehrers der ewigen Wiederkehr des Gleichen *und* des Übermenschen, ". . . daß der Mensch erlöst werde von der Rache: das ist mir die Brücke zur höchsten Hoffnung und ein Regenbogen nach langen Unwettern" (30). Diese Verschränkung von "ewiger Wiederkehr des Gleichen und Übermensch" ist auch "des Willens einsame Trübsal": "nicht zurück kann der Wille wollen; daß er die Zeit nicht brechen kann und der Zeit Begierde – das ist des Willens einsamste Trübsal" (31); und diese Hoffnung will auch in der Versöhnung über die Reflexion der "Rache selber", die "des Willens Widerwillen gegen die Zeit und ihr 'Es war' "(32), hinaus: die Versöhnung wollte nicht über den Kreislauf der Rache hinaus, proklamierte sie eine Zukunft des Trostes und des Schutzes, die wiederum nur an die Begierde des "Es war" erinnerte. Sie will eine "Läuterung der Strafangst und des Schutzbedürfnisses", die "ein und denselben Prozeß bilden", den "Nietzsche den 'Geist der Rache' genannt hat" (33).

Kann sich dieser Wille selber (widerwillig) fragwürdig werden, ohne nur die eigene Mächtigkeit in der Reflexion zu wiederholen? Nietzsche selbst stellt diese Frage aus dem Horizont des Willens heraus: "Höheres als alle Versöhnung muß der Wille wollen, welcher der Wille zur Macht ist –: doch wie *geschieht*" (Hervorhebung durch C.F.) "ihm das?". Und er stellt die Frage sogleich in ihren bekannten Ausgangspunkt zurück, indem er fortfährt: "Wer lehrt ihn auch noch das Zurückwollen?"(34). In dieser Verschränkung, wo Zarathustra nicht nur Prophet (35), sondern auch Lehrer ist und das in einer Person, liegt auch schon die Gefahr, "der Anklage der Anklage" (36) verhaftet zu bleiben, sich ihrer Mächtigkeit zu erinnern und sie einem neuen Besitzer zu fügen. Kann ein "Gesicht" weitergetragen werden ohne sich vom Mysterium in ein Rätsel zu verwandeln? "Und wie ertrüge ich es, Mensch zu sein, wenn der Mensch nicht auch Dichter und Rätselrater und der Erlöser des Zufalls wäre!"(37). Diese Verschränkung in der Person des "Fürsprechers" Zarathustra entpuppt sich im Lehrer als Identifikationspersönlichkeit, als Bezugsperson, wenn Zarathustras Jünger fragen: "Wer ist uns Zarathustra? Wie soll er *uns*" (Hervorhebung durch C.F.) "heißen?". Und dieselben stellen sich fragend die Antwort zu: "ein Seher, ein Wollender, ein Schaffender, eine Zukunft selber und eine Brücke zur Zukunft; und ach, auch noch gleichsam ein Krüppel an dieser Brücke: das alles ist Zarathustra" (38). Kann aber nicht auch die Sehnsucht "zum Götzendienst des Tatsächlichen" führen und den Totalitarismus des Idols entfalten, vor dem man "hurtig auf die Knie geht und nun die ganze Stufenleiter der 'Erfolge' abkniet"(39)? Nehmen wir an, der Lehrer wisse allein: "daß, was er lehrte, ein Gesicht bleibt und ein Rätsel. In diesem nachdenklichen Wissen harrt er aus" (40); so müssen wir dem Nachfragen schon mißtrauisch werden, ob denn das, was sich erfragen läßt, noch im Beharren beheimatet ist! Wenn sich der Auftrag des Zudenkenden in Frage begibt, öffnet sich dann nicht ein Buch, das für "keinen" geschrieben ist, jedermann? Diesen Auftrag gab Nietzsche in seinem "Propheten" mit, ein Buch zu lesen – d. h. zu sammeln aus der Sehnsucht, dem Heimweh, der Wiederkunft, um an ihr zu genesen und heimzukehren –, als ob es nicht für die Alltäglichkeit des Jedermann geschrieben wäre, also für keinen(41). Da dies aber im Anspruch des zu erhörenden Wortes des Lehrers zu bergen und nicht in wortmächtiger Willkür auszukundschaften ist, das stellt Nietzsches "Botschaft" auf die Ebene prophetischer "Offenbarung": "Wort" meint hier "Urwort", "parole", das sogar Hiob wieder aufhorchen lassen kann, wie *ἀνάγκη* und *ἀρχή* Urworte griechischer Mythologie und Philosophie sind (42).

Nietzsches Auftrag versteht sich also als Verbot, das allerdings wiederum für "alle und keinen" gilt. Er richtet es in den "Unzeitgemäßen Betrachtungen" (Teil II) vornehmlich an die Historie, "an deren verzehrendem . . . Fieber wir alle leiden und mindestens erkennen sollten, daß wir alle leiden" und unter dessen Auszehrung wir das Vermögen schwinden lassen, uns erinnern zu *können*. Angekettet am Pflock des Vergangenen mit der Kette der Erinnerung, die den Menschen ins Vergessen hält. Dieses Erinnern kultiviert das Vergessen, macht es zu seiner Natur, in die es sich mit dem *eigenen* Blick einschließt, absehend vom fremden Blick und dem darunter sich kräftigenden Instinkt, herauszufühlen, "wann es nötig ist, historisch, wann, unhistorisch zu empfinden"(43). Erleidet nicht der an Gegen–wårt genesende Blick angesichts der Entfernung des gegenwärtigenden Entzugs darin jenen Rückfall, daß er zur Kultivierung dieser Distanz – um sie zu begreifen – Blüten am Baum eschatologischer Erkenntnis, in der illusionären Entfernung einer jenseitigen Gegenwelt, hervortreibt? Und doch eignet der diagnostische Blick jenem Typ des kierkegaardschen "Dozenten", den er vom "Dichter des Religiösen" ebenso unterschieden wissen will wie vom "Philosophen", der in einer Zeit der "Dürre und des Durstes" lebt (ders., Tagebücher). Wie kann und muß sich jenes "Austrägler"–denken in der Unbehaustheit ansiedeln, daß das "Zudenkende" nicht nur als "im Verlauf der Zeit sich vollziehende Objektivation des Geistes" ergriffen wird, indem es *seine* Grenzen eben nur methodisch setzt und sie zum Garanten ihrer Wirklichkeit und Effektivität macht, die Grenzen also vernünftig *vereinahmt* (44)?

Gerade darin besteht die Macht "historisch–geschichtlichen" Denkens nicht nur der Geisteswissenschaft, sondern auch der abkünftig und reproduktiv mit ihr verbundenen Naturwissenschaft (45), und schließlich auch beider mächtiger Schutz, mit dem sie sich durch die Ausarbeitung der Zugänge (Methoden) und der Feststellung des Gegenstandsbereiches gegen Übergriffe immunisiert haben. Während das Prinzip Wiederholung auf der Ebene des (geistes- und naturwissenschaftlichen) "Experiments" Produktion (im Sinn der Reproduktion) und so Her–stellung unter dem Prinzipat der Verfügbarkeit bedeutet (auch "Sinn und Zweck", einstmals dasjenige, was den Prozeß des Produzierens überholt, werden erarbeitet – Stiftungsarbeit – und erhalten so ihren neuen Ort als Arrangement für Arbeit als oberstes Ziel und letztes Sinnkriterium), läßt die suchende Wiederholung auf–hören und überrascht. Jene Wiederholung, wie sie im Gang des mythischen Sprechens und Hörens begegnen kann, die Blindheit des Verstehens, wie sie den "Ödipus auf Kolonnos" oder Mose am brennenden Dornbusch überrascht (46). Wenn die Wissenschaftslogik als Versuch der Installation von "Verstandesmythen" heute noch (in abnehmendem Maß) kritisiert werden kann, dann verrät diese Möglichkeit eventuell noch etwas von jener Geschichte und Geschicklichkeit der Wiederholung. Der Mythos, oder besser: der erzählende Wille des Mythos gewinnt nicht erst seine wahre Gestalt in der Funktionalität, nämlich jenseits der Blindheit des Verstehens verständlicher zu werden, wie S. Freud meinte und damit freilich auch ein Anliegen der redaktionsgeschichtlichen Arbeit am und mit dem Mythos richtig erkannte (– nur durch solche Arbeit haben wir Mythen, "haben" wir aber Mythos?); aber diese Art von Wiederholung verspielte trotz dieser Arbeit, ihn erinnerlich zu tradieren, nicht die Erinnerung in ihm über der Bedeutung für ein Realitätsprinzip (47).

Wird durch I. Kants Religionskritik Religion in ihren – recht verstandenen – Grenzen zum Ideal der Moralität und damit der praktischen Erkenntnisleistung des Menschen, so scheint Nietzsches Religionskritik, so verstanden, noch von zu schwachem Willen getragen, die auch im Aufspüren der Vorbildlichkeit (wie bei Kant) dem Geist der Rache verpflichtet bleibt und als solche so wenig vom Übermenschen hervorgebracht wird, da und daß sie gerade ihre selbstgewählte Abhängigkeit nicht als eine Form des Bedürfnisses (48) (in Verbot und Wunsch) erkennt (Freud). Dieses böse Spiel, das den Einsatz der Angst (Realitätsprinzip) durch den Preis des Wunsches (Lustprinzip) zum Investment macht, wird allerdings auf dem Spielplan eines guten Spieles, der "Sehnsucht nach dem Vater", dem Inbegriff des Verbotes und dem idealen Vorbild aller Wünsche schlechthin, taktiert; Nietzsche hält die Welt einer Mythologie des Spiels, jenseits von guten und bösen Spielen, für fähig; er glaubt in diesem Kreislauf von Angst und Wunsch, von Schutz und Trostbedürfnis, in diesem Spiel der Flüchtigkeit und Zuflüchtigkeit vom Fort im Da und umgekehrt (49), die Möglichkeit der Wiederholung, die etwas anderes ist als Kreislauf und Wiederkehr, festmachen zu können. Dazu versteht er dieses kreisläufige Spiel als "Repräsentanz dessen, was nicht da ist", wie Lacan im Anschluß an Nietzsche und Freud formuliert. Und dieses Spiel der "Repräsentanz der Vorstellung" mit Ernst, mit spielerischem Ernst zu spielen, diese Hoffnung auf jenes Spiel kündet Zarathustra, Lehrer und Hoffender zugleich und als solcher auch in der unbelehrbaren Belehrsamkeit der Propheten stehend.

Glaubte die Theodizee, das Denken an Gott und auf ihn hin schützend ermöglichen zu müssen, so gewinnt Nietzsche die Vorstellung dieser Repräsentanz zurück, indem er ihre vermeintliche Leistung als Schutzbedürfnis entlarvt und sie in die Besinnung auf ihren Willen, die sich allerdings seinem geschichtlichen Blick nur über die Notwendigkeit eines Schutzes vor dem Gottesgedanken zeigt, führte. Wenn Nietzsches Eschatologie auf dem Weg ist und im "Nachdenken des Zudenkenden" auf diesen Weg gebracht wird, so bringt sie gerade dadurch Verständnis (das für Nietzsche aber den Anspruch der Überwindung stellte) auf für alle Reduktion eschatologischen Denkens, Hoffens und Ängstigens, ja sie läßt

Eschatologie selber möglicherweise als nötige (wenn auch nicht notwendige) Bilderwelt der Wiederholung, der es um diese Begrenzung geht und die gegen sie angeht, erstehen.

Es kann und will also im folgenden nur ein Versuch, d.h. Reduktion, bestenfalls Pluralität der Reduktionsversuche sich offenhalten, hinter allen Repräsentationsversuchen in der Theologie, der Geschichtswissenschaft und der Dichtung nicht nur Vorstellungen sichtbar machen zu wollen, sondern über das (hermeneutische) Problem, nämlich das Spiel der Vorstellungsrepräsentanz glücken zu lassen, hinaus ein ernsteres Spiel zu sehen und zu suchen, das von den Verheißungen seines Einsatzes befreit werden möchte für ein Glück, das es aber gar nicht erhoffen kann; der Grund dieser Hoffnungslosigkeit – wer weiß, ob sie nicht das Heil ist – liegt aber möglicherweise nicht nur am fehlenden Wagen des Entschlusses.

II. Zum Ethos geschichtlicher Arbeit. Überlegungen zu Eschatologie und Wissensorganisation

1. Normativität der Legitimation: Ein (Aus-)weg der Irreführung?

Die Konsequenzen der Paradieseserzählung, wie sie der Neologe J. D. Michaelis 1772 aufgrund "formgeschichtlicher" Kurzschlüsse (50) (aber nicht nur infolgedessen) ziehen zu müssen glaubte, zeigen sich in der "Erkenntnis–vergiftung" des Menschen: "Der Mensch aß von dem Baum der Erkenntnis mit den giftigen Früchten. Hierdurch verhärteten sich seine Gefäße, so daß er sterblich wurde. Hierdurch verstärkten sich seine sinnlichen Triebe, so daß seine Vernunft seitdem mit Sinnlichkeit kämpfen muß . . ." (51).

Läßt man die Schöpfungs– und Paradieseserzählung als Teile eschatologischer "Entsprechungsmotive" (52) gelten, deren Bedeutsamkeit sich allerdings nicht im AT oder NT erschöpft, dann lassen sich vielleicht sogar noch Anklänge an diese eschatologische Motivation in der Frage der Legitimation der neuzeitlichen Wissenschaftsentwicklung hören. Kopernikus treibt nach eigenen Worten das Spannungsverhältnis von philosophischer Theoriebildung und deren wissenschaftlicher Ineffizienz angesichts der "Weltmaschinerie", "die doch um unseretwillen von dem besten und zuverlässigsten Werkmeister aller Dinge geschaffen worden ist"(53), dazu an, eine neue Forschungslogik zu entwickeln, die in der Hypothesenlehre von Galilei erstmals organisiert wird. Und Kopernikus legt Wert darauf, mit der Beschreibung seiner Beobachtungen nicht gegen ontotheologische Prinzipien wie das der "constantia motus circularis"(54) zu verstoßen — das Prinzipat ontotheologischer Grundbegriffe freilich stellt er, aus welchen Gründen immer, nicht ausdrücklich in Frage.

Versteht man die Legitimation der scientia nova durch den Schöpfungsbegriff als einen von vielen Versuchen, protologische Vorstellungen in den Griff zu bekommen, also als einen Versuch der Komplementierung auszuarbeitender Welt(—vorstellung) durch einen Vorentwurf erarbeiteter (Schöpfungs—)Welt, dann trifft auch auf diesen Vorgang der Legitimation jener kopernikanische Refrain zu, daß die herausgearbeitete Korrespondenz zwischen wissenschaftlicher Welt und Schöpfungs—"Welt" "non ex parte ipsius, sed terrae vel nostri orbis" in Erscheinung trete. Dem protologischen Aspekt entspricht nunmehr die Aufgabe einer Vorversicherung des Endes, eine teleologische Struktur der erst und endlich zu erschaffenden Welt im Ganzen.

Ja gerade die teleologische Struktur der Welt, gedacht als Maschine, erinnert sich an die Schöpfung immer wieder als regulative Idee, mit der der Mensch je neu sich ins Verhältnis zu setzen habe. Schöpfung legitimiert den Arbeitsbegriff, ja sie wird nun als Arbeitsethos organisiert und nicht mehr nur erzählt: nachdem der Geist Gottes sich zur Ruhe gesetzt hat, begibt sich der Mensch an die Arbeit auf dem Arbeitsfeld zu kultivierender Welt, deren Geschichte aber eben immer wieder von dem Verständnis aufgebrochen war, sie nicht nur als "Buch" *einer* Handlung nachzulesen: gerade auch das Scheitern solch kontinuierlicher Lektüre verbirgt sich hinter den Versöhnungsversuchen auch neutestamentlicher Schriftsteller, Jesu Leben im Licht seiner Wirksamkeit und damit auf dem Hintergrund der jetzt erst völlig zur Kenntnis gegebenen Schöpfung verstehen zu können. (Birgt aber der Begriff "Neuschöpfung" nicht erst dann die völlige Erkenntnis und Wahrheit der von jeher bekannten Schöpfung, wenn man die Blasphemie noch mitdenken kann, die "sogar" noch angesichts des Jesusereignisses an die Schöpfung erinnert?) Und wiederum ist hier der Schöpfungsbegriff zu einem neuen Arbeitseinsatz tauglich geworden, wenn es nämlich darum geht, den Menschen aus der Vorversicherung des anthropozentrischen Bewußtseins, in die er auch durch ihn kam, zu drängen und die Disponibilität der Wahrheit zur Verfügung zu stellen (55). Unter der Knechtschaft und der Gesetzlichkeit mißt der forschende Mensch die Entfernung zwischen zu begreifender Ordnung und ihrer Erscheinung aus, indem er diese Kluft mit Hypothesen füllt und auf der Zuflucht in eine Ordnung (der Anthropozentrik, die eine intakte Theozentrik dann erst garantiert) zum Demiurgen wird. So ist er – verhältnismäßig bestimmt – der, der ständig "seine" Verhältnisse zu bestimmen gezwungen ist. "Der Geist erscheint . . . als der Werkmeister" (56), der seine Zwecke "in der Macht, gegen sie, durch sie" (57) schaut und d.h. jetzt erarbeitet, in einer Welt, die "auch Geist ist" und als solche die Reproduktion der "Produktion des Geistes Gottes"(58).

Wenn sich auch unter dem Paradigma "Schöpfung" der Auftrag wandelt, so bleibt doch eine gewisse teleologische Struktur durchgängig, und gerade diese ist es, die die Applikation des Schöpfungsmythos quasi als Garantieschein immer wieder restauriert, so daß sich sogar die ehemals im Paradies erkrankte und immer wieder rückfällig gewordene Vernunft durch die Relecture des Schöpfungsmythos wieder heilen kann: "im Spielraum der Hypothese salviert sich die Vernunft gegen ihre metaphysische Irreführung" (59).

2. "Benommenheit" – Selbstsicherung und Selbstleistung durch geschichtliche Arbeit?

Wenn es eine Möglichkeit gibt, naturwissenschaftliche und theologische Rede von der Eschatologie miteinander ins Gespräch zu bringen, dann muß man auch darauf achten, in welcher Weise in der Wissenschaftslogik davon die Rede ist, auch wenn diese Rede durch eigenmächtige Interessen verstellt scheint. Mir scheint diese seit einem guten Jahrhundert innerhalb und auch außerhalb der Theologie (H. Albert, W. W. Bartley, W. Kamlah, K. Popper, P. Ricoeur) nicht abbrechende Faszination über das Thema Eschatologie jenen Problemhorizont zu haben, den uns folgende Episode zeigen kann: "Ein reicher Mann kam in einer seiner wenigen Mußestunden auch wieder einmal in seinen herrlichen Garten. Als er dabei den Gärtner traf, sprach er zu ihm: Mein Garten . . .; der Gärtner lächelte." Der Anspruch der Rückversicherung des "Besitzers" war über seiner Abwesenheit, in der er sich durchaus mit Wesentlichem beschäftigte, nicht mehr einzulösen. Haben eventuell die Partikularwissenschaften mit ihrem Anspruch des Wirklichkeitsentwurfs langzeitig durch theologische Überlieferung angebotenes wesentliches Wissen in selbsttüchtige Bearbeitung genommen, ist die Theologie im Rahmen der sich ausarbeitenden Wissenschaftlichkeit zu einer untüchtigen Wissenschaft geworden, nicht nur, weil sie eine andere Sprache spricht, sondern weil sie glaubt, Sprachspiele nicht mitmachen zu müssen? Und wenn sie versucht, sich in die Gesellschaft praktizierender Wissenschaftlichkeit zu schmuggeln und ihre Sprachspiele als "Fremdsprache für den Absolutismus der Welt, des Menschen, der Gesellschaft . . . und alle Unweltlichkeit also als eine Metapher, die in das eigentliche Idiom zurückzuführen wäre" (60) zu erklären sich bemüht, setzt sie sich dann nicht dem Vorwurf aus, nur ein "Umweg der Anthropologie" (Feuerbach) (61) zu sein? Wenn sich Theologie als geschichtliche Wissenschaft verstehen kann und läßt, begibt sie sich nicht dann möglicher Diskurse, sollte sie sich nur für das wiederholte Durchsprechen typischer, d.h. freilich deutungsfähiger und bedeutungsvoller Vergangenheit entschließen können? Gehört sie dann ihrer damit verbundenen appellativen Erscheinung nach nicht zu den moral sciences?

Blumenbergs Angriff auf Bultmanns Theologiekonzept, in den "Marginalien zur theologischen Logik Rudolf Bultmanns" begonnen und in "Säkularisierung und Selbstbehauptung" mit der Gegenthese "Verweltlichung durch Eschatologie" fortgeführt, zeigt gerade in dieser terminologischen Änderung die Versuche einer

Konzeption von Geschichte: wenn die Eschatologie die Verweltlichung heraufführt, dann verliert sie ihr Gesicht in diesem historischen Prozeß und ist nicht mehr wiederzufinden; sie kann ihre Spuren nicht auch rückwärts zeigen lassen! Und auch somit ist Eschatologie nur im Entzug, d.h. ein Verlust, den keine existenziale Entscheidung je reproduzierend verstehen kann. Erinnert man sich aber immer demonstrativer fordernd des Entzugs, dann entläßt man höchstens die Geschichte in bloße Nacherzählung: das Los der Geschichte mit Eschatologie zu kontrastieren, scheint schief und führt unter dem immer trotzhafteren Beharren auf dem Entzogenen lediglich zu einer Hypostasierung von vorgestellter Eschatologie, zur Teleologie, letztlich zu einer "Geschichte" der Vorstellungen überhaupt (Heidegger).

M. Kähler (62) stellt die Dringlichkeit der Fragen nach dem historischen Jesus zurück in die Umgebung des Geschichtlichen, das sich aus der Kontinuität der Bedeutungen verwirklicht. Einerseits unterzieht er damit den usurpatorischen Wirklichkeitsanspruch historischer Begründung (S. 29) einer "strukturalen Analyse", indem er, wie L. Strauß es formuliert, den Anspruch des historischen Denkens durch den Verweis auf dessen historische Bedingungen zu reduzieren versucht: Der "Historiker als Leben-Jesu-Forscher ist immer irgendwie Dogmatiker im verdächtigen Sinn des Wortes" (S. 28) — und damit schließt Kähler sich der Kritik der historischen Schule an (63), da er, wie der christologische Dogmatiker, Geschichte als Explikat eines irgendwie Subsistierenden ansieht (wobei das Subsistierende, das Subjekt, eben immer eine zentrale, totalisierende Rolle spielt, sei es als Theozentrik mit der Konsequenz einer Heilsgeschichte oder als Anthropozentrik mit der Konsequenz einer universalen Verstehensgeschichte): indem Historiker und Dogmatiker davon reden, "was und wer Jesus Christus eigentlich sei" (S. 83), beschränken sie sich auf eine Aussage über eine Sache, wobei die Sachhaltigkeit eben durch die Korrelation zur Aussage präformiert wird.

Doch diese Entdeckung, daß die Aussage auf dem Weg, der sie zur Sache kommen läßt, nichts davon verrät, daß sie eigentlich zu *ihrer* Sache kommt, hat H.-G. Gadamer eingehend thematisiert in

"Wahrheit und Methode" (64). Einerseits verweist also Kählers Reduktion der Historie auf W. Dilthey's Bedingung der Möglichkeit des geschichtlichen Verstehens (65) auf die Schranken der Erkenntnistheorie; Kähler versteht dieses Apriori im Sinne einer Entgrenzung der Mächtigkeit (Dilthey beruft sich dabei auf Vico), die an die Stelle wirklicher Subjekte "logische Subjekte" treten läßt (66). Doch verbirgt sich ihm andererseits trotz dieser Kritik die Mächtigkeit jener impliziten Dogmatik, die das Wissen um ihre Bild(ungs)geschichte vergessen hat und sich zu einem Idol ihrer Tatsächlichkeit aufspreizte und aus solcher Verselbständigung heraus dann sogar noch die Verifikation der Schrift liefert (S. 45). Kähler diagnostiziert die "geschichtswissenschaftliche Theologie" (S. 35, Anm. a) deshalb so genau, weil er selber fürchtet, daß eine Symptomgeschichte die latente Infektion signifikant werden läßt: Heilsgeschichtliche Reprojizierung wird durch eine idealistische Geschichtskonzeption vollendend ermöglicht (S. 37f, 41, 78), welche "Person und Werk" (S. 78) zusammenfallen läßt. Der Weg durch die Instanzen des Werkes, der Wirkungsgeschichte, der Verwirklichung des Bildes wird nicht als Alteration begriffen, sondern als originäre Totalisierung des Urbildes, als der erklärte Wille des "Urhebers dieses Bildes" (S. 68). Und so kann er sagen, der wirkliche Christus ist der gepredigte Christus (S. 44), weil "das Datum eben 'unmittelbar erreichbar' sein muß" (S. 100). Er selbst, der den "Jüngern den Glauben abgewonnen" (S. 44), bleibt der Organisator auch seiner Urheberschaft, indem sie uns den Glauben abgewinnen (S. 68).

Kähler gewinnt zwar die Dimension des "Ereignisses" (67), aber er gefriert sie im nächsten Schritt ein, indem er Wirkungsgeschichte als Konservation des Ereignisses setzt und solchermaßen die Unterscheidung zwischen (fragendem) Vorverständnis und (entwerfendem) Vorbegriff (68) nicht in den Blick zu bringen vermag.

Kähler wurde deshalb so eingehend erörtert, weil im Anschluß an die skizzierte Problematik das Anliegen existenzialer und hermeneutischer Interpretation als Befreiungsversuch aus dem Geschichtsbegriff der Explikation, Manifestation und Selbstverständigung des Geistes, also aus dem Bannkreis erinnerungsverwirkter

Erkenntnisleistung herauszukommen, sichtbar gemacht werden kann. Freilich wurde in dieser Tradition die Abgründigkeit der Heideggerschen Zeitanalyse nur hinsichtlich der Möglichkeit des Gewinns neuer Zeitdimensionen gesehen und als solche zur Maxime "geschichtlicher" Arbeit erhoben, nicht aber berücksichtigt, daß die Möglichkeit sich eben nur "im Entzug gelichtet" hat. So glaubt E. Fuchs, "den vom Ursprünglichen her ins Ursprüngliche zurückziehenden Zug der Sprache selbst" (69) durch die Übersetzung, die "denselben Raum schaffen soll, den ein Text schaffen wollte, als der Geist in ihm sprach"(70), angemessen ausmessen zu können.

Weitergehend wird der Intelligibilitätsanspruch geschichtlicher Erkenntnis von R. D. Laing erörtert, der darin Heideggers Kritik an dem von der Phänomenologie nicht überwundenen "ontologischen Vorgriff, der das neuzeitliche Verständnis der Subjektivität bzw. des 'Bewußtseins' beherrscht" (71), als Kritik der am Paradigma Subjektivität ausgearbeiteten Intelligibilitätsstruktur selber zu ergründen versucht (72).

Wie Heidegger in seinem frühen Aufsatz "Der Zeitbegriff in der Geschichtswissenschaft" (73) thematisch angedeutet und methoddisch begonnen hat und in "Sein und Zeit" mit der Fraglichkeit der "Aufweisung des Weltphänomens" aus dem "Sein dieses Seienden" fortgesetzt hat (S. 72), bedarf es des "Vergessens", um sich seiner "Benommenheit" erinnern zu lassen. Erkennen selbst ist fundiert in einem "Schon—sein—bei—der—Welt" (S. 61) und damit als "Besorgen von der besorgten Welt *benommen*" (ebd.). Sein "Aufenthalt" ist defizient vom "hantierend gebrauchenden Besorgen, das seine eigene 'Erkenntnis' hat" (S. 61f, 67), die wiederum "die nächste Art des Umgangs ist", vor der davon "abzielenden Erkenntnis" (ebd.).

Der Versuch A. Kestings (74), die heideggersche Daseinsanalytik für die "Vollendung der eschatologischen Ontologie" zu applizieren, zeigt eine Gefahr des heideggerschen Grenzwegs, nämlich das "Absehen" schon als Konstitutivum des "Hinsehens" zu deuten und damit sich der "Aufsässigkeit" und dem Blick der "Umsicht" wiederum zu ergeben, als dem, "das immer noch vorliegt und nach

Erledigung ruft!" (S. 69–74). Fundamentalontologie wird ja gerade darin wesentlich, daß sie jene Nuance des "Absehens-von", die das "Hinsehen" freigibt, als das "von Nöten" "ihrer eigenen Ursprünglichkeit" wahrt (S. 62, Anm. a). Fundamentalontologie gewinnt nicht darin ihren Wert, daß sie zur verbesserten Auflage eines Intelligibilitätsprinzips der Geschichtsphilosophie wird, ja sie versteht sich vielmehr als Entlarvung der Werte vor dem wahren Gesicht des Willens zur Mächtigkeit, wobei Macht als Geschäft des Tausches von alten Positionen verstanden wird (75). Allerdings "kann auch die Metaphysik selbst" – Fundamentalontologie ist der Versuch der Verwindung der Metaphysik aufgetragen –, "d.h. jenes Denken des Seins, das sich den Namen 'Philosophie' geben mußte, nie die Geschichte des Seins selbst, d.i. den Anfang, in das Licht ihres Wissens bringen" (76), so daß die Metaphysik zwar die Gabe der "Erinnerung in den Anfang" vernehmen kann; diese notvolle Bedürftigkeit der "Er–eignung der Wahrheit" (S. 483) aber kennt die Notwendigkeit nur in der "Unruhe eines Mangels" (S. 482) und seiner Machenschaft (S. 471, 487) und nicht schon in der Wende der Not. Dächte A. Kesting von daher an das "Seinsgeschick" und dessen Zeitigung, so würde sich seine Frage nach der Apriorizität des Seins vielleicht erübrigen bzw. die Kritik einer historischen Heideggerexegese darin fruchtbar werden, daß er Zeitigung immer schon auf dem Hintergrund einer "Wertbeziehung" sieht und damit verwertet (77).

Für den Bereich der "historischen Vernunft" untersucht R.D. Laing solche impliziten Wertbeziehungen anhand von Sartres "Kritik der dialektischen Vernunft". Laing folgt Sartres Anliegen darin, daß er den Praxisbegriff jener "verschiedenen soziologischen, anthropologischen und psychoanalytischen Theorien mehr oder weniger als Teilrealisierungen irgendeines Moments . . . der Dialektik" (78) entdeckt. Dabei lassen sich das Praxisverständnis bestimmende Intelligibilitätstypen darstellen (S. 129), die immer in der Praxis totalisierend diese zur Totalität aufheben und damit den Bereich der historischen Dialektik im Sinne Sartres verlassen haben; dabei übersieht diese jeweilige Praxis – aus der Sicht der dialektischen Vernunft zu Recht als Theorie klassifiziert – den dialektischen Charakter der Totalisierung (De- und Retotalisierung, S.

99f), wenn sie z.B. den Menschen als Handlung von Mangelerfahrung und Bedürfnisbetätigung festschreibt: Es geht vielmehr nun darum, das Bedürfnis als Detotalisierung der "vollen, indifferenten, persistierenden Totalität des Anorganischen" (S. 101) zu verstehen, wodurch es den Horizont der Intelligibilität, des Selbstverständnisses verläßt. Ein solches vom Intelligibilitätstyp "Organismus" (S. 115) geleitetes Praxisverständnis bedarf des erklärenden Parameters "Funktion" (vgl. S. 102): "Der Körper hat, insofern er funktioniert, ständig ein Bedürfnis. Der Körper ist Funktion. Funktion ist Bedürfnis. Bedürfnis ist Praxis . . ." Ungenannt lehnt sich Laing mit dieser Praxiskritik an Aristoteles' φρόνεσις, das sittliche Wissen an: Das, was der Wissende weiß, "ist etwas, was er zu tun hat" (79), jeder Intelligibilitätstyp entbirgt die ihn problematisierende Inintelligibilität (S. 133); das ist seine εὐβουλία . Allerdings bedürfte diese Erkenntnisstufe eines "neuen Typs von Praxis" (S. 139), der die Praxis auf dieser Aussicht nicht einfriert und ihren prozessualen Verlauf rekonstruiert, sondern der sich selbst mit der vorhergegangenen Praxis neu gruppiert und sie praktisch mitnimmt, wie er sich durch die Rekonstruktion von ihr mitnehmen läßt: das wäre das Ende jener auch in einer sogenannten dialektischen Vernunft beheimateten Ressourcen analytischen Vernünftigseins (S. 133).

Daß die Möglichkeitsbedingungen solcher Praxis nicht durch den "Reichtum der Materialität" abgedeckt sind, also immer schon und jederzeit möglich wären, das zeigt Sartre durch seine Beispiele soziologischer Gruppenprozesse: es gelingt zwar, den Eid als Gruppenprozeß sichtbar intelligibel zu machen (S. 119): der Eid ist die Objektivierung der Furcht, "reflektive Furcht" (S. 120), "die Entfernung der Furcht wird als trügerisch angesehen". Dieser Trug erzeugt Macht in der Erscheinungsform des Terrors, eine neue Furcht (S. 121): sie versucht die Praxis auf dem erreichten Intelligibilitätstyp zu halten, ohne zu merken, daß diese Intelligibilität nicht mehr gegeben ist (S. 123). Von anderer Intelligibilität ist die Sicht Dritter, die diesen Gruppenprozeß von außen besehen und ihn als Struktur verstehen (S. 125). Die Vermittlung beider erscheint als Ohnmacht, die aber wiederum ihre Praxis besitzt (S. 133), d.h. sie kennt Ziele und Mittel, die ihr eigenen und die ihres

Gegners. Ohne diese würde sie "zur Komplizin der anderen Aktion" (S. 141). Könnte sich solches Geschichts—"verständnis" nicht nur die Ohnmacht als Struktur für eine Intelligibilität einer Praxis offenhalten (und damit nur zum Zwecke der Objektivierung der Funktion dieser Praxis (S. 125))? Könnte es in dieser Entfernung seine Handlungen versuchen, ohne wieder eine vereidigte Gruppe einzuführen, mit der Funktion der Bemächtigung über alle Intelligibilitätstypik, um ihre Struktur der Ohnmacht nicht wirklich werden zu lassen; d.h. kann Geschichte "existiert" werden, ohne die Ohnmacht in der Entfernung des Objekts zu halten?

Ich habe Laing an dieser Stelle so ausführlich behandelt, weil er Intelligibilität meiner Meinung nach im weiteren Kreis der Praxis versteht und sie ferner als Kampf auf verschiedenen Kampfplätzen entdeckt: Während hermeneutische Verfahren von der Möglichkeit ausgehen, daß sich verschiedene Interessen in einer Horizontverschmelzung finden, stimmt uns Sartres und Laings "Kritik der dialektischen Vernunft" eher vorsichtig, nämlich hinter dem "Vortuch" (Heidegger) der Interessen die ungeschützte und nicht intelligible Struktur zu sehen, d.h. eben wiederum nur zu sehen. Daß damit Geschichtsschreibung eminent schwierig, wenn nicht gar unmöglich und damit zu einem epochalen Symptom wird, ist wohl verständlich, wenn auch in Aporie.

Wo der Geschichstphilosoph von Verweltlichung redet, zeigt die Theologie auf das Weltlose, das diesem Prozeß prinzipiell widerstehen muß, auf das "Kerygma". Aber ist das, was Bultmann unter dem Begriff des Kerygmatischen faßt, nicht selbst schon aus der Perspektive auf einen möglicherweise verweltlichten Adressaten konzipiert. Anstelle der Naherwartung und ihrer Dringlichkeit, die den Lebensraum des Kerygmas eröffnet, tritt die Einmaligkeit und Unwiederholbarkeit, den Ruf zu vernehmen. Und diese existenziale Bestimmung, ist sie wirklich der bleibende Horizont, oder hat sie nicht auch ihre Geschichtlichkeit, die sich etwa deskriptiver Analyse entzieht und die sich auch nicht mehr mit dem Begriff "Gehorsam" (80) abdecken läßt: Nicht nur der Glaubensakt verlangt die "Preisgabe des bisherigen Selbstverständnisses" (81), sondern auch wissenschaftliche Weltzuwendung könnte sich (nicht nur auf methodologischem Gebiet) vielleicht einmal in der Frage befinden: Ist Kerygma ein Mythologem für eine durch Mythen vorgesicherte Epoche, gerade dann, wenn sie unter Vermeidung dieses Titels sich in mythischen Strukturen aufhält? Da sich auch Bultmanns Diagnostik, auf dem Boden historisch–kritischer Forschung entwickelt, um die Bedürfnisstruktur kümmert, die sich im Symptom Theologie geschichtlich austrägt, dürfen wir dann annehmen, daß die Heilbehandlung ein wiederholtes Durchsprechen dieser noch nicht verstandenen Ansprüche ist, also sich wie der Mythos im Vortrag zu Tage befördert (82)?

Leihen wir uns für den vorliegenden Sachverhalt eine psychologische Diagnose aus, so könnte S. Freuds Entdeckung über den Zusammenhang von Sprache und Begehren, wie er uns von J. Lacan vorgetragen wird, möglicherweise dieser theologischen Glossolalie oder "Sprachverwirrung" (83) sogar auf den Grund kommen, wobei "Grund" nur da herausgearbeitet wird, "wo es hapert" (84): "Die Hysterikerin konstituiert ihr Begehren in der Bewegung des Sprechens selbst" (85). Vertrauen wir der in die griechische Erfahrung zurückführenden Etymologie des Begriffs Hysterie (Gebärmutter), dann heißt das, daß es irgendwo im "Bauch" nicht stimmt und der "Kopf" diese Unstimmigkeit anzeigen will.

Freilich weiß jeder heutzutage, daß eine rationale Reduktion des Problemherdes zwar eine mögliche Therapie sein kann, aber die Bedürfnisstruktur dessen, was zur Sprache kam, nicht gänzlich verstanden hat. Schon dadurch, daß die psychoanalytische Deutung, die ja als Paradigma für alle anthropologischen Wissenschaften zumindest in diesem Punkt deskriptiver Analyse angesehen werden kann, sich auf die Bedürfnisstruktur stützt, verrät sie ihren Entschluß zum Vergessen: Gestellt werden kann nur das, was vor–gestellt werden kann: Die Sprache als deskriptive verstanden, wird auf die Ebene der Mittel herabgedrückt, sie liefert die Koordinaten einer bekannten Welt, in die die Lösunsworte gleich wie beim Kreuzworträtsel einzuschreiben sind. Durch die Alleinherrschaft der Deskription gewinnt die Sprache an Exaktheit und verliert an Erkenntnisgewinn (86); und so lange Deskription nur als methodologisches Problem verstanden wird (W.W. Barteley, T.S. Kuhn, K.

Popper), kann sie sich immer wieder durch die kriteriologische Effizienz regenerieren; d.h. die Technik, verstanden als Zurüstung von Natur, Kultur, Politik und Moral, rüstet sich auch die Sprache zu (operationalisierte Sprache) und läßt damit nur verwertbare Kritik zu: Um durchgängig relational sein zu können (87), muß die Sprache "vorstellende" Sprache sein, d.h. im Vorstellen von "Gegenständen" zieht sie sich nicht zurück, sondern "beauftragt" den Gegenstand zur Verwendbarkeit, die sie in ihrer Transformabilität anzeigt. Funktional ist Sprache somit nur unter den "Gestalten" verschiedener Sprachspiele, sie gewinnt an Transformabilität, je mehr sie bildhaft ist: Sprache als Abbildungsprozeß (L. Wittgenstein)?

Wenn wir eingangs an dem Beispiel neuzeitlicher Wissenschaftsbegründung sahen, daß sprachlich Tradiertes (z.B. der Schöpfungsmythos) in eine Migrationshypothese für einen zu erklärenden Kosmos transformiert wird, dann geschieht dasselbe im Laufe der Operationalisierung dieser Methodik mit dem Traditionsträger, der Sprache selber, die dadurch lediglich zum Traditionsinformanten wird. Solches könnte die Auslegungsgeschichte des Bild—"begriffs" vom (alttestamentlichen) Schöpfungsmythos bis hinein in die Applikation auf die Spracharbeit bei L. Wittgenstein bebildern.

Daß diese Umbesetzung des Bild—"begriffs" zu einem Arbeitsappell nicht nur im Bereich quantitativ naturwissenschaftlicher (also auf den Raum bezogener) Forschung sich vollzog, sondern daß sie auch — um in der Dichotomie von R. Descartes' Raum— und Zeitvorstellung zu bleiben — für den Bereich der Koordinate "Zeit" gilt, das zu sehen gibt uns vielleicht das Zeitverständnis J.G. Droysens einen Hinweis: Während er in "Der Ausgangspunkt" seiner Historik die Kantschen Konstitutionsprinzipien "Raum und Zeit" als Bestimmung des "Nebeneinanders und Nacheinanders" einführt — näherhin also die Bedingungen der Möglichkeit, nicht nur Existenzaussagen, sondern auch Wesensaussagen zu machen, womit sich ihm die Möglichkeit bietet, die Sittlichkeit als Unterordnung der "Stoffe" unter Ziele zu verstehen —, so legt er als *beobachtender* Historiker die Zeit als Zeit*raum* aus (88) und führt dazu den Begriff der Kontinuität ein: Zukunft ist nunmehr das

Nacheinander von Gegenwart und Vergangenheit (89), Wille ist Bewegung, die ἐπίδοσις εἰς αὐτό ist nicht wie bei Aristoteles der Verlust an Verzweckung, sondern die Zunahme an Zweckdienlichkeit, deren höchste das Verständnis einer gesamtheitlichen Bewegung von Natur und Kultur ist. Entsprechend deutet er die dritte aristotelische Ursache als "Arbeit", die Geschichte ist Erkenntnis*leistung* und als solche "geschichtliche Arbeit", die "das Maß ihrer Steigerung an der rastlosen Steigerung ihrer Stoffe" erhält (90). Die Menschheit als "geschichtlicher Arbeiter" findet sich in der Sprache, die sich "der bloßen Formel nähert" (91). Entgegen den Vertretern der historischen Schule (z.B. Boeckh) versucht sich Droysen von einer rein mechanischen Zeichensprache zu distanzieren, es gelingt ihm aber nicht durch den Produktionsgedanken, Sprache aus der Abbildtheorie zu retten (92): Sprache ist "Ausdruck des entsprechenden Gedankens", "die ganze Gedankenwelt legt sich in der Sprache dar", die "Sprache vermag alles zu sagen, was er (der Mensch) denkt", "jede Sprache, wie reich oder arm sie sei, ist eine in sich volle und vollständige Weltanschauung" (93). "Die geschichtliche Welt . . . erarbeitet" im Problemkreis "Wahrheit und Wissenschaft" eben die "Offenbarung", die in der Moralität als "sittlicher Vollendung" und in ihrer Theologie als "Gottesverständnis" gefaßt wird (94). Vergleicht man Droysens Wahrheitsbegriff mit dem von Drey, so hebt er Drey's dritte Etappe der Offenbarung, die sich in der Persönlichkeit, d.h. "mit eigener Kraft als Ganzes dem Ganzen gegenüber" vollzieht, auf im Verstehen des Offenbarungsgeschehens als Arbeitsauftrag (95). Obgleich dieser Argumentation bei Drey wie bei Droysen wiederum der Prodiskurs "Schöpfung" vorausgeht, kann eine solche Interpretation des Schöpfungsgeschehens (als Pate für die letzte Entfaltung des Menschen, des "Produktionsprozesses Mensch") nur gelingen, nachdem "Schöpfung" mit dem Produktionsgedanken infiziert wurde, was sich dann im Symptomkomplex zeitlicher Prozessualität offenbart (96). Beschäftigt sich die Theologie unter dem geschichtsphilosophischen Blickwinkel mit der Offenbarung, so geht sie von dem Eschaton der produktiven Erhellung des Menschen aus, die zeitlich im Präsentischen dimensioniert ist und jenen archimedischen Standpunkt schafft, "von wo aus die Dinge betrachtet werden müssen", damit "alle Ungerechtigkeiten berichtigt" sind und man nur "Weisheit" sieht, "wo einer zuvor nur Unordnung sieht" (97). Dieses Eschaton stellt alle Vergangenheit einerseits auf sich zu, andererseits wird sie als Erinnerung an den Zustand des Paradieses und dessen Erbe angesehen und verklammert somit das Eschaton mit dem Proton (98).

Die geschichtsphilosophische Eschatologie ist jene funktionale Leistung, die es schafft, ohne sich selbst als Apriori in Frage stellen zu müssen, die Verheißungen der Protologie in Anspruch zu nehmen und sich als Erfüllungsgehilfe zur Verfügung zu stellen. Sie verfährt gemäß dem Anspruch neuzeitlicher Wissenschaftlichkeit, nach dem Funktionalität Verflüchtigung des Ganzen zu Momenten bedeutet (99).

Diesen Schritt geht konsequent W. Dilthey, indem er in den systematischen Schriften von 1884–96 der Kantschen Konstitutionstheorie die Eigentümlichkeit des Erlebten als eigene Ordnung gegenüberstellt und damit dem Postulat eines Apriori entgeht (100). Der funktionalen Innenstruktur entspricht die funktionale Verflüchtigung in einem Feld von Zweckzusammenhängen (Dilthey i. U. zu Troeltsch) (101). Diese Verzweckung setzt die "regulative Idee" einer schon bestehenden Wahrheit voraus, die in der geschichtlichen Arbeit nur (re–)produziert zu werden braucht: Die Zukunft trägt kein Wahrheitsgeschehen herbei, sondern legt das längst Geschehene nur aus: "Sinn" und "Bedeutung" verraten in den hermeneutischen, den phänomenologischen und positivistischen Strömungen deren teleologische Struktur, wenn auch Teleologie ihren universalen Anspruch im Nebeneinander von allerdings in sich teleologisch zu verstehenden Feldern schmälern mußte (102).

Vielleicht wurde gerade deshalb das Säkularisierungstheorem zu einer deskriptiven Kategorie, wie wir es am Beispiel "Fortschritt als Verweltlichung der/durch Eschatologie" sehen, weil sich hier das kryptogame Anliegen jener Theologie verbirgt, die sich am Miteinander der Entfaltung neuzeitlicher Wissenschaftlichkeit offenbart: Mit dem Kredit, den die Theologie der Vorversicherung des naturwissenschaftlichen Denkens gewährte, hat sie sich scheinbar übernommen, so daß sie in einer neuen Gesellschaft sich selbst sanieren mußte: Die geschichtswissenschaftliche Betrachtung eröffnet ihr den unter den Umständen der Neuzeit weitestgehenden Horizont, den der Weltlichkeit. Konnte sie so ihre Kategorien der Universalität im neuzeitlichen Gewand retten, allerdings in einer Eingliederung in die Weltlichkeit (und nicht umgekehrt), und bleibt sie somit in dem Diskurs um die Welt, so mußte sie sich dafür um den Preis einkaufen, produktiv (oder soteriologisch) (103) zu werden und damit die Ethik der Deskription zu ihrem Ziehvater zu machen. An dieser Verwendung ändert auch nichts die Tatsache, daß die Säkularisierung in ihren verschiedensten Bereichen als "Umweg des Geistes" angesehen wird und einer soteriologischen Propädeutik entspricht, sondern vielmehr unterstreicht das den Charakter der Theologie im Ensemble der Wissenschaften, sich nur produktiv bewähren zu können, in der "Verbesserung verbesserter Welten" (Brecht). Wir können diese wissenschaftsgeschichtliche Entwicklung der Theologie zur geschichtsphilosophischen Theologie als Paradigma von Eschatologie und Protologie neuzeitlicher Wissenschaftlichkeit verstehen (104).

Betrachten wir die neuzeitliche Wissenschaftsentwicklung als einen Diskurs, der viele schon früher geführte Diskurse aufnimmt und sie miteinander ins Gespräch bringt, dann verbietet sich diesem strukturalen Ansatz die immer wieder als "geschichtlich" deklarierte Methode, die Diskurse durch *ein* Organisationsprinzip (Selbstverstehen des Menschen bei Droysen; bei Dilthey "Objektivation des Lebens") zu vollenden: Über einen Hegelschen Gedanken hinaus könnte man diese Freiheit der Diskurse darin sehen, daß sie nicht über einen Inhalt gehen, sondern ihn auch erst erhalten, d.h. ihre eigene Form dadurch bestimmen, ohne daß ein Diskurs dann noch als ein und derselbe zu erkennen sein muß (vgl. meine Beispiele Schöpfung und Teleologie).

3. Ethik der Forschung – Leistungsanspruch und Bewußtsein durch Leistung?

Descartes begrenzte seine Diskurse durch eine Ethik, z.B. im Fall der Kosmogenese; dabei ist Ethik hier ambivalent zu verstehen, einerseits als Grenzangabe der Gültigkeit der Hypothese, die auf ein moralisches Gesetz im Menschen bezogen ist (utilitas ad vitam), andererseits durch die klare Angabe, welche anderen Diskurse der der Kosmogenese berühre bzw. unangetastet stehen lasse (z.B. den der Schöpfungs*geschichte*). (Daß jeder Versuch einer Deskription ethisch ist, werde ich später noch zu zeigen versuchen.) Wenn Descartes die Freiheit seiner Forschung durchaus mit der Analogie des "Studierens im Buche der Welt" (Discours I,15) beschreiben kann, dann geht es ihm wohl um die Herstellung (acquerir) des Vorgestellten (experiance). Im Unterschied zur Einseitigkeit der mathematisierenden Methodik bzw. der bloß "moralischen Schriften der Heiden des Altertums" (Discours I,10) legt Descartes nachdrücklich Wert auf eine Forschungslogik, wo sich "Intuition und Deduktion" (Regulae III, 8) ergänzend verstehen müssen: Auf die Hypothesen gemünzt bedeutet dies: sie müssen nicht nur die Erscheinungen erklären, sondern auch ihre Herkunft, was Kant als ein allein erkenntnistheoretisches Problem formuliert. Diese Korrespondenz bezeichnet Descartes mit "utilitas ad vitam", wobei dieses Fundament der Hypothesen selbst zugleich eine Hypothese ist, fundamentiert in seiner Lesart von Schöpfung. Utilitas ad vitam heißt aber noch nicht jede vom Menschen vorgestellte Zweckdienlichkeit, sondern erst der dem Menschen sich durch Erfahrung und Intuition eröffnende Tauglichkeitshorizont. Die ethische Seite der Hypothese besteht also auch darin, daß sie dem Menschen Zweckdienlichkeit anbietet, darüber hinaus evtl. sogar den bisherigen Horizont der Zwecke erweitert bzw. neu konstelliert. Wenn Descartes in obigem Beispiel für das Ungenügen bisheriger Wissenschaftlichkeit die Mathematik als exakt (vgl. zum Charakter der Mathematik Discours I, 10) neben die spekulative Vernunft der Philosophie stellt und dafür das Bild findet, "diese Philosophie gleiche . . . prächtigen Palästen . . ., die nur auf Sand und Staub gebaut sind", während für die Mathematik das umgekehrte gelte (ebd.), so deutet das auf das Postulat der Ergänzungsbedürftigkeit von Forschungslogik und Moral (vgl. den appellativen Charakter in Poppers "Logik der Forschung"): Eine so ergründete Moralität eröffnet die Welt für Perspektiven *und* entbietet die Möglichkeit, diese perspektivischen "Zwecke" unter ein Ziel (finis) zu stellen (Reg. I, 1): Moral und Forschung kommen in Wahrheit überein, indem sie zielstrebig werden! Die Dynamik der utilitas besteht also in ihrer Funktionalität von Moral und Forschung, andererseits ist sie als solche abkünftig von der Descartesschen Lesart der Schöpfung. Und indem die zur Forschungslogik angewandte utilitas rückbezogen wird auf die Schöpfung, gerät sie in eine weitere Dynamik, da sie unter dem Verlust der Teleologie immer nur den Charakter der Vorläufigkeit besitzt (vgl. Prinzipien III, 2).

Diente die Schöpfungsgeschichte Kopernikus als Kritik an der systematischen Abgeschlossenheit spekulativer Theoriebildung und wurde sie gerade als Ruf zur Befreiung der menschlichen Erkenntnis für die weisere Gesetzlichkeit gehört, so erfährt sie gerade durch die Methodologie (Hypothesenlehre) dieser Erkenntnis – und gerade weil sie auch ethisch begründet und dieses Verständnis mitgetragen wird, nötigt sich die folgende Verwindung auf – eine entscheidende Modifikation: Die Schöpfung ist nicht teleologisch auf die menschliche Erkenntnis bezogen; dadurch, daß "wir uns davor hüten . . . anzunehmen, alle Dinge seien bloß unseretwegen von Ihm geschaffen . . ." (Prinzipien III, 2), wird der Produktion via hypothesis Raum gewährt. Die Deskription stellt ein neues Wirklichkeitsverständnis her, in dem Moral und Wissen *Grund* sind – gründen hier im Sinn von Grundnehmen und Grundgeben verstanden.

Dieser Kontext von Ethik und Wissen, als Wissen auch über die Natur, über die Natur von Geschehenem, Wissen *über* das Vorstellbare, begegnet als Thematik der Geschichtsphilosophie z.B. bei Droysen wieder in der Unterscheidung von "natürlich Gegebenem" und "geschichtlich Gewordenem" (105), wobei er noch die Forschung der Naturwissenschaften in Abhängigkeit einer (geschichtlich gewordenen) Forschungsethik sieht (106) und nicht in einer funktionalen Perspektivik. Demgemäß entfaltet er auch sein Verständnis der "geschichtlichen Arbeit: daß aus Zuständen neue Gedanken, aus den Gedanken neue Zustände werden, ist die Arbeit der Menschen . . . In der Bewegung der sittlichen Welt neue Gedanken zu nennen, auszusprechen, zu verwirklichen, ist die *geschichtliche* Größe, 'Namen zu geben der rollenden Zeit'" (Historik, S. 355f). Damit stellt sich solche Geschichtswissenschaft als Praxis der Deskription und rückt die Ethik aus dem Bereich der Praxis in den einer Vorstellung, eines Willensanspruchs, eines Willens. Diese Linie sieht schon Dilthey, wenn er mit seinem Begriff des "Erlebnisses" den cartesianischen Dualismus von Bewußtsein und Außenwelt, von Psychischem und Physischem, von theoretischer und praktischer Zwecksetzung vollendet (107).

Mit seinem Postulat der puren Materialität der Welt versucht Descartes – auf unserem Hintergrund gesehen – der zwecksetzenden (d.h. die Freiheit der Hypothesenbildung genießenden) Vernunft Raum zu gewähren, und dies geschieht in seiner Zerdehnung des Raumes (108). Kant nimmt in seiner vorkritischen Phase Descartes' Materialisierung der Welt(en) auf, um gerade aus diesem Chaos der Unendlichkeit des Raumes Raum, unendlichen Raum zu gewinnen, "die Triebfedern . . . künftig zu erzeugender Welten" (109). Der Mensch findet sich hier mit Gott in einem genießenden Schauen der "wahren Glückseligkeit", "die Natur wird, von diesem Mittelpunkt aus gesehen, . . . von allen Seiten lauter Sicherheit, lauter Wohlanständigkeit zeigen" (S. 344), allerdings erst nach der durch die Offenbarung zu erhoffenden "Verwandlung unseres Wissens" (ebd.) (110).

Der Übergang von der Kosmogenese als Vorbild und Inbegriff der "göttlichen Gegenwart und Allmacht" zur Kosmologie als der Bedingung der Möglichkeit der Selbstkonstitution des Menschen, wobei die systematische Ganzheit von Endursachen erst durch die vom Menschen zu leistende "Beziehung der Naturzwecke auf eine verständige Weltursache" zum Prinzip wird als von der vernünftig-praktischen Erkenntnisleistung und Begriffsarbeit heraufgeführter Zweck, d.h. Inhalt, Gegenstand und Selbstverständnis des Handelns (111), dieser Übergang, im Übergang von der vorkritischen zur kritischen Phase vollzogen, deutet sich hier in den Bahnen analytisch verfahrenden Partizipationsdenkens schon an (112) und wird wiederum erinnert in der "Kritik der Urteilskraft" (u.ö.), wenn die Finalität der Schöpfung nicht nur als bloße Voraussetzung angenommen wird, wenn sie sich durch die moralische Leistung des Menschen in der "Freiheit seines Begehrungsvermögens" über die Dürftigkeit der Vorstellung hinaus zum Begriff vervollständigen läßt (113). Diese Vernetzung der Dialoge von Kosmogenese und Kosmologie, wie man sie nennen kann, findet sich dann in der "transzendentalen Elementarlehre" der "Kritik der reinen Vernunft" in der Unterscheidung und Verknüpfung von Raum und Zeit als Anschauungsformen der äußeren und inneren Sinne (S. 71-86). Und eben nicht nur in der Verknüpfung dieser als Anschauungsformen, sondern eben auch in der für die Wissenschaftsgeschichte folgenreichen Verordnung des Raumes auf die physikalische Welt und der Zeit auf die moralische Welt. Dies hat nicht nur verstellende Folgen in der Konzeption der Zeit als Zeitraum, wie sie Heidegger in "Kant und das Problem der Metaphysik" wiederholend zu ergründen versucht (vgl. ebd. Bonn 1929, z.B. S. 192), sondern auch und gerade deshalb gerät das Handeln (hier als Inbegriff des Lebens überhaupt) (114) durch die raumzeitliche Selbstkonstitution und Begründung und über dieser Arbeit in eine Selbstvergessenheit, die schon gar nicht mehr das sie leitende Verständnis reflektiert (also kritisch wäre), geschweige denn dieses Verständnis, von Heidegger als Seinsverständnis zu erinnern versucht, auf seine Möglichkeiten einer Erhellung hin anhört und etwa den Versuch der Wiederholung wagt.

III. Struktur, Wiederholung, Konzeption

1. Zu Struktur als Ab-sicht

"Wiederholung ist immer, wo Strukturen sind" (115). Mit Wiederholung meine ich also nicht eine Methode, noch ist sie nur eine Methodenlehre, da sie sich mit den Strukturen ändert, wenngleich sie diese erst zu Gesicht bringt. Wiederholung ist auch nicht eine bloße Anschauungsform, die Gehalte herausarbeitet und in ihnen den Sinn der "Geschichte" erst aufschlüsselt (als Objektivation und überdies als Zu–sich–selber–kommen des Geistes): Wiederholung kann sich nicht hinter die "Sicht der Dinge" zurückziehen, sie ent–fernt die Originalität und Einzigkeit der "Dinge" von den ihnen zugemessenen Wirkungen und Bedingungen, indem sie diese Nähe auseinander hält, aber eben in Zugehörigkeit. Diese Zugehörigkeit ist nicht eine äußerlich angeheftete und zugemutete Steigerung der Qualität zur endlichen und letztlichen Bestimmung, sie macht nicht erst etwas aus den Dingen, sondern hört auf damit und hört auf die Selbigkeit der Dinge, ohne dasselbe nur "noch einmal" zu machen und ihr Machen gleichzusetzen, meinend es sei etwas anderes, aber in der Zugehörigkeit, im Gehorsam auf "dasselbe". Wiederholung kann keinen Standpunkt beziehen außer den der Wiederholung, der aber nicht in zielgerichteter Dynamik gipfelt und sich erschöpft. Dennoch kann es das Schicksal der Wiederholung sein, sich zu erschöpfen, ohne diesen Abbruch durch die Dynamik eines neuen Ufers hinter sich zu lassen und zu überbrükken. Nicht nur gelegentlich zu stocken, ist das Schicksal der Wiederholung, sondern auch darin auszuharren, darin den Zustand des Dauerns zu erlernen, der sich nicht mehr helfen kann mit Entwürfen eines erwarteten Nachher, um sich in Abwarten und Erwartung dauernd zu ertragen.

Struktur ist keine Intelligibilitätsorganisation auf höchster Stufe; würden Strukturen nur begriffen, wäre das gleichsam zu wenig: ihre Form der Intelligibilität ist die Wiederholung. Wenngleich das Strukturdenken als Objektivierung der Funktionen und damit als Typ der beschreibenden "Ordnung", geschichtlich gesehen, erscheint, so unterscheidet die strukturale "Organisation" von der funktionalen gerade die Entschränkung der funktionalen Deskription: Beschreibung auf strukturaler Ebene ist nicht Deskription im funktionalen Sinn.

Obgleich ihre Herkunft auch ihre Gefährdung ist, muß sich am strukturalen "Denken" die Wiederholung bewähren (können). Freilich muß sich das hier Dargelegte als Konzeption der Wiederholung verstehen, und gerade das ist ihr Vorzug, daß sie dies *zu verstehen* gibt, womit sie gleichsam ihre Dürftigkeit zum Anspruch macht. Im Vorhergehenden wurden Beispiele der Wiederholung aus den Bereichen philosophischer, theologischer und psychologischer Wissenschaftsgeschichte dargelegt, ohne an ihnen den *Typ* Wiederholung festmachen zu wollen: Die Wissenschaftsgeschichte als Wiederholung zu verstehen, bietet ein Paradigma für die Möglichkeiten der Aberration aus der Wiederholung; und gerade diese Aberrationen im Lichte der Wiederholung bedürften wiederum derselben, um den Gültigkeitswert dessen zu erkennen, was hier

Stehenbleiben bedeutet. Ob die Geschichte des abendländischen Denkens (im weitesten Sinn verstanden) mit der Moralität und dem Ethos einer Arbeitswelt tatsächlich zu Ende gegangen ist und endgültig nur noch arbeitet, muß das Wagnis der Wiederholung zeigen, wobei die "Wählbarkeit" derselben allerdings schon sehr eingeschränkt ist. Möglicherweise läßt sich in der Wiederholung auch nicht der Standpunkt, von dem sie ausging, noch halten: Wiederholung ist nicht Wiederholung, sie gibt sich möglicherweise nicht dem erwartenden Blick zu erkennen.

2. Gründung als Ruf – eine Absage?
Begegnung mit einer theologischen Perspektive

Ein Beispiel der Verschränkung von Wiederholung, die den Auftrag des Scheiterns auszuhalten versucht, zeigt sich uns an dem Begriff "Nachfolge" bei Mt, am Begriff selber und noch mehr und anders in "Nachfolge" als Konzeptionsversuch eines Evangeliums verstanden. Würde dieser letzte Abschnitt nur als Beispiel für eine Art Relecture verstanden, so bliebe Wiederholung wiederum in methodischem und methodologischem Bemühen stecken; ob sie mehr kann? Relecture (116), als philologische Kategorie mittlerweile in der Exegese sehr effektiv angewandt, nimmt zwar die Intentionalität der Wiederholung auf, läßt sich, wenn sie diese auf methodisches Interesse einschränkt, aber davon nicht selber betreffen: Würde sie den Standpunkt, von dem sie exegetisch bzw. historisch ausgeht, als Konstrukt erkennen, dem es gerade in der Relecture selber um seine Standpunktlosigkeit ging – die einzunehmen im scheiternden Wiederholen allein Standpunkt ist und auch "bleibt", weil sie Wiederholung wagt –, dieses Erkennen müßte sich dann evtl. der Fähigkeit, im Erkennen sich auf die Distanz der nur gewollten Berührung zurückzuziehen, begeben. Und würde sie nur von den Folgen ihrer wissenschaftsgeschichtlichen Distanzierung berührt und sähe Scheitern nur darin, so könnte sie zumindest wieder wissen lernen, daß, wer Mythen ausrotten will, selber Mythen hervorbringt", verstehbare, "Verstandesmythen" (117). Ohne diese Einsicht kann Wissenschaft, auch theologische und sogar Geschichtstheologie, bestimmt nicht andere Wiederholungen zeitigen lassen. Auch ohne die Konzeption der Geschichte als Heilsgeschichte, ja gerade gegen sie, könnte auch in einer Epoche der Wissenschaftlichkeit (Rombach) Eschatologie zu ihrer "Ursprünglichkeit" gelangen, die sicherlich durch die *Konzeption* des Eschatologischen, sich die Entwicklung des Selbstverständnisses der Wissenschaften zu Nutze zu machen, nicht verstanden werden kann, wenngleich eschatologisches Denken als Organisationsform von Wissen und Handeln auch zu diesem Selbstverständnis – geschichtlicher Erfahrung nach – gehört.

Nach dem Zeugnis der Synoptiker scheint Jesus in der Nachfolge des Johannes zu stehen. Mehr noch als Mk scheint mir Mt diese Nachfolge korrespondieren zu lassen. Nach Mt 3,1 tritt Johannes in der ἔρημος auf, ebenso wie Jesus dort mit der Versuchung den Weg seiner Botschaft beginnt (4, 1). Der Wortlaut der Botschaft Jesu ist identisch mit der des Johannes (3,2 vgl. mit 4,17), ebenso ist das Einzugsgebiet der Botschaft ungefähr dasselbe (3,5 vgl. mit 4,25), die Pharisäer und Sadduzäer werden bei beiden besonders adressiert als diejenigen, die das Los der Verstockung tragen (Mt 3,7ff vgl. mit 5,20; 23).

Der Beginn des öffentlichen Auftretens Jesu wird ausdrücklich mit der Verhaftung des Johannes markiert (4,12. 17). Mt stellt gerade durch diese Notiz, die einschneidend (4,17) und unüberhörbar ist, Jesus vor als denjenigen, der die Botschaft und das Schicksal des Johannes erinnert und unter diesem Wissen mit seinem Ruf zur Nachfolge beginnt. Wohlgemerkt schließt sich Jesus nicht dem Scheitern des Johannes an, sondern geht den eigenen Weg ins Scheitern, und auf diesen Weg, den er nach Mt *vorbild*lich sah, ruft er seine Jünger in die Nachfolge. Mt hat möglicherweise hier eine Konzeption der Nachfolge ins Bild gebracht, auf deren Hintergrund dann auch der Missionsauftrag an die elf μαθηταί zu lesen ist, mit dem sie dann zur Nachfolge rufen, der aber für sich genommen eher das Bild eines schriftgelehrten Jüngers entwirft (μαθητεύσατε...διδάσκοντες, Mt 28,19f). Läßt sich hierin nicht auch die Erfahrung eines späten Nachfolgers ablesen, der die Not des in der Entfernung verhallenden Nachfolgerufs kennt und seine Not zu ent–fernen versucht, indem er Zugangsmöglichkeiten offen hält und sein Los in die Nachfolge der ersten Jünger vordatiert, die ebenso den Ruf Jesu zu verstehen glaubten und dennoch nicht die Blindheit des Bartimäus besaßen, der nach Mk aus der Erfahrung der Blindheit (und nicht umgekehrt) Jesus auf den Weg von Galiläa nach Jerusalem folgte (vgl. Mk 10,52 i.U. zu Mt 20,34). Sie wollen immer schon sehen (Mk 10, 35–40 par) und doch gibt erst Jesus der Blindheit den Blick, wie dem Petrus im Verrat (Mk 14, 66–72 par), allerdings nicht dem anderen Verräter, Judas: beide mit Blindheit geschlagen, wurde der eine zum Fundament der Kirche, der andere nahm sich das Leben.

Ist nicht gerade die sogenannte mathäische Ethik als dürftiger Versuch zu verstehen, den Verzug dessen, was man nur erblicken kann, aufzuhalten in der Zeit und für alle Zeit, auch auf die Gefahr hin, sich anstelle des Blicks, der nur geschenkt werden kann ("seht die Lilien des Feldes" u.ö.), Bilder zu machen, an die man sich halten kann? Trägt die Sehnsucht nicht das Los der Ent–täuschung aus? Sind die Bilder der Eschata dann nicht eher zu verstehen als Ringen in der Ent–täuschung, die auf die Dauer nicht zu ertragen ist und die weniger des Wartens als doch vielmehr des Dauerns bedürfte, und lassen diese Bilder dann nicht eher die Augen irgendwo zwischen Golgotha und Galiläa, um mit Lk zu sprechen, sich 'gen Himmel richten? Wenn Jesus seiner Verlassenheit – auch der Nachfolge – treu blieb und auch am Kreuz sich nicht in ein Bild des von ihm zeitlebens verabschiedenden Gottes Jahwe flüchten konnte, und wenn er somit sogar noch dem Scheitern der von ihm Berufenen treu bleibt und ihr Scheitern im Licht der Nachfolge sehen konnte, so richtet sich doch an alle Theologie der Nachfolge die Frage, ob man in ihren Bildern und der Mächtigkeit ihrer Bilder das Scheitern erkennen kann. Freilich gab es nicht nur für den Verräter das Geschenk des Blicks, sondern auch für eine Askese, eine Einübung des Scheiterns, aber eben nicht durch die Alleinverantwortung der Theologie. Versteht sich die Theologie als Hüterin des geschichtlich Tradierten, muß sie dann nicht auch auf der Hut sein vor ihrer Aufgabe, ja kann sie dann, wenn sie das Scheitern ihrer Aufgabe als ihr Wesen anzusehen beginnt, nicht erst den Blick freibekommen für das Scheitern, um dessen "Wirkungen" sie sich bemühen wollte?

Nachwort

"Sprich nicht weiter, du Genesender . . . geh hinaus zu den Rosen den Bienen und Taubenschwärmen! Sonderlich aber zu den Singe-Vögeln: daß du ihnen das Singen ablerntest. Singen nämlich ist für Genesende; der Gesunde mag reden. Und wenn auch der Gesunde Lieder will, will er andere Lieder doch als der Genesende." (Nietzsche, Zarathustra, 465)

Es liegt in der Zuversicht des Schreibers, Hörer zu finden, die Lieder wollen, und ihn doch als zu gesund für solche befinden.

Anmerkungen:

1 A. Schweitzer, in: W. G. Kümmel, Das Neue Testament – Geschichte der Erforschung seiner Probleme, Freiburg 2. Aufl. 1970, S. 305.

2 J. Wellhausen, in: K. Koch, Ratlos vor der Apokalyptik, Gütersloh 1970, S. 35f.

3 J. Weiß, Die Predigt Jesu vom Reiche Gottes, Göttingen 3. Aufl. 1964, S. 56: zum Verhältnis von "bebilderter Geschichtsschreibung und Aktenforscherei". Vgl. auch zur "Diastase von 'Historie' und 'Geschichte'" Urs v. Balthasar, Theodramatik, II Bd. 2 T., Einsiedeln 1978, S. 62ff. Der vorliegende Aufsatz wurde noch ohne die Kenntnis dieses Werkes abgeschlossen, so daß eine für die Diskussion wohl fruchtbare Bezugnahme darauf leider fehlt.

4. A. Schweitzer, a. a. O.

5 Vgl. H.–G. Gadamer, Wahrheit und Methode, Tübingen 2. Aufl. 1965, S. 284-295.
Gadamer versucht mit dem "Prinzip der Wirkungsgeschichte" den "Riß zwischen kognitiver und normativer Funktion" in der theologischen (und juristischen) Hermeneutik durch eine Entfremdung der "Sinnentfremdung", die er allerdings dann als "heilen Sinn" versteht, zu vermitteln. Wie schon die Kapitelüberschrift andeutet, steht das Sinnkriterium innerhalb des Prinzipats der Wirkungsgeschichte und dringt nicht hinter dessen apriorische Struktur vor. Entsprechend wird Zeit als Zeit*raum* problematisiert, was wohl nicht zufällig mit räumlichen Metaphern zur Deskription von Zeit korrespondiert. Was für das hermeneutische Unterfangen im allgemeinen gilt, dieselben Fragen richten sich auch an den Vorgang des Verstehens und dessen normierende Blickbeschränkung, in deren Umkreis er allerdings dann schon verständig zu nennen ist: Wenn Verstehen sich durch die Erfahrung der Korrespondenz besitzt, könnte dann das "Glücken" solcher Horizontverschmelzung nicht ein Resultat investierter Leistung sein? Steht aber das Glück nicht außerhalb des Bereichs von Erwartung und Investition, wäre Ant-wort nicht erst wirkliche Rede, wenn ihre Wirklichkeit auch als fehlende und verfehlende gehört würde?

6 Die Erkenntnis leistet den Schwund des Subjekts durch die Majorisierung des Hypothetischen, das dadurch den Raum des Faktischen er-

langt (Whitehead, in R. D. Laing, Vernunft und Gewalt, Frankfurt 1973, S. 93f). Vgl. J. Lacan, Die vier Grundbegriffe der Psychoanalyse, Olten 1978, S. 90.

7 Vgl. P. Ricoeur, Die Interpretation, Frankfurt 1974, S. 536-543.

8 Vgl. J. Habermas, in: A. Neusüss (Hrsg.), Utopie, Berlin 1968, S. 32.

9 Vgl. R. D. Laing, a. a. O., S. 115–125, zur vereidigten Gruppe.

10 Dem Verhältnis von Eschatologie und Ethik entspricht – anthropozentrisch gesehen – das Verhältnis von Utopie und Ideologie: "Bewirkt die Ideologie den Schein, so ist dagegen die Utopie der Traum von der 'wahren' und gerechten Lebensordnung, . . . Ideologie ist nicht nur dem Traum entgegengesetzter Schein, sondern zugleich der Schein des Traums". Wenn Utopie "dem Sinn nach in jede philosophische Beurteilung der menschlichen Gesellschaft" (aber nicht nur in die Beurteilung!) hineinspielt, dann geht es uns um die Aufgabe, die Struktur dieses Spieles zu entdecken, ohne nur mitzuspielen (aber ohne Beteiligung werden auch keine Strukturen entdeckt!) (M. Horkheimer, in A. Neusüss, a. a. O., S. 15). Fr. Engels versucht gerade jene Form der Praxis für die Utopie in "Die Entwicklung des Sozialismus von der Utopie zur Wissenschaft" zu finden, die ihr den Schleier des Traumes nimmt (vgl. A. Neusüss, a. a. O., S. 19) und sie zu einer "Topie" macht (ebd., S. 23). In dieser Frage wendet sich die wissenssoziologische Ideologiekritik (K. Mannheim) nicht nur gegen die "Seinsinadäquadheit" der Utopie, sondern auch die der Ideologi*en* (vgl. ebd., S. 25). Gerade diese Kritik setzt sich wiederum der Gefahr aus, gegen die sie ins Feld zog, nämlich den "Schein des Traumes" zu vergessen: *Ideo*logie ist das Vergessen der Bilder zugunsten des Allmachtanspruchs eines Bildes. Bilderverbot (im Judentum wie bei den "Realpolitikern" der Ideologien) ist somit nicht das Verbot, von Bild und im Bild zu sprechen (wie könnte Sprache anders sprechen, ohne nur noch zu "funktionieren"?), sondern irgendwann das Gebot, nur noch auf eine Weise vom und im Bild zu sprechen: es ist das systematische Vergessen des Ursprungs, der Bild*er*, zugunsten eines "geschaffenen" (und nicht gebildeten) Bildes, eines Idols. Vgl. dazu A. Halder, Bild und Wort. Zur Frage des religiösen Sprechens als Geschichte, in: B. Casper (Hrsg.), Phänomenologie des Idols, Freiburg 1981; vgl. J. Lacan, a. a. O., S. 120.

11 "Er (Jesus) ist eine Gestalt, die vom Realismus entworfen, vom Liberalismus belebt und von der modernen Theologie mit geschichtlicher Wis-

senschaft überkleidet wurde." (A. Schweitzer, a. a. O.). In diesem Sinne ist auch Kählers Wort vom "Holzweg" der Leben-Jesu-Bewegung zu verstehen, jener Weg, der "auch gewöhnlich zunächst ein Stück des richtigen Weges" ist, "sonst gerät man ja nicht auf ihn . . ." (M. Kähler, Der sog. historische Jesus und der geschichtlich biblische Christus (1892), hrsg. v. E. Wolf, München 4. Aufl. 1969, S. 18.

12 Vgl. ebd., S. 29.

13 Der Begriff "prophetisch" wird hier vornehmlich auf die Botschaft (Inhalt und Charakter) der vorexilischen Prophetie bezogen; die Möglichkeiten der Exegese, solche Botschaft in ihren Spezifika zu rekonstruieren, soll hier nicht diskutiert werden (vgl. z.B. dazu die Beiträge von R. Kilian, D. Kinet, W. Werner im selben Band), wenngleich im Verlauf dieser Arbeit die Bedingungen solcher Rekonstruktion (in anderen Kontexten allerdings) genannt werden.

14 Es scheint ein Dogma auch von Wissenschaftstheoretikern zu sein, prophetische Boschaft nur in ihrer redaktionellen Auslegung anzuerkennen: dann läßt sie sich freilich wie die Utopie als Aufruf zum Abbruch um eines Neubeginns willen verstehen: vgl. H. Freyer, in A. Neusüss, a. a. O., S. 308.

15 Appelle bzw. Handlung sind auch dann noch im Spiel, wenn man von einer Interimsethik spricht bzw. die Haltung des Wartens auf das Ereignis damit verstehen will. Nicht einmal die Ent-täuschung im Zustand des (Ab-)wartens (=Abarbeiten des Wartens) vermag die energetische Spannung desselben aufzuarbeiten und in einen Zustand des Dauerns hinüberzuführen.

16 Vgl. H.-G. Gadamer, a. a. O., S. 316f. Ich beziehe mich hier und überhaupt in vielen Denkanstößen zu dieser Arbeit auf z.T. unveröffentlichte Vorträge und Aufsätze meines Lehrers Prof. A. Halder/Augsburg. Im besonderen liegt zum Problemkreis "Sprache und Bild" ein von ihm im Mai 1978 in Paris gehaltener Vortrag zugrunde: "Religion-Sprechen-Zeit. Zur Frage von Bild und Wort in der religiösen Geschichte". (Vgl. Anm. 10).

17 Vgl. J. Weiß, a. a. O., S. 56-65.71; vgl. i. U. dazu I. Kant, Die Religion innerhalb der Grenzen der bloßen Vernunft, (WW VIII, hrsg. v. W. Weischedel, Frankfurt 1977), (nach dieser Ausgabe wird im weiteren Verlauf zitiert) : "Im praktischen Glauben an diesen Sohn Gottes . . .

kann nun der Mensch hoffen, . . . er würde unter ähnlichen Versuchungen und Leiden (so wie sie zum Probierstein jener Idee gemacht werden) dem Urbild der Menschheit unwandelbar anhängen, und dem Beispiel in treuer Nachfolge ähnlich bleiben . . ." (S. 714).

18 Was "Fläche" bedeuten kann vgl. I. Kant, a. a. O.: "Allein in der Erscheinung des Gottmenschen ist nicht das, was von ihm in die Sinne fällt, oder durch Erfahrung erkannt werden kann, sondern das in unserer Vernunft liegende Urbild, welches wir dem letzteren unterlegen (weil, so viel sich an seinem Beispiel wahrnehmen läßt, er jenem gemäß gefunden wird), eigentlich das Objekt des seligmachenden Glaubens" (S. 782).

19 Vgl. J. Lacan, a. a. O., S. 85–111: In der Sprache einer (allerdings gerade erst tiefer zu ergründenden) Sehensmetaphysik beschreibt hier Lacan im Anschluß an M. J.-J. Merleau-Ponty das Spiegeln ("die Ambiguität des Juwels") als Spiel von Licht und Undurchdringlichkeit, als den Blick, der überrascht und dann doch im Begehren des Subjekts nach Akkommodation schwindet: ". . . der Blick wird jenes punktförmige Objekt, jener schwindende Seinspunkt, mit dem das Subjekt sein eigenes Schwinden verwechselt" (S. 90).

20 Vgl. G. v. Rad, in: K. Koch, a. a. O., S. 42f. Dieser Vorwurf trifft aber nicht nur die weisheitliche Schule, sondern auch jede in diesem Sinn verfahrende Exegese, wie sie H. D. Preuß in "Jahweglaube und Zukunftserwartung" zur alttestamentlichen Eschatologie vorlegt (H. D. Preuß, Jahweglaube und Zukunftserwartung, Stuttgart 1968, S. 205–214). "Jahweglaube" ist kein geschicklich-geschichtlich sich entwickelnder Glaube, Jahwe selbst eine prinzipiell bestimmte Verhaltensfigur. Dementsprechend ist "die Eigenart Israels. . . seine Gottesbeziehung" (S. 206). Die Brüche, mit denen Hosea selbst sein Jahwebild zerstören mußte, indem er ihm baalitische Qualitäten anmaßte (Hos 2, 23), um ihm "sein" Volk zurückzugewinnen, das eben nur noch in diesem Horizont lebte (Hos 6, 2f), sieht Preuß nicht mehr. Die Erwartung einer Zukunft, die die "Verheißungen herrlicher einlöst" (S. 208) und die die Vollendung der heilen Geschichte Jahwes bedeutet, das ist der "Jahweglaube als Zukunftserwartung".

21 Vgl. Fr. Engels, a. a. O.. Was von K. Mannheim später als Ideologie bezeichnet wird, versteht Engels als eine Wissensorganisation "weisheitlicher" Tradition. Nach Mannheim ist "Utopien wie Ideologien gemeinsam, daß sie standortgebundene und also partikuläre Sichten der ge-

sellschaftlichen Wirklichkeit sind". Während beide eine "Seinsinadäquadheit" auszeichnet, unterscheiden sie sich nur im "zeitlichen Richtungssinn" (vgl. a. a. O., S. 25).

22 J. Lacan, a. a. O., S. 33.

23 Die Drastik ihres Lebens-"planes" war weder für Hosea noch für Jeremia durch die Projiektion auf ein Vorbild zu kompensieren; sie war vorbildlos. Im Gegensatz dazu können sich die "Adressaten" als Hörer dieser Botschaft überhaupt erst dadurch konstituieren, wenn sie die Wirklichkeit als Allegorie in die Quarantäne des Bildes verflüchtigen. Vgl. dazu z.B. Jer 16,3: die im Vorhergehenden gezeichnete Tragik eines einsamen und vorbildlosen Lebens wird in der hier folgenden Begründung zu einem Lebensplan entschärft, wenngleich selbst darin auch die Drastik eine neue Kontur gewinnt.

24 Vgl. H.–G. Gadamer, a. a. O., S. 323.

25 Man könnte im Anschluß an M. Heideggers Phänomenologie der Angst den Appell in augustinischer Terminologie als "timor servilis" bezeichnen. Vgl. M. Heidegger, Sein und Zeit, Halle 4. Aufl. 1935, S. 190 Anm. 1.

26 Vgl. J. Lacan, a. a. O., S. 98 und: "In unserem Verhältnis zu den Dingen, das konstituiert ist durch die Bahn des Sehens und geordnet nach den Figuren der Vorstellung, gleitet . . . etwas, das jedoch immer bis zu einem gewissen Grund umgangen wird und es ist das, was Blick heißt" (S. 79). Oder Lacan im Anschluß an J. P. Sartres "Das Sein und das Nichts": "Der Blick, wie ihn Sartre auffaßt, ist der Blick, von dem ich überrascht werde, insofern er alle Perspektiven und Kraftlinien meiner Welt verändert . . . " (S. 90). Der Blick trifft das Subjekt in seinem Verhältnis zum Begehren, zum Begehren, das immer ein Vergessen, allerdings auch nicht wiederum ein kontinuierliches Vergessen ist, das beliebig wiedererinnert werden könnte. Vgl. ebd., S. 32ff, 98f.

27 Vgl. ebd., S. 37; vgl. damit Fr. Nietzsche, Also sprach Zarathustra, III, "Von der Möglichkeit wider Willen" (zitiert nach WW in drei Bänden, Bd. II, hrsg. v. K. Schlechta, München 8. Aufl. 1977): "begehren und das heißt mir schon: mich verloren haben. *Ich habe euch, meine Kinder!* In diesem Haben soll alles Sicherheit und nichts Begehren sein". Und weiter zum Verhältnis von Gedanke und Sprache, Wort und Bild: "Ach, abgründigster Gedanke, der du *mein* Gedanke bist! Wann finde

ich die Stärke, dich graben zu hören und nicht mehr zu zittern? Bis zur Kehle herauf klopft mir das Herz, wenn ich dich graben höre! Dein Schweigen noch will mich würgen, du abgründlich Schweigender!" (S. 412f, vgl. S. 462).

28 Vgl. M. Heideggers Verständnis für Nietzsches Zarathustra: "Der 'Fürsprech' ist schließlich derjenige, der das wovon und wofür er spricht, erklärt und auslegt". Er ist "der Genesende". " 'Genesen' ist dasselbe Wort wie das griechische νέομαι, νόστος. Dies bedeutet: heimkehren; Nostalgie ist der Heimschmerz, das Heimweh". (M. Heidegger, Wer ist Nietzsches Zarathustra?, in: Vorträge und Aufsätze, Pfullingen, 4. Aufl. 1978, S. 98; vgl. z.f. ebd., S. 97–122).

29 Vgl. "Adler" und "Schlange", die Tiere Zarathustras, und die von M. Heidegger angeführte Deutung derselben: sie verkörpern Stolz und Klugheit. Das Wissen, auch das des nietzscheschen Verständnisses von Klugheit zeigt sich im Begriff "Bescheidwissen", der etymologisch mit "bescheiden" zu tun hat und wiederum auf eine "Beschäftigung" mit Grenzen hinweist (vgl. M. Kähler, a. a. O., S. 20), das "Geschäft" des Übermenschen: "Es scheint mir, daß *Bescheidenheit* und *Stolz* eng zueinander gehören . . . das gemeinsame ist der kalte, sichere Blick der Schätzung in beiden Fällen". (Nietzsche, in: M. Heidegger, a. a.O., S. 120).

30 Fr. Nietzsche, WW II, S. 357.

31 Ebd., S. 394.

32 Ebd.

33 Vgl. P. Ricoeur, Hermeneutik und Psychoanalyse, München 1974, S. 306. Auf dieser Folie erscheint sogar noch "im Nachdenken der Menschen" das "Leid" als Trost, wenn es als "Strafe" verstanden werden kann, wobei es sich ein "Es-war" im Gedächtnis behält und sich mit dieser Zuwendung des "Es-war" "schon" zufrieden gibt (Vgl. Nietzsche, WW II, S. 395). Vgl. in diesem Zusammenhang Nietzsches Vermutung über den Geist der Märtyrer, WW I, S. 1086f und dazu S. Weil: "Auf augenblickliche Dauer ergreift dieser Schmerz das ganze Sein, so daß für Gott kein Raum mehr bleibt, sogar bei Christus nicht, bei dem zumindest der Gedanke an Gott nur noch der einer Beraubung ist. Dahin muß es kommen, damit die Inkarnation völlig sei. Das ganze Sein wird ein Gottesberaubtsein: wie könnte man darüber hinausgehen? Danach

bleibt nur noch die Auferstehung. Um dahin zu gelangen, bedarf es der eisigen Berührung des nackten Eisens. Bei dieser Berührung muß man sich wie Christus von Gott getrennt fühlen, sonst ist es ein anderer Gott. Die Märtyrer fühlten sich nicht von Gott getrennt, aber es war ein anderer Gott..." (S. Weil, Schwerkraft und Gnade, München 1952, S. 171).

34 Nietzsche, WW II, S. 396.

35 Zu den Epitheta des Prophetischen vgl. ebd., S. 462 u. ö.

36 P. Ricoeur, a. a. O., S. 302.

37 Fr. Nietzsche, a. a. O., S. 394.

38 Ebd., S. 393f. Die hermeneutische Perspektive des "für uns", die durchaus auch neutestamentlich begegnet, hat ebenda aber noch einen anderen, verflüchtigenderen Sinn als den, welcher im Laufe der Dogmengeschichte konserviert wird. Auch M. Kähler gelang es nicht, diesen Bruch, den nur die Hermeneutik, also der Wille zur Verformung um der Verständigungsnähe willen schwinden läßt, als ein christologisches Apriori im Blick zu behalten. Vgl. M. Kähler, a. a. O., S. 33; vgl. dazu H. Blumenbergs Kritik am Gadamerschen Hermeneutikkonzept, das sich durch "Leistung" legitimiert, in: Blumenberg, Säkularisierung und Selbstbehauptung, Frankfurt 1974, S. 23f.

39 Fr. Nietzsche, in A. Neusüss, a. a. O., S. 191f.

40 M. Heidegger, a. a.O., S. 114.

41 Vgl. Fr. Nietzsche, Also sprach Zarathustra, Untertitel.

42 P. Ricoeur, a. a. O., S. 307f.

43 Fr. Nietzsche, WW I, S. 209–219.

44 M. Heidegger, Frühe Schriften, Frankfurt 1980, S. 426.

45 Vgl. H. Schnädelbach, Geschichtsphilosophie nach Hegel, Freiburg 1974, S. 125–129.

46 Vielleicht ist die Typologie der Gottesbegegnung damit nicht psychologisierend überinterpretiert, wenn man zwar das "Schauen Gottes" als

Kulminationspunkt läßt, es aber dadurch spezifiziert sieht, daß der Mensch aus dem Umkreis des Alltäglichen, des alltäglich Gesichteten herausfällt und durch Hören und Einfühlen zu solcher Schau befähigt wird. So verstand auch die Mystik die "Nacht" als die durch den Entzug des Sehvermögens möglich gewordene Konfrontation mit "hautnahen" Empfindungen (Angst, Wärme. . .). Die Erkenntnisse der Sinnesphysiologie und -psychologie bestätigen die höchste taktile Sensibilität im Bereich der Fußsohlen, die überdies auf sehr viele organische und psychische Vorgänge Einfluß haben kann, was sich wiederum die Medizin durch die Reflexzonentherapie zunutze gemacht hat (zur aphrodisierenden Wirkung vgl. in der ägyptischen Literatur das "Füsseln", ein Topos für die partnerschaftliche Kontaktaufnahme). Möglicherweise ist dieses Wissen der Hintergrund, um die pluralere Beziehungsdimension zu beschreiben, wenn Mose am Dornbuch die Schuhe ablegen soll; eine Vorerfahrung, die in der "kultivierten" Reinheitsbegründung schon vergessen war.

47 "Es gibt also zwei Hermeneutiken: Die eine richtet den Blick auf die Heraufkunft neuer Symbole, auf die aufsteigenden Gestalten, die sich, wie es die *Phänomenologie des Geistes* zeigt, zu ihrem letzten Ziel hinbewegen . . .; die andere Hermeneutik befaßt sich mit der Wiederkehr der archaischen Symbole. Diese zweite Interpretation stellt sich . . . die Aufgabe, einen lückenhaften Text zu interpolieren, während die erste weniger einen verstümmelten Text wiederherstellen, als die neuen Vorstellungen entwickeln will, die durch das Symbol wachgerufen werden" (P. Ricoeur, a. a. O., S. 31. Ebenso J. Lacan, Ecrits, Paris 1966, S. 258ff; ebenso L. Strauss, in: H.–G. Gadamer, a. a. O., S. 505). Diese Hermeneutiken unterscheiden sich also nicht nur in ihrer zeitlichen Zielrichtung, sondern auch in der Verhältnismäßigkeit von Interesse und Gegenstand und Ziel, also insgesamt in ihrem Verständnis von Wirklichkeit, d.h. von "Wirken" überhaupt. Ob korrespondierende Termini wie Unterbewußtes und Bewußtes dafür glücklich gewählt sind oder nicht vielmehr die Dienstherrschaft einer dritten Hermeneutik, die die vorhergehenden (als bloße Heuristiken) zu supplementieren hat, vermuten läßt, soll hier nur als Frage angedeutet werden.

48 Vgl. P. Ricoeur, a. a. O., S. 300–314 (auch zum folgenden).

49 Vgl. J. Lacan, Die vier Grundbegriffe der Psychoanalyse, S. 69.

50 M. Metzger, Die Paradieseserzählungen, Bonn 1959, 133.

51 J. D. Michaelis, in: W. Oelmüller, Die unbefriedigte Aufklärung, Frankfurt 1969, S. 228; vgl. dazu auch H. Kleist, Über das Marionettentheater, WW VII (hrsg. v. Minde-Pouet, 1924), S. 43.

52 G. Fohrer, Struktur der alttestamentlichen Eschatologie, in: H. D. Preuß, Eschatologie im Alten Testament, Darmstadt 1978, (S. 147–150), S. 171f, 177.

53 Kopernikus, in: H. Blumenberg, a. a. O., S. 240.

54 H. Rombach, Substanz, System, Struktur, I, Freiburg 1965, S. 260; vgl. auch G. J. Rheticus und Osiander über Kopernikus, ebd., S. 257ff; vgl. W. Kamlah, Von der Sprache zur Vernunft, Mannheim 1975, S. 9–27.

55 Vgl. H. Blumenberg, a. a. O., S. 241ff.

56 G. W. F. Hegel, WW III (hrsg. v. E. Moldenhauer, Frankfurt 1969), S. 508.

57 Ders., WW XVII, S. 37.

58 Ebd., S. 74.

59 R. Descartes, in: H. Blumenberg, a. a. O., S. 242.

60 Ebd., S. 13.

61 Ebd., S. 12; hier schon einen Angriff (nicht nur) gegen R. Bultmann zu wittern, ist zwar möglich, er wurde aber in dieser Weise schon sehr oft gegen die Entmythologisierung vorgebracht, so daß es einer tiefgründigeren Auseinandersetzung bedürfte. Den von L. Feuerbach formulierten Vorwurf wandte in Form einer Anfrage J. Schniewind gegen Bultmann (in: Antwort an R. Bultmann. Thesen zum Problem der Entmythologisierung., (Kerygma und Mythos I), S. 87). Ein mögliches apologetisches Anliegen unterstellt H. Albert (in: Traktat über kritische Vernunft, Tübingen, 2. Aufl. 1968, S. 108–115) Bultmann, wenn er die "Entmythologisierung . . . als ein hermeneutisches Immunisierungsverfahren für den Teil des christlichen Glaubens, den moderne Theologen angesichts der heute vorliegenden Kritik unter allen Umständen retten möchten" (S. 113) ansieht: Bultmanns Entmythologisierung nur als Spiel im Ensemble moderner Wissenschaftlichkeit verstehen zu wollen und ihn des-

halb, weil er sich nicht zu einer Eliminierung des Kerygmas entschliessen kann, als Spielverderber abzutun (S. 114f), wird wohl nicht solchen Denkanstößen gerecht, die das Verhältnis von Existenzialität und Wissenschaftlichkeit zur Debatte stellen. Da H. Blumenberg in seinen "Marginalien zur theologischen Logik Rudolf Bultmanns" (in: Phil. Rundschau 2 (1954/55), S. 121–140) anstelle von Polemik auf Gründlichkeit setzt, versucht er die Kritik an Bultmann durch die Trennung des Geschichtsphilosophen B. vom Theologen B. zu orientieren.

62 Die Seitenzahlen i. f. Text beziehen sich auf M. Kähler, Der sogenannte historische Jesus und der geschichtlich biblische Christus (vgl. Anm. 11).

63 H.–G. Gadamer, a. a. O., S. 207.

64 Ebd., S. 444; vgl. dazu auch W. Pannenberg, Hermeneutik und Universalgeschichte, in: Seminar: Die Hermeneutik und die Wissenschaften, (hrsg. v. H.–G. Gadamer), Frankfurt 1978, S. 283–319.

65 W. Dilthey: "Die erste Bedingung für die Möglichkeit der Geschichtswissenschaft liegt darin, daß ich selbst ein geschichtliches Wesen bin, daß der welcher Geschichte erforscht, derselbe (!) ist, der die Geschichte macht." Dies scheint mir eine klassische Vorlage zu sein für Kählers Subjektivismusverdacht.

66 H.–G. Gadamer, a. a. O., 211.

67 Vgl. zu "Nachfolge", M. Kähler, a. a. O., S. 44, 68f.

68 Vgl. W. Pannenberg, a. a. O., S. 301.

69 M. Heidegger, in: Gadamer, Wahrheit und Methode, S. 498.

70 E. Fuchs, ebd., S. 499.

71 H.–G. Gadamer, ebd., S. 500

72 R. P. Laing, a. a. O., S. 89–141.

73 In: M. Heidegger, Frühe Schriften, Frankfurt 1978. Sein und Zeit wird nach der Ausgabe Halle 4. Aufl. 1935 zitiert (vgl. Anm. 25).

74 A. Kesting, Utopie und Eschatologie, Heidelberg 1952, S. 132.

75 Vgl. zum Geschichtsverständnis Kestings ebd., S. 104, 131 und zu seinem Heideggerverständnis S. 112, 127, 132.

76 M. Heidegger, Nietzsche II, Pfullingen 1961, S. 486; die Seitenangaben i. f. Text beziehen sich darauf.

77 M. Heidegger, Frühe Schriften, S. 433.

78 D. G. Cooper / R. D. Laing, Vernunft und Gewalt, S. 13; die Seitenangaben i. f. Text beziehen sich darauf.

79 H.–G. Gadamer, a. a. O., S. 297.

80 H. Blumenberg, in: Phil. Rundschau 2, S. 125.

81 R. Bultmann, Theologie des NT, Tübingen 1953, S. 184.

82 R. Bultmann kristallisiert seine Kritik an der Theologie darin, daß er von Kerygma spricht; G. Ebeling glaubte gerade mit der näheren und weiterführenderen Klassifikation desselben als Sprachgeschehen Bultmanns Vorstoß aufzunehmen. Freilich *spricht* Bultmann vom Hören und logisiert so in gewisser Weise das Kerygma, das in dieser Form dann zur Basis für Theologie als Wissenschaft (und als solches bezeichne ich es Kerygma_2) werden kann, (wogegen sich Blumenbergs Kritik richtet). So verstandene Theologie trägt aber dann noch das Begehren hinsichtlich des Verbleibs im Entzug mit. Das Verhältnis von Kerygma und Theologie wäre dann nicht nur ein nominalistisches (gegen Blumenberg). Solange aber von Kerygma *die Rede ist* (und das ist nicht nur ein Symptom Bultmann'scher Theologie, sondern damit diagnostiziert er weitblickend die gegenwärtige pastorale Lage – Pastoral*arbeit* –), handelt es sich um Erinnerungsgeschichte, was besonders deutlich Nietzsche gezeigt hat in seinen Angriffen gegen die Geschichte des Christentums als einer Idee der décadence-Moral (vgl. W. Bröcker, in: Phil. Rundschau 6 (1958), 291–293). Ist der Rahmen des theologsichen Denkens derjenige, der das erkennbare Anliegen Bultmanns, das über einer Begründung der Theologie vergessen wurde, sich entbergen könnte, nämlich durch die "Konzeption" einer Theologie des Hörens diese nicht nur konzepthörig zu machen? Die Determination des epochalen Verständnisses wird ebensowenig wie die der geschichtlichen Vergangenheit (vgl. Bultmann, Geschichte und Eschatologie, Tübingen 1958, S. 50)

durch den "Ruf der Freiheit" (E. Käsemann) aufgebrochen, da dieser ebenso im Begehren vernommen wird. In der Aufhebung des Gesetzes durch den "Glaubensgehorsam", also durch ein neues Gesetz, wird die Freiheit nur sichtbar; sie will vielleicht weniger sichtbar als vielmehr hörbar werden, d.h. hörbar *und* zugleich überhörbar (und das ist ihr Schutz wie ihre Schutzlosigkeit), denn ohne das Zusammenwirken von beiden kann Freiheit nicht vernommen werden. Die Vernahme der Freiheit ist aber geschichtlich und nicht immer eine Wiedererinnerungsfeier.

83 G. Wanke, "Eschatologie". Ein Beispiel theologischer Sprachverwirrung, in: H. D. Preuß, Eschatologie im Alten Testament, S. 342–360.

84 J. Lacan, a. a. O., S. 28.

85 Ebd., S. 18.

86 H. Rombach, Strukturontologie, Freiburg 1971, S. 39.

87 Diesen Gedanken der "funktionalen Einheit der Momente" entwarf schon vor H. Rombach (ebd., S. 38) dessen Lehrer M. Heidegger in "Überwindung der Metaphysik" (in: Vorträge und Aufsätze, Pfullingen 4. Aufl. 1978, S. 67–95): "Philosophie im Zeitalter der vollendeten Metaphysik ist die Anthropologie geworden . . . und auf diesem Wege zu einer Beute der Abkömmlinge der Metaphysik, d.h. der Physik im weitesten Sinne . . ." (S. 82). Versteht man die funktionale Einheit als "Bestandsicherung" (Technik) um den Preis der "Besinnungslosigkeit" (S. 83), dann bedeutet Kritik immer schon Selbstkonstitution, "ursprüngliche synthetische Einheit der transzendentalen Apperzeption" (S. 80) und damit Erhalt und Steigerung des im "Willen" ("Der Wille zum Willen ist die höchste und unbedingte Selbstsicherung des Rechnens. . . " (S. 84)) Vorgestellten. Die Besinnungslosigkeit begnügt sich mit dem Begreifen des Vorgestellten, im Spiel von Befehl und Antwort (Informatik), in der personifizierenden Reduktion auf "Willensmenschen" (S. 85). Die Anthropologie ist gewissermaßen das Theologumenon der Erkenntnistheorie, als die sich die neuzeitliche Gestalt der Ontologie entfaltet. Der Mensch *als* Wille ist selbst schon ein Konzept der Mächtigkeit, Anthropologie ist damit das Epizentrum zur Zentralisation des Denkens in Erkenntnistheorie (vgl. S. 70). Das kopernikanische Axiom der Lehre von den Erscheinungen (s. o. und M. Heidegger, Frühe Schriften, S. 420) hält sich in einem funktionalen Regelkreis

zum Menschen(-bild), das mit der anfänglich verspürten (Be-)dürftigkeit der Welterklärung kontaminiert wird.

88 Vgl. J. G. Droysen, Historik, Darmstadt, 7. Aufl. 1972, S. 5–10, S. 11–16; ebenso P. Hünermann, Der Durchbruch geschichtlichen Denkens im 19. Jahrhundert, Freiburg 1967, S. 70f; vgl. ebd., S. 75–96.

89 Droysen, a. a. O., S. 12; ebenso ders., "Geschichte der Preußischen Politik", in Hünermann, a. a. O., S. 53, Anm. 26; vgl. Droysen, Historik, § 357, § 83.

90 Droysen, Historik, S. 347.

91 Ebd., S. 226; vgl. auch ebd., S. 222 (Sprache als Weltanschauung).

92 Sprachproduktion als Übersetzung chemophysischer Reize bzw. deren Organisation "mit dem Stempel dieser relativen Totalität" (ebd.) zu beschreiben, verrät schon terminologisch die enge Nähe zur Sprache der Mechanik und deren Arbeitswelt.

93 Ebd.

94 Ebd., S. 232, 235.

95 Vgl. P. Hünermann, a. a. O., S. 21–30.

96 Vgl. ebd., S. 22 Anm. 2 mit Droysen, a.a.O., S. 234 u.ö.

97 J. B. Bossuet, in: Hünermann, a. a. O., S. 46f.

98 Vgl. die dialektische Strukturierung der Geschichte in der Tübinger Schule (Möhler/Staudenmeier). Die bestimmende Dimension ist das Präsens, das sowohl Vergangenheit wie Zukunft re-präsentiert. Unter dem Axiom "Geschichte als Vorstellungsgeschichte" wird hier Zeit gemäß der Raumvorstellungen ausgelegt: dem räumlichen Nebeneinander entspricht das zeitliche Nacheinander.

99 M. Kähler, Eschatologie, in: Protestantische Realenzyklopädie, (hrsg. v. A. Hauck, Leipzig 1898), V, S. 493: M. Kähler verfällt in seinem Artikel "Eschatologie" der Perspektivik dieses Geschichtsbegriffs, wenn er die Hoffnung der testamentlichen Religionen mit Schleiermacher, "dem Vater der positiven Theologie" (Pannenberg), mit der Kategorie des

"teleologischen Zuges der testamentlichen Religionen" identifiziert. Hoffnung wird universalgeschichtlich gedeutet und damit funktional verstanden: "Dieser (teleologische) Zug kommt näherhin darin zu Tage, welche Bedeutung die Hoffnung in ihnen hat, und wie sich hier mit der Verbürgung eines Gesamtzieles der Sinn für die Geschichte erschließt; das gemeinsame Ziel verbürgt auch den einheitlichen Anfang und die ineinandergreifende Entwicklung" (ebd.).

100 Vgl. i. U. zu Hünermann (a. a. O., S. 230) W. Pannenberg, Wissenschaftstheorie und Theologie, Frankfurt 1973, S. 107, Anm. 208 (zum Diltheyverständnis von Troeltsch).

101 Auf Dilthey, der von einem "kontemplativen Wahrheitsbegriff" geleitet ist, trifft der Feldbegriff in Zusammenhang mit den "Zwecksystemen" eher zu als auf Troeltsch' Konzeption eines (wenngleich ausstehenden) "Endzwecks" (vgl. w. Pannenberg, a. a. O., S. 109).

102 Vgl. W. Pannenberg, ebd., S. 206–224; ebenso in Bezug auf die Hermeneutik, H. Blumenberg, Säkularisierung und Selbstbehauptung, S. 24.

103 Es geht in dieser Kritik der Leistungen der Theologie nicht darum, ein "Mehr" an Leistungen abzufordern, vielmehr soll das (unbewußte) Selbstverständnis angezeigt werden, das hier handlungsleitend ist, ja das so selbstverständlich erscheint, daß es sogar als Hüter der Tradition verstanden wird.

104 Wissenschaftsgeschichte in diesem Sinn kann nicht eine notwendige Entwicklung zeigen, sondern sie will jene Krisen und Umbrüche in den wissenschaftlichen Disziplinen zeigen, "die ihr Weltbild völlig verändern und zu einem revolutionären Wandel ihrer Grundannahmen führen" (W. Lepenies, in: S. Müller, Paradigmenwechsel und Epochenwandel. Zur Struktur wissenschaftshistorischer und geschichtlicher Mobilität bei Th. S. Kuhn, H. Blumenberg, H. Freyer, (Saeculum 1/1981, S. 1–30)). In diesem Hinblick wurde der Begriff "Paradigma" gewählt, in einem Verständnis, das G. Canguilhem (Wissenschaftsgeschichte und Epistemologie, Frankfurt 1974, S. 27) ausführt.

105 P. Hünermann, a. a. O., S. 75, Anm. 98.

106 Ebd., Anm. 99.

107 Vgl. H. Schnädelbach, a. a. O., S. 123.

108 Vgl. H. Blumenberg, a. a. O., S. 242–246.

109 I. Kant, WW I, S. 334.

110 Ein Gedanke, der dem kritischen Kant, vornehmlich in seiner Religionskritik und in "Das Ende aller Dinge", als eines jener "widrigen, zum Teil ekelhaften Gleichnisse" (Kant, in: W. Oelmüller, a. a. O., S. 222) erscheinen muß, und der nur dadurch rehabilitiert werden kann, wenn er als "Lehre " der darin "erleuchteten praktischen Vernunft" zur Bedingung des "sittlich Handelnden" begriffen wird (vgl. W. Oelmüller, a. a. O., S. 218–239).

111 I. Kant, WW X, S. 405.

112 I. Kant, WW I, S. 334f.

113 I. Kant, WW X, S. 404–413.

114 Indem Handeln zur Ethik des Lebens ("philosophie practique", Descartes) wird, gerät das Ende des Lebens, das Sterben außer Sicht (d. h. in eine bestimmte Sicht der "Zugehörigkeit zum Leben"), es sei denn es wird als *bislang* bloß praxiswiderständiges Problem angesehen, das unter dem zu steigernden Optimismus fortschrittlicher Intelligenz *Behandlungsgegenstand* (Descartes) werden wird; einer Intelligenz, für die eine *ungeahnte Herrschaft über die Welt*, eine moralische Verbesserung des Menschen und der dann zur Selbstverständlichkeit gewordene Gottesglaube, kurz eine mathesis universalis via rationalis (Spinoza) zum Selbstverständnis und damit nicht nur wahre, sondern wirkliche Vorstellung (Descartes) geworden ist (s. H. Rombach, Die Bedeutung von Descartes und Leibniz für die Metaphysik der Gegenwart, in: Phil. Jb. 70 (1962/63), S. 78). Heidegger bemerkt schon in *Sein und Zeit* diese ablehnende Ablenkung des Sterbens in der Verfügung für ein Denken, wie es die Philosophie der Subjektivität prägt (bei Marx: das überlebende Fortdauern der Gattung als Trost über den individuellen Tod), wenngleich auch das Daseinsverständnis als *Sein zum Tode* noch der transzendentalphilosophischen Tradition nahesteht, was aber möglicherweise beim späteren Heidegger in den Hintergrund tritt.

115 H. Rombach, Strukturontologie, S. 283. Vgl. z. f. S. 282.

116 Vgl. P. Ricoeur zum Problem von Struktur und Ereignis, langue und parole, in: Structure et hermeneutique (SH), 1963: Strukturen werden

erst durch eine sie fundierende Hermeneutik, hier verstanden als sinnkonstitutives Deuten, sichtbar. Dabei läßt sich die Verlaufstruktur der Ereignisse von Strukturen nachzeichnen, ohne daß Geschichte in einem virtuellen System aufgehoben und daraus deduziert wird; i. U. dazu wird bei Chomsky (so Ricoeur, in: La structure, le mot, l' événement 1967, S. 814) das Ereignis zum (re-)konstruierbaren Moment der Struktur. Solche Leistung der Letztbegründung durch das "strukturalistische Denken, qua objektiviertes Denken" ist "nur eine Etappe des Selbstverständnisses und bedarf einer Aufnahmestruktur, . . . die im Idealfalle eine 'totale Rekapitulation aller Inhalte des Selbstbewußtseins' (eine Art Hegelscher Logik) leistet" (SH, S. 617f). Vgl. H. Melenk, Die formalen Systeme des französischen Strukturalismus, in: Phil. Jb. 79/1 (1972), S. 155ff. Kann solche Rekapitulation einen Weg finden, der durch die Vollendung der Metaphysik (als "logistischer" Logik) hindurch und über sie "hinausgeht", ohne sich kapitulierend dem Systemgedanken der Metaphysik anheim zu stellen?

117 S. Kierkegaard, Der Begriff der Angst, Düsseldorf, S. 493.

Rationalität und Vertrauen. Anmerkungen zu einem gegenwärtigen Spannungsverhältnis*

Severin Müller

Einleitung

Ein landläufiger Slogan lautet: „Vertrauen ist gut, Kontrolle ist besser". Der Slogan artikuliert, daß Vertrauen enttäuscht werden kann — das Vertrauen in bestehende Verhältnisse oder in künftige Ereignisse, in bestimmte gegenständliche Beschaffenheiten oder bestimmte menschliche Eigenschaften, in Aussagen darüber, in Zusagen, in Ankündigungen und Versprechen. Vertrauen kann enttäuscht werden in dem Maße, als es sich auf unterschiedlichste Phänomene, Prozesse und Bereiche bezieht: Sei's die Richtigkeit einer Gebrauchsanweisung und ihrer technischen Daten (z.B. Tragfähigkeit einer Brücke), sei's die Funktionsfähigkeit eines technischen Systems (z. B. die Flugtauglichkeit eines Verkehrsflugzeugs), sei's die Aufrichtigkeit eines Gesprächspartners, seien es schließlich die Sorgfalt, Zuverläßlichkeit und der „gute Wille" eines Handlungspartners. Eben darin kann Vertrauen in dem Grade enttäuscht werden, als der Vertrauende keinen unmittelbaren Zugang und Einblick in den „Gegenstand" und Bezugspol seines Ver-

* Überarbeitete und wesentlich erweiterte Fassung eines Vortrags, der am 14. 5. 1980 an der Katholisch-Theologischen Fakultät der Universität Passau gehalten wurde.

trauens hat. Er muß in „Treu und Glauben" für wahr halten, was ihm einzig vermittelt gegeben ist, durch mündliches oder schriftliches Zeugnis, dank der Zeugenschaft eines Übermittelnden. Der Vertrauende muß für wahr und in Wahrheit gegeben annehmen, was ihm selbst sodann Ausgangspunkt, Bestandteil und Fundament eigener Aktionen werden kann — er übernimmt, was vermittelt wurde, läßt es im eigenen Sprechen und Tun wirksam werden, hat so selbst dafür einzustehen. In diesem Sinne ist im jeweils einzelnen Vertrauensbezug stets mehr im Spiel, sowohl von seiten dessen, worin vertraut wird (etwa die schon erwiesene Vertrauenswürdigkeit des Partners), wie auch von seiten dessen, der vertraut (er läßt sich — etwa in der Weise von Folgehandlungen — darauf ein, engagiert sich vielleicht mit ganzer Person). Vor allem von der Seite des Vertrauenden her wird deutlich: Vertrauen ist ein spezifisches Erwartungs- und Anerkennungsverhältnis, es vergegenwärtigt eine eigene humane Gesamthaltung und Gesamteinstellung zur Realität.

Der eingangs angeführte Slogan fordert so, diese Gesamthaltung zu verbessern, wenn nicht zu ersetzen. Er unterrichtet darin zugleich über einen Vertrauensschwund und ein hieraus entspringendes, scharfes Spannungsverhältnis. Das Mißtrauen richtet sich auf die Zuverläßlichkeit, Wahrheit und Anerkennbarkeit eben jener Vermittlung und Zeugenschaft, welche dem Vertrauenden in der Weise entzogen und unzugänglich sind, daß er sie allein in „Treu und Glauben" übernehmen kann. Daher fordert jener Slogan, in diese Vermittlung selbsteigen vorzustoßen — in kritischer Überprüfung, in nachweisbarer Voraussicht. Die Anweisung zur Kontrolle verlangt, jene Vermittlung vermöge eigener Erkenntnisaktionen zu übernehmen, sie vermöge eigenen und distinkt verfahrenden Einblicks zu strukturieren. Kurzum: Die offen zuversichtliche Erwartungshaltung und die ungesichert vorlaufende Anerkennung des Vertrauens sind zu ersetzen durch eine Einsicht, welche begründet und überprüfbar erkennt, sie sind zu ersetzen durch den verzerrungsfrei sicheren Vorblick.

Vertrauen muß ersetzt werden, weil es enttäuscht werden kann. Es muß ersetzt werden, weil es — in eben dem Maße, als es eine

Gesamthaltung darstellt – unabschneidbar mit der Möglichkeit verbunden ist, der Täuschung, dem Irrtum, der Unwahrheit zu verfallen, weil es der Lüge und der Verführung ausgesetzt, dem möglichen Mißbrauch ausgeliefert ist. Der zitierte Slogan dokumentiert eine Erfahrung und eine Verlagerung. Er erzählt die Enttäuschungsgeschichte des Vertrauens und verlangt dessen Umwendung, künftig allein in Kontrolle zu vertrauen, er spricht aus dem Mißtrauen ins „bloße" Vertrauen. Aus dieser gängigen Forderung aber erwachsen zwei Fragen. Zum ersten: Wodurch soll das Vertrauen in jener Umwendung zur Kontrolle verbessert, überstiegen und also entbehrlich werden? Zum zweiten: Kann die humane Gesamthaltung des Vertrauens, solcherart in durchdringendes Mißtrauen gestürzt, in diesem Sinne ganz und gar ersetzt werden? Die letztgenannte Frage impliziert nicht allein das Problem der erheblichen Folgelasten, welche das Ziel einer universal greifenden Kontrolle mit sich führt. Sie richtet sich zugleich auf den möglichen humanen und anthropologischen Rang des Vertrauens, deren Bedeutung wie deren mutmaßlich komplexe und unterirdische Verspannungen. Ist die Elimination des Vertrauens in der Weise möglich, daß auch die anthropologische Endbilanz im Ganzen einen Zuwachs aufweist? Beide Fragen aber fordern zunächst den Blick auf den Vertrauensschwund, dem das Vertrauen unterliegt. Resultiert er aus einem Mißverständnis des Vertrauens, entspringt er einer Überforderung oder einer Erschöpfung jener humanen Gesamthaltung? Mit dieser Vermutung ist der Blick zugleich darauf zu lenken, was in jenem Mißverständnis verkannt wird und worin die mögliche Überforderung besteht. Fürs erste ist hierzu festzuhalten: Die Täuschbarkeit des Vertrauens resultiert aus der entzogenen Vermittlung. Deren Charakter aber entspringt dem Ort des Vertrauens selbst, darin aber einer Verfaßtheit von Wirklichkeit im Ganzen (welche sich eben an jenem Ort vordringlich manifestiert). Die humane Gesamthaltung des Vertrauens ermöglicht die Anerkennung und Bejahung von Realität dort, wo die in maßstäblicher Evidenz und Durchsichtigkeit geschehende Einsicht und Vergegenwärtigung nicht vollziehbar sind. Die Einstellung des Vertrauens überbrückt so zum weiteren jene Abstände und Abständigkeiten, welche der vergegenwärtigende Blick an ihm selbst nicht unmittelbar durchmessen kann, welche also verhindern, „vor Ort" zu sein und mit „eigenen Augen" sich zu vergewissern. In dieser räumlichen und zeitlichen, vergangenen und zukünftigen Distanz aber ist der vertrauende Blick und die vertrauende Vergegenwärtigung zugleich konfrontiert mit der Mannigfaltigkeit, Vieldeutigkeit und Diffusität des Wirklichen. Sie ermöglichen, daß Verhältnisse und Sachverhalte durchaus auch anders gegeben sein können, abweichend vom gegebenen Bericht; gerade die Vieldeutigkeit der humanen Aktionsmöglichkeiten, Einstellungen und Haltungen aber bedingt, daß die Vermittlung abweichend geschieht von ihrer Zusage und Versicherung. Mit den Charakteristika der Vieldeutigkeit, Diffusität und Offenheit von Realität (nicht zuletzt in Hinsicht auf angesagte zukünftige Ereignisse und Aktionen) siedelt das Vertrauen in einem eigenen und verschwimmenden Grenzbereich von wahr und falsch – es bewegt sich auf dem ausgesetzten, in dieser Zone schmalgewordenen Grat zwischen Wahrheit und Unwahrheit. Wird darin zugleich verkannt, worauf das Vertrauen sich richten kann, enthält jener Bereich ineins die Möglichkeit, daß sie ihr Beziehungsverhältnis verfehlt?

Worauf aber die geforderte Kontrolle zielt, wird sogleich augenfällig, rückt man mit vor den Blick, was durch die Kontrolle ersetzt und beabsichtigt ist. In der verlangten Kontrolle soll die Vermittlung zugänglich, durchsichtig und überprüfbar, soll deren Vollzug selbst übernommen werden. Die im Vertrauen geschehende Anerkennung und Vergegenwärtigung ist durch die begründet erkennende, gesicherte und bewährte Überbrückungsleistung abzulösen. Die Erwartungshaltung des Vertrauens muß fundiert werden im methodisch gewonnenen Einblick, sie ist überzuführen in die rational ausweisbare und rational geleitete Vorsicht. Die Absicht, das Vertrauen zu ersetzen, beinhaltet so einen Wechsel in der humanen Weise der Erschließung und Vergegenwärtigung von Realität. Worin besteht der Umschwung? Er zielt darauf, die vordem entzogene Vermittlung in die Leistungsmöglichkeiten erkundender und erkennender Rationalität einzubeziehen. Das gegensätzliche Spannungsverhältnis von Vertrauen und Kontrolle ist insgesamt als Gegensatzverhältnis von Rationalität und Vertrauen zu fassen. Gegenüber der offenen Zuversicht des Vertrauens eignet dem rationalen Ein- und Vorblick eine distinkte Leistungsfähigkeit, in dieser Weise des Ein- und Vorblicks gelangt die Leistungspotenz der Rationalität insgesamt zum Austrag und zur Wirkung. Sie voll ins Spiel zu bringen, scheint zudem durch zwei Erkenntnis- und Handlungsnormen geboten. Die Rationalität des Ein- und Vorblicks verspricht eine optimale Erfüllung der humanen Verpflichtung zu täuschungsfreier Wahrheit. Sie entspricht weiter dem humanen Gebot der Verantwortlichkeit – eine Verpflichtung, welche vor allem in Hinsicht auf die handlungsbestimmende Bedeutung des Vertrauens (etwa in den Aktionen singulärer wie sozialer Selbsterhaltung) ein erhebliches Gewicht besitzt. Die kontrollierende und kontrollierbare Rationalität erhält so einen Vertrauensvorschuß und einen Vorrang, der jenes Spannungsverhältnis durchzieht, der das Vertrauen ab- und verdrängt. Vermag indessen die Rationalität – umgekehrt gefragt – jene humane Gesamteinstellung insgesamt zu ersetzen? Die Frage richtet sich fürs erste darauf, worin der vermutete Verdrängungsvorrang der Rationalität besteht, sie mündet weiter in das Problem der ersetzenden Rationalität, in deren Eigenart und Leistung. Gesetzt den Fall, die Möglichkeit der Überforderung gälte nicht allein für das Vertrauen, sondern (in eigener Weise) auch für die Rationalität, dann wird mit der Frage nach der Reichweite der rationalen Erkundung ineins die Frage nach einem möglichen, untergründigen und fundamentalen Bezugsverhältnis der Rationalität zum Vertrauen vordringlich. Wird also in dem angedeuteten Verdrängungsprozeß ein Fundierungszusammenhang zwischen Vertrauen und Rationalität abgeblendet, nicht allein auf Kosten des Vertrauens, sondern auch auf Kosten der Rationalität und also zu Lasten der vollen Spielbreite humaner Haltungs- und Einstellungsmöglichkeiten?

Dem skizzierten Problemkomplex soll im Folgenden in mehreren Einzelschritten nachgegangen werden. Fürs erste wird die gegenwärtige Bedeutung der Rationalität skizziert, werden weiter Strukturmerkmale rationaler Vergegenwärtigung angeführt und bestimmte Momente der Beziehung von Rationalität und Vertrauen umrissen. Die Erinnerung einiger Charakteristika des Ursprungs moderner Rationalität beabsichtigt schließlich, in den Kern jenes Spannungs- und Gegensatzverhältnisses vorzudringen.

I. Zur Bedeutung gegenwärtiger Rationalität und zur Eigenart des Vertrauens

Generell genommen bezeichnet „Rationalität" ein Hauptcharakteristikum moderner Wissenschaft, ihrer methodisch-logischen Verfahrensart und ihrer Ergebnisse. Darüberhinaus und daneben begegnen die Bezeichnungen „rational", „Rationalität" in zahlreichen lebensweltlichen und umgangssprachlichen Wendungen. Man spricht von „rationalem Diskurs", von der „Rationalität einer Entscheidung" und von „rationalem Handeln". Umgekehrt und in indirekter Reklamation des Begriffs heißt es, „Verhältnisse", „Zustände" und „Vorgänge" seien „irrational" und also dringlicher Besserung bedürftig. Gerade die indirekte Wendung verweist auf das breite Spektrum von Wertungen und Normen, welche mit dem Begriff der „Rationalität" ins Spiel gelangen – das Verdikt der „Irrationalität" bekundet, daß gegenwärtig übliche und mögliche Standards und Niveaus in sachlicher, logischer, praktischer und ethischer Hinsicht unterschritten wurden. Der hier nur angedeutete, ausgedehnte Verwendungsspielraum des Begriffs erlaubt, eine Reihe von Merkmalen zu notieren, welche eine erste Klärung ermöglichen.

Die angeführten Beispiele demonstrieren: „Rational" und „Rationalität" fungieren als Qualitätsmerkmale, sie gelten als Gütesiegel. Darin vergegenwärtigen die beiden Bezeichnungen sowohl die Typik von Verfahrensweisen als auch die Struktur von Sachverhalten. Worin bestehen Bedeutung und Qualität so zuerkannter Rationalität? Die Rationalität der Vollzüge und Sachen beinhaltet zum ersten deren allgemeine Einsehbarkeit und erkenntniskritische Nachprüfung. Deren Rationalität beschreibt so den Charakter ihrer Vermitteltheit oder die Möglichkeit ihrer Vermittlung. Deren Rationalität beinhaltet zum zweiten ihr anerkennbares, weil geordnet-logisches und sachgerechtes Bestehen. Mit den beiden Charakteristika sind zwei verschiedene, in sich jedoch zusammenhängende Merkmalsgruppen genannt. So bedeutet geordnet-sachgerechtes Bestehen Stringenz, Folgerichtigkeit und Angemessenheit einer Sache oder eines Prozesses. Stringenz, Folgerichtigkeit und Angemessenheit aber korrelieren ihrerseits der allgemeinen, also intersubjektiv-verbindlichen Einsehbarkeit im Sinne kritischer Beurteilbarkeit, ausweisbarer Rechtfertigung, kontrollierbarer Gültigkeit und verantwortbarer Anerkennung. Beide Merkmalsgruppen thematisieren jeweils den „subjektiven" und „objektiven" Aspekt von Rationalität, sie konturieren deren Vermittlungs- wie Realitätscharakter und umreißen die Eigenart so erfolgender Vergegenwärtigung. Die wechselseitige Verschränkung der Merkmalsgruppen wird an einer gemeinsamen Folge beider Aspekte faßbar. Stringenz und Folgerichtigkeit und allgemein normierende Einsehbarkeit einer Sache oder eines Prozesses erlauben den Überschritt über deren momentanen und örtlichen Bestand und Zustand: Sie ermöglichen den exakten Rückblick und die sichere Rekonstruktion vorhergehender Bestände und Zustände, sie ermöglichen weiter die treffende Prospektive und planende Voraussicht auf Abläufe, Ereignisfolgen und Zustände unter präziser Angabe der Bedingungen ihres Eintretens. Pragmatisch gesprochen: Rationalität erlaubt Konstruktion und Rekonstruktion und präsentiert darin eine eigene und spezifische Möglichkeit der Überbrückung von Realitätsdistanzen wie ebenso der Ver- und Behandlung der Vieldeutigkeit des Wirklichen.

Unter dieser Perspektive enthüllt sich die nachgeordnete Position des Vertrauens als Folge eines eigenen Leistungsdefizits – die letztgenannten Rationalitätsmerkmale vergegenwärtigen gleichsam einen Mängelkatalog des Vertrauens. Die Möglichkeit der Pro- und Retrospektive eben fehlen dem Vertrauen per definitonem. Ist darin und deshalb Vertrauen allein als „blindes Vertrauen" möglich? Demgegenüber kann zunächst festgehalten werden: Im Unterschied zur Überbrückungs- und Vergegenwärtigungsleistung der Rationalität übernimmt das Vertrauen die Anerkennung einer Sache oder die Erwartung einer Aktion gerade dort, wo deren Bestehen unter rationalen Maßstäben ungewiß ist oder von solchen Maßstäben nicht erreichbar scheint. Das Vertrauen läuft in die Bereiche vor, welche sich den Möglichkeiten exakter Retrospektive oder Prognose entziehen. Dieser Vorgang ist mehrfältig dimensioniert und unter verschiedenen Hinsichten zu beleuchten. Fürs erste gilt: Unter dem Horizont rationaler Vergegenwärtigung muß das „Leistungsdefizit" des Vertrauens zugleich und anders gewendet als

Ergänzungsgeschehen begriffen werden. Der Vertrauensbezug tritt dort an die Stelle vergegenwärtigender Rationalität, wo eine Erfüllungsgewißheit nicht mehr besteht oder noch nicht erlangbar ist, die solcherart entzogene Realität aber gleichwohl in das Geflecht der humanen Orientierungen, Einstellungen und Aktionen einbezogen werden muß (sei es aus Gründen der Daseins-Erhaltung, sei es aus Gründen maßstäblich geforderter Humanität). In diesem Sinne bringt das Vertrauen an der Erkundungsgrenze rationaler Vergegenwärtigung einen Erwartungs-, Anerkennungs- und Bestätigungsüberschuß zum Austrag. Dieser Sachverhalt nötigt zu einigen genaueren Distinktionen. Worin — so ist sogleich zu fragen — besteht jener Überschuß? Der von ihm ermöglichte und von ihm bewegte Überschritt über die Grenzlinie rational einsichtiger und kontrollierbarer Wirklichkeit verläßt die Sphäre der eigenursprünglich vollziehbaren, rationalen Vergegenwärtigungsprozesse, er verzichtet damit auf die ihm zu eigenen Möglichkeiten der Begründung. Der Vorgriff bewegt sich über die gebahnten, erworbenen und bewährten Sicherungen hinaus und akzeptiert in seiner vorlaufenden Bejahung das Risiko eines möglichen Fehlgangs. Woraus entspringt die humane Möglichkeit dieser offenen Anerkennung, ihres Vorlaufs ins Ungeklärte, woraus erwächst die Bereitschaft, sich selbst in dieser Weise aufs Spiel und auszusetzen? Im Blick auf das sogenannte „blinde Vertrauen" ist nun sofort anzumerken, daß der Verzicht auf die Möglichkeit ausweisbar-rationaler Begründungen nicht schon jedwede Gründung zurückläßt: Der Vertrauensbezug wie dessen bewegender Überschuß entstammen einer fallweise eigenen Fundierung. Dieser Sachverhalt ist manifest schon in Redewendungen wie den vom „gewonnenen", „bewährten", „verlorenen" oder „entzogenen" Vertrauen. Er nötigt zur Frage nach Eigenart und Bedeutung der jeweils waltenden Fundierung — eine Differenzierung, die entscheidend wird für das Verhältnis zur Rationalität wie für das Phänomen des rationalitätsüberschreitenden Überschusses. Die angeführten Redewendungen verweisen zuvörderst auf das vielfältige Feld der Erfahrung als einer maßgeblichen Basis des Vertrauens, sie deuten so auf die lebensweltlich-alltägliche wie weiter auf die historische Erfahrung. Im verflochtenen Gewebe dieser Erfahrungsarten aber ist weiter auch die Erfahrung der Rationalität gegeben und die Rationalität solcher Erfahrung wirksam: Die Erfahrung der Leistungspotenz und Gewißheit des Rationalen wie das vermöge rationaler Erkundung und Rekonstruktion gewonnene Arsenal erfahrungsleitender Informationen. Ist also die Rationalität selbst ein mögliches Fundament vertrauender Anerkennung? Mit dieser Vermutung wäre zugleich zu klären, in welcher Weise der Vertrauensbezug die Erkundungsgrenze des Rationalen überschreitet und wodurch diese Grenze charakterisiert ist. Für den basalen Status der Erfahrung gilt indessen im Verhältnis zum Vertrauen schon grundsätzlich: Daß Vertrauen sich in nachträglicher Erfahrung bestätigt, beinhaltet allein eine hinzukommende Rechtfertigung. Die rechtfertigende Erfahrung fungiert so als sekundär-folgende Bewährung, welche den andauernden Vertrauensbezug dann stützt und stärkt. Im gewonnenen und erlangten Vertrauen wiederum dient ein Ensemble von schon bestehenden Erfahrungen (und also fallweise gegebener rationaler Informationen) als Ausgangsbasis und point de départ für den Vertrauensbezug. Beide Male besitzt die basale Erfahrung zwar eine ermöglichende, stützende oder verstärkende Bedeutung, welche im Vollzug des Vertrauens jedoch überschritten wurde oder überholt wird. Das aber bedeutet: Der vertrauensbewegende Überschuß übersteigt das Fundament solcher Erfahrung — das in jenem Überschuß wirksame Potential deckt sich nicht mit der fundierenden Erfahrungsbasis. Genau an diesem Punkt ist an das Problem der Grenze der Erfahrungsbasis, näherhin an die Grenzlinie rationalen Gegebenseins zu erinnern. Zum einen ist zu bedenken, daß die Erkundungsgrenze rationaler Vergegenwärtigung keineswegs begriffen werden darf als fixe und unverrückbare Barriere. Sie ist vielmehr ihrerseits der Erweiterung fähig, sie tendiert von sich aus zu ständiger Extension. Mit dieser Bewegung reduziert sich zum einen die Notwendigkeit des rationalitätsüberschreitenden Ergänzungsgeschehens. Zumindest erhält der Vertrauensbezug die Möglichkeit, seinen Vollzug auf eine erweiterte Erfahrungsbasis zu stützen, ineins mit der gewachsenen Verpflichtung, die nun und neu erlangbaren Einsichten in sein Verhältnis einzubeziehen. Daneben aber erwächst aus dem Voranschritt der Rationalität ein gravierendes Problem: Ist deren Vergegenwärtigungsweise in der Lage, schlechthin in jedweden Bereich der Wirklichkeit angemessen, in originär erschließender Vergegenwärtigung vorzurücken?

Die Frage danach entscheidet darüber, wo Vertrauen fallweise ersetzt werden kann und wo es unverzichtbar bleibt.

Für diesen Problemkreis ist ein schon notiertes Gesamtcharakteristikum des Vertrauens zu wiederholen. Es kann nunmehr, im Horizont der bisherigen Erörterung verdeutlicht, erneut beleuchtet und in Rücksicht auf Rationalität schärfer gefaßt werden. Vertrauen wurde gekennzeichnet als Einstellung zur Wirklichkeit, es vollzieht ein spezifisches Verhältnis zur Realität. Dieser Grundzug aber gilt ebenso (zumindest in formalem Sinne) für die Rationalität und deren Erkundungsart. Der Vorrang der Rationalität ist so aus ihrem Verhältnisvorrang zu beschreiben. Was bestimmt und bedingt das Realitätsverhältnis der Rationalität? Die Frage danach zielt zugleich auf die Voraussetzungen der schon besprochenen Rationalitätsmerkmale. Sie richtet sich auf deren ermöglichende Strukturen.

II. Zur Struktur gegenwärtiger Rationalität und ihres Realitätsverhältnisses

Für den Ausgangspunkt der genannten Fragestellung ist zu erinnern: Die notierten Rationalitätsmerkmale sind Strukturmomente moderner Wissenschaft (1). Schon dieser Sachverhalt erlaubt in aller Kürze eine erste Bestimmung jener Momente in deren Status und realitätsverbürgendem Rang. Die moderne Wissenschaft manifestiert eine spezifische Weise der Erschließung von Wirklichkeit. Der in den Prozessen wissenschaftlicher Forschung geschehende Vorgang beinhaltet eine maßstäbliche theoretische Vergegenwärtigung und Darstellung von Realität – in diesen Prozessen wird Wirklichkeit in allgemein gültigem, erprobtem und ausgewiesenem Sinne präsentiert. Die Dignität so gearteter Vermittlung von Realität wird zu einem Realitätsmerkmal der vermittelten Wirklichkeit selbst – Rang und Bedeutung der wissenschaftlichen Erschließungsprozesse werden zum Ausweis und Bürgen für den vorrangigen Wirklichkeitsstatus darin vergegenwärtigter Realität. Diese Qualität eben entspringt der Rationalität der Wissenschaft. Woraus resultiert diese Leistung der Rationalität, worin gründet sie?

Mit dieser Frage ist der Blick auf den objektiven Aspekt der Rationalität zurückzulenken. Was meint Rationalität einer Sache oder eines Prozesses im Sinne „geordnet sachgerechten Bestehens oder Verlaufens"? Zentral in dieser Bestimmung ist der Sachverhalt der Geordnetheit. Ordnung kann in diesem Kontext vorläufig definiert werden als die interne, sach- und zieladäquate Strukturierung oder Formierung eines Gegenstandes oder Ablaufs. Zugleich beinhaltet das Gesamtcharakteristikum der Rationalität die Ausgerichtetheit der internen Strukturierung auf sach- und prozeßexterne Bedingungen. Dieser in sich verflochtene Zusammenhang sei fürs erste an einem Beispiel näher illustriert und ausgeführt – an einem Exempel, das ineins als Musterbild für eine distinkte und spezifisch vorangeschrittene Entfaltung von Rationalität gelten kann. Die Rationalität eines maschinalen Systems (z. B. einer Uhr) beruht in der funktionsgerechten Beschaffenheit der Einzelelemente, in deren strukturadäquater Verkettung und ihrer zieladäquaten Gesamtkomplexion. Die hieraus ermöglichten Prozeßresultate des Zusammenwirkens aller Teile wie ihrer Gesamtkonfiguration aber müssen einem extern vorgegebenen Bedingungs- und Zielzusammenhang entsprechen (so die Zeitinformationen einer Uhr der öffentlich geltenden Zeiteinteilung und deren Einzelskalierung in Stunden, Minuten, Sekunden). Folgt das maschinale System diesem Funktions- und Zielprinzip, erfüllt es also seinen vorgegebenen Endzweck, dann ist es rational, also *vernünftig.* Damit scheint zunächst allein die Leistungsfähigkeit eines technisch-industriellen Artefakts beschrieben. Genau darin aber ist das gewählte Beispiel repräsentativ für den indizierten Problemzusammenhang(2). Es ermöglicht den Blick auf generellere Strukturbestimmungen von Rationalität. Allgemein kann gesagt werden: Rationale Ordnung beinhaltet zum ersten, vermöge eines allgemeinen und leitenden Prinzips strukturiert zu sein. Das leitende Prinzip bestimmt Eigenart, Gestalt und Funktion der Einzelelemente, es zeichnet deren Komplexion vor und regelt die folgerichtige Gesamtformation. Das leitende Prinzip konstituiert so die Realität der jeweiligen Ganzheit. Darin besitzt es Rang und Bedeutung des ermöglichenden Grundes. Es ist die *ratio* einer Sache oder eines Prozesses. Für die *ratio* der Rationalität eines Sachverhalts oder Ablaufs ist zum zweiten fundamental wichtig: Das Prinzip ist allein dann Prinzip, also *ratio* und rational, wenn es allgemein einsehbar ist. Diese Bestimmung thematisiert die Logizität und Vernünftigkeit der *ratio*, sie verweist auf das humane theoretische Vermögen zur Rationalität. Mit diesem Charakteristikum ist ein grundlegender Sachverhalt erreicht.

Allgemeine Einsehbarkeit meint fürs erste, vernünftig und in logischer Notwendigkeit erkennbar in der Weise nachzeichnender Freilegung. Hierfür wird von wegweisender Bedeutung, wo und in welcher Dimension diese Freilegung geschieht. Sie kann zum einen an den Sachverhalten und Beschaffenheiten erfolgen. Die Sicht der Vernunft nimmt im Prozeß erkennender Vergegenwärtigung deren Eigenart in den Blick und stößt durch diese hindurch zum intern prägenden Prinzip vor. Schon diese Art der Prinzipienentdeckung stellt eine eigene Leistung der Vernunft dar. Sie entspringt deren freilegendem Vermögen, ihrer orientierenden und sichtlenkenden Vorblicke und ihrer Abstraktionspotenz. Bereits für diese Weise der Prinzipienerschließung gilt: Das vernünftig erkannte und von der Vernunft angeeignete Prinzip bietet ein Musterbild und Kriterien zur weiteren und folgenden Beurteilung analoger Sachverhalte und Prozesse. Das erkannte Prinzip erlaubt jedoch nicht allein die rekonstruktive Erkenntnis eines Sachverhalts oder Ablaufs in seinen Entstehungs-, Realitäts- und Verlaufsbedingungen. Die erschlossene *ratio* erlaubt darüberhinaus die modellierende und konstruktive Wiederholung und Herstellung. Das entdeckte Prinzip kann übernommen, fortgesetzt und angewendet werden. Die Typik nachzeichnender Freilegung ist indessen nicht die einzige Weise vernünftiger Prinzipiengewinnung. Schon diese Weise demonstriert die fundamentale Bedeutung der Vernunft. Deren Rolle aber wird unüberbietbar, geschieht die prinzipienerschließende Freilegung in der anderen möglichen Dimension: In der Vernunft selbst. In diesem Falle wird das Prinzip gewonnen im reflexiven Rückgang der Vernunft in sich selbst und ihre Verfaßtheit. Das bedeutet: Die entdeckte *ratio* ist nicht allein und ausschließlich nur Strukturierungsprinzip von Realität. Sie ist dem zuvor und ursprünglicher noch Struktur, Verfaßtheit und Aktionspotenz der Vernunft selbst. Die Entdeckung der *ratio* beinhaltet sodann nichts weniger als die freilegende Selbstentdeckung der Vernunft und ihre Selbstvergegenwärtigung. Für diese Möglichkeit wird nun entscheidend, in welchem Sinne diese Vernunft sich selbst im Ganzen ihres Vermögens erfährt, deutet und bestimmt, in welcher Weise weiter diese Vernunft ihr Verhältnis zur Wirklichkeit begreift. So kann die Strukturverfaßtheit jener Allgemeinvernunft der Rationalität zunächst begriffen werden als Gesamtverfaßtheit von Wirklichkeit überhaupt – und zwar in dem Sinne, als die Ordnung allen Wirklichseins von der Vernunft gewußt, in deren Verfaßtheit in ausgezeichneter Weise präsent und vorrangig offenkundig ist. Der reflexive Rückgang der Vernunft in sich selbst trifft dann in der Strukturverfaßtheit dieser Vernunft zugleich die Ordnungsverfaßtheit und die maßgeblichen Prinzipien allen Wirklichseins. In dieser Deutung ist die Vernunft in die Lage versetzt, im Rückgang auf sich und in sich zugleich das Ganze der Wirklichkeit schrankenlos zu durchblicken, in seinem Gesamtzusammenhang zu erschliessen und auf sich zu beziehen. Der Rückgang in die Vernunft enthüllt die ihr zu eigene Durchdringungs- und Vergegenwärtigungspotenz. In einer anderen und weiteren Deutung aber kann das Leistungsvermögen der Vernunft begriffen werden als Potenz der Ordnung, die nur ihr und ihr allein zu eigen ist, vermöge deren diese Vernunft Wirklichkeit selbst zu ordnen, zu formieren vermag. In diesem Falle behauptet die Vernunft einen Wirklichkeits- und Strukturierungsvorrang solcher Art, daß ihr erkennendes Vergegenwärtigungs- und Erschließungsgeschehen die Ordnung rationalen Wirklichseins vorzeichnet. Sie erschließt und vermittelt alle Realität im Horizont der ihr (als Vernunft) selbst zu eigenen Prinzipien.

Die Selbstvergegenwärtigung dieser Vernunft bedeutet dann die Selbsterschließung ihres wirklichkeitsvorgängigen Prinzipien- und Formierungsvermögens. In der Bahnlinie dieser Deutung wird schließlich eine weitere und kumulative Möglichkeit sichtbar: Die Potenz dieser Vernunft kann darin gipfeln, daß deren *ratio* nicht allein Struktureigentum und Verfaßtheit ihres Ordnungsvermögens ist, sondern vielmehr durch dieses Ordnungsvermögen allererst entworfen wird. Die Selbstvergegenwärtigung solcher Allgemeinvernunft beinhaltet dann die Selbstentdeckung ihres Entwurfsvermögens. Der reflexive Rückgang der Entwurfsvernunft in sich selbst enthüllt sodann die vernünftigen Entstehungs- und Produktionsbedingungen rationaler Ordnung.

Die abbreviativ geschilderten Möglichkeiten der Deutung von Vernunft vergegenwärtigen zugleich eine Kurz- und Grobskizze ihres geschichtlich europäischen Entwicklungsgangs (3). Deren letztgenannte, neuzeitlich-moderne Gestalt aber wurde bahnbrechend für das Gegensatzverhältnis von Rationalität und Vertrauen. Im Horizont so voranschreitender Prinzipienvernunft ist nun fürs erste zu erinnern: Rational strukturierte Wirklichkeit scheint deshalb in maßstäblichem und ausgewiesenem Maße wirklich zu sein, weil sie prinzipiengegründete, einsehbar geformte, geordnete und konnexierte Wirklichkeit ist. Ihre Beschaffenheit und Formation entspringen und folgen einer *ratio* oder rationalen Gründen. In solcher Strukturierung steht die rationale Wirklichkeit in einem ausgezeichneten Verhältnis zur Vernunft. Bereits für den Fall der nachzeichnend-erschließenden Vernunft gilt: Im vernünftig erkennbaren oder erkannten Prinzip ist der ermöglichende Realitätsursprung erschlossen. So ist die rationale Wirklichkeit durchsichtig bis auf ihren Grund oder ihre Gründe und von daher in umfassender Durchsichtigkeit aufgetan. Im vernünftig erkannten Prinzip sind die Ursprungsbedingungen rationaler Realität erkannt, ist also deren wiederholbare Gestalt und Identität aneigenbar erreicht und auf Vernunft ausgerichtet. Ist jene Vernunft aber an ihr selbst und allein Ursprung der Prinzipien und *rationes*, dann manifestiert die rational strukturierte, erschlossene und vergegenwärtigte Realität nichts anderes als die darin präsent gewordene Vernunft. Das Verhältnis von Vernunft und Wirklichkeit muß hier als vernunftgegründetes und vernunftentsprungenes Folge- und Bestimmungsverhältnis gedacht werden. Die so begriffene Vernunft kann einen unüberholbaren Vorrang vor aller Wirklichkeit behaupten. Weise und Möglichkeit der Erkundung, Vergegenwärtigung und Vermittlung allen rationalen Wirklichseins sind darin ganz und gar der Vernunft zugesprochen und zu eigen: Sie gründen in deren prozessualer Ordnungspotenz und beruhen ganz und gar in deren Aktionsmöglichkeiten. Sie entspringen der Selbstbezüglichkeit solcher Vernunft. Woraus aber resultiert diese Selbstdeutung der Vernunft, worin beruht deren Erschlossenheit und die Selbstgewißheit ihres Anspruchs, solcherart auf sich zurückgehen zu können und zu müssen, woher also entstammt das Vertrauen in ihren Vorrang und ihr Vermögen?

Vor diesem Hintergrund wird nun anders gewendet deutlich, was die eigentypische Beziehung des Vertrauens zur Wirklichkeit auszeichnet. Darüberhinaus aber wird vermutbar, im Vertrauen seien tiefreichend andere Weisen des Wirklichseins gegeben, wirkten weiter andere und eigene Arten der Zugänglichkeit und Erschlossenheit von Realität.

III. Zur Phänomenologie des Vertrauens und seiner vorgängigen Erschlossenheit

Auf welche Wirklichkeit ist sinnvolles (und also nicht restlos ersetzbares) Vertrauen bezogen? Im Vertrauen auf und in einen Gesprächs- oder Handlungspartner muß auf dessen „guten Willen", die Integrität seiner Absichten und Motive gebaut und gesetzt werden, weil der rational verfahrenden Erkundung keine letzte Gewißheit möglich ist – die Innen- und Tiefendimensionen individueller und lebendiger Personalität entziehen sich dem Ordnungsblick der Rationalität. Generell genommen: Vertrauen ist jenen Weisen des Wirklichseins eröffnet und erschlossen, welche von der Eigenart ihrer Beschaffenheit und der Lebendigkeit ihres Geschehens her jenen spezifisch rationalen Ordnungen nicht folgen oder mit deren Strukturen nicht vollständig zur Deckung gebracht werden können. Die dem Vertrauen aufgetane Wirklichkeit ist in und mit den Prinzipien jener Rationalität nicht faßbar, weil sie deren spezifische *ratio* und Formationen übersteigt oder ihnen schon zuvor ist. Die vorlaufende Anerkennung des Vertrauens öffnet sich so jenen Ereignisdimensionen und Geschehnisweisen, welche von der Rationalität eindeutiger Begründung nicht erreicht werden können, weil sie von ihrer eigenen Verfaßtheit her darin nicht aufgehen. Die Wirklichkeit des Vertrauens fällt und spielt außerhalb des spezifischen Prinzipienvermögens der Vernunft und ihrer Reichweite – ohne deshalb außerhalb allen Wirklichseins, also nichtig zu sein, ohne deshalb jenseits wissender Einsicht zu bleiben. Aus diesen Verhältnissen sind zwei Schlüsse zu ziehen. Zum ersten: Die Möglichkeit des Vertrauens richtet sich auf eigentypische, nur ihm in authentischer Weise zugängliche Arten, Charaktere und Dimensionen des Wirklichseins. Zum zweiten: Die rational vernünftige, rational erschlossene und strukturierte Realität manifestiert in aller ihrer Weite und Universalität allein einen distinkten, spezifischen und also begrenzten Fall möglichen Wirklichseins (schon das Gesamtfeld der psychischen Bewegungen und Verläufe reicht über deren Grenzlinie hinaus). Für diesen limitierten Bereich vollendet durchsichtiger Wirklichkeit des Rationalen wird nun bedeutsam: In ihm ist Vertrauen prinzipiell ersetzbar durch die rationale Ein- und Durchsicht – freilich allein im Prinzipiellen. In der faktischen Durchführbarkeit ist zu bedenken: Ein Flugpassagier, der sich entschlossen hätte, den gebuchten Platz in einer Linienmaschine erst dann einzunehmen, nachdem er sich selbst (und mit einem angeheuerten, als vertrauenswürdig erachtetem Stab von Ingenieuren) von deren Funktionstüchtigkeit überzeugt hat, geriete jedenfalls in ernstliche Terminschwierigkeiten (von den Problemen der Fluggesellschaft einmal ganz abgesehen, sollte jener Entschluß Schule machen). Darin liegt, generell genommen: Schon die Dimension rational entworfener und produzierter Realitäten bedarf aus handlungspragmatischen Gründen des Vertrauens. Hier siedelt das Vertrauen zwar nur in den Rand- und Zwischenzonen. Darin wird es in dem Grade entbehrlich, als die von ihm überbrückten Systemlücken rational und systemkonform geschlossen werden. Zum weiteren aber wird es in dem Grade gefordert, als der Systemzusammenhang selbst sich ausweitet, an Komplexität zunimmt, also dessen direkte Durchsichtigkeit schwindet. Gerade in dieser Funktion findet sich das Vertrauen freilich in prekärer Stellung, insofern es sich an ihm selbst schon auf die reine Vorläufigkeit seines Bezugs beschränken muß und in fundierte Einsicht überzugehen hat. In der Sphäre strikt rationaler Realität ist das auch hier unentbehrliche Vertrauen unumgänglich auf fortlaufende Bewährung, Bestätigung und rationale Fundierung verwiesen, weil diese Dimension allein vermöge rationaler Gründe und in rationalen Formationen sich sinnvoll erhalten kann.

Von welcher Einsicht aber ist nun das Vertrauen selbst? Die Frage danach, was dem Vertrauen eröffnet und erschlossen ist, verlangt verschiedene Blickbahnen. Ihr Verhältnis – so ist zunächst zu erinnern – geschieht als anerkennende oder erwartende Zuversicht in Sachverhalte oder Geschehnisverläufe, welche von der prinzipiengeleiteten Rekonstruktion oder Prognose nicht erreicht werden oder nicht erreicht werden können. Die Nichterreichbarkeit kann pragmatisch-technische Gründe haben (etwa der Grund fehlender oder zu knapper Zeit), in diesem Falle ist sie allein vorläufig. Die Nichterlangbarkeit aber kann grundsätzlicher mit der Eigenart der Sache oder des Geschehens verbunden und gegeben sein — insoferne nämlich die erschlossenen Sachverhalte oder Geschehnisverläufe in ihrem Wirklichkeitscharakter selbst mehrdeutig oder offen sind. In diesem Sinne fordern diese Sachverhalte und Geschehnisverläufe an ihnen selbst und umwillen ihres eigenen Wirklichkeitscharakters den Vertrauensbezug: Sie fordern ihn als die ihnen einzig angemessene Weise ihrer Vergegenwärtigung und Vermittlung. Im Gefolge dieser Forderung vollzieht das Vertrauen — mit Hans Erich Nossack gesprochen — einen „Aufbruch ins Nicht-Versicherbare" (4). Der Aufbruch geschieht als risikoreicher Überschritt. Er verläßt den Erkenntnisraum der rational formierten Wirklichkeit, ihrer erreichbaren oder erzeugten Gründe, der gewußten, rekonstruierbaren Entstehungs- und Verlaufsbedingungen und ihrer prognostizierbaren Notwendigkeitsfolgen. Wovon ist dieser Überschritt bewegt? Die Frage zielt auf das schon zitierte Charakteristikum des „Überschusses". Er kann nun deutlicher entfaltet und in einem Doppelaspekt betrachtet werden. In beiden Aspekten wird zugleich eine erste Antwort auf die Eigenart der im Vertrauen waltenden Einsicht möglich. Zum einen nämlich ist jener Überschritt fundiert in einem eigenen Wissen um diese Wirklichkeitscharaktere der Vieldeutigkeit und Offenheit und deren mögliche Bereiche und Gegenden. Im Horizont dieser eigenen und eigenartigen Erschlossenheit ist ineins (und damit untrennbar verbunden) die erfahrungsmäßig unterschiedlich gesättigte Überzeugung gegeben, daß die Erwartungen sich in dem versprochenen oder erhofften Sinne erfüllen würden. Was liegt in dieser Erschlossenheit und ihren Überzeugungen, wie ist diese Einsicht gegeben, in welchem Verhältnis steht sie zur Rationalität im näheren Sinne (5)? Diese Fragen werden maßgeblich auch für das prekäre Problem, worin Vertrauen vertrauen darf, worin es zum anderen durch rationale Einsicht ersetzt werden kann und muß. Mit dieser Weise des Wissens aber ist der Überschritt zum zweiten von dem Anspruch bewegt, daß der Vollzug des Vertrauens unter bestimmten Gründen und Bedingungen geboten und verlangt sein kann. Fürs erste treten hierbei lebensweltlich-alltägliche oder technische Beweggründe vor den Blick — so etwa handlungspragmatische Faktoren (daß beispielsweise bestimmte Voraussetzungen alltäglich notwendiger Aktionen nicht unablässig kontrolliert werden können und müssen). Bereits in diesem Bereich gelangen weitergreifende, auch distinkt ethische Normen ins Spiel, spätestens dann, wenn vorrangig ethische Zielsetzungen (z.B. eine human geforderte Hilfeleistung) einen Vertrauensvorschuß und einen Vertrauensbezug fordern, sollen sie realisierbar sein (z.B. das Vertrauen in bestimmte medizinisch-technische Geräte). In einem vollen und umgreifenden Sinne aber ist Vertrauen gefordert in der Sphäre eigenursprünglicher Humanität. Es ist dort im Vollsinne gefordert, wo die Eigenart der Sachlage (etwa in der Position einer „Vertrauensstellung") zu Gesamterwartungen nötigt, wo der Gesprächs- oder Handlungspartner nicht länger in relativ nachprüfbaren oder prognostizierbaren Einzelvermögen (z. B. seiner ästhetischen Urteilsfähigkeit, seiner ökonomischen Rationalität usw.) angesprochen ist. Vertrauen in dem vollen Sinne wird dort unumgänglich, wo in der Erwartung eine Person im Ganzen betroffen, in der personalen Einheit ihrer Vermögen überhaupt — dort also, wo nicht länger singuläre Geschicklichkeiten, sondern umfassende Einstellungen und Haltungen, durchlaufende ethische Dispositionen also („Wahrhaftigkeit", „Verläßlichkeit", „Verantwortlichkeit", „Verschwiegenheit" etc.) berührt sind. Und umgekehrt: Insoferne in bestimmten Sachlagen der Gesprächs- oder Handlungspartner in solchen Gesamtdispositionen und durch diese hindurch im Ganzen seiner Personalität angesprochen ist, kann er eben von seiner Personalität, ihrer Würde und ihrer Selbstachtung her jenes Vertrauen erwarten. Mit diesen Zusammenhängen ist eine Tiefendimension des Vertrauens, der in ihm waltenden Erschlossenheit und der in ihm wirkenden Überzeugung erreicht. Deren Eigenarten sollen zunächst ex negativo angegangen werden. Wird nämlich einem Gesprächs- oder Handlungspartner jenes umfassende Vertrauen entzogen oder verweigert, so trifft dies seine Person im Ganzen, es zielt auf die humane Realität des Partners selbst. Im Entzug oder Vorenthalt wird jene Anerkennung verweigert, welche die künftigen Einzelhaltungen oder Einzelaktionen sowohl vorgängig als auch umgreifend erwartet, sich auf deren Ankündigung oder Versprechen verläßt. Positiv gewendet: Die vorlaufende, aufs Ganze des Partners gehende Anerkennung eröffnet und entfaltet sich in einem umfassenden Raum erwartender Bejahung. Die Gesamteröffnung aber ist weiter von der Überzeugung getragen und durchflochten, die in und mit diesem Raum fallweise schon gegebenen, stützenden Einzelerfahrungen seien beständig, dauerhaft und wahr. Woraus speist sich diese Überzeugung, worauf deutet sie? Die Frage wendet sich an eine zentrale Eigenart der Gesamteröffnung selbst. Die umgreifende, bejahende Erwartung nämlich akzeptiert und anerkennt, daß die in jener Gesamterschlossenheit gesichtete Vieldeutigkeit wahre und sinnvolle Realität ist. Genauer: Die vorlaufende Gesamterschlossenheit des Vertrauens übernimmt eben jene Wirklichkeitscharaktere und Wirklichkeitsdimensionen als wahr, sinnvoll und real, welche der human-rationalen Formung, Vergegenwärtigung und Aneignung entzogen sind. Die Gesamteröffnung des Vertrauens öffnet sich der Eigenart anderen Wirklichseins in der Weise, als ihr deren Andersheit und deren eigene Geltung erschlossen sind, sie öffnet sich dem Anspruch anderen Wirklichseins und anerkennt deren selbsteigene Bedeutsamkeit. Zugleich aber weiß jene Gesamteröffnung in ihrer Anerkennung um die Offenheit und Ausständigkeit des vorgängig Erschlossenen. Gerade dieses Ineinander bedingt die gefährdete und fragile Realität des Vertrauens. In ihm beruht das Wagnis ihres Vollzugs wie das Problem ihres Überschritts. Die ausständige Offenheit jener Gesamterschlossenheit beinhaltet zwar, daß der eröffnete Gesamtraum fortlaufend angereichert werden kann durch Einzelerfahrungen, durch bestätigend und festigend hinzutretende Einzeleinsichten (in fallweiser Erhöhung auch der rationalen Plausibilität und Wahrscheinlichkeit, welche das Vertrauen insgesamt stützen, seine Überzeugung weiter fundieren und die klärende „Einschätzung" erlauben). Eine endgültig gesättigte Gewißheit aber ist in den genuinen Bezugsdimensionen des Vertrauens — gerade infolge und wegen ihres Realitätscharakters — wesentlich unmöglich. In aller erreichbaren Einzelsicherung bleibt ein übersteigender Spielraum an Offenheit. Auf ihn aber richtet sich das Vertrauen — auf diese Dimension läßt es sich ein, überantwortet sich deren selbsteigener Geltung und ihrer Ausständigkeit. In diesem Sinne aber wirkt im Überschritt des Vertrauens nicht allein jene vorgängige Gesamteröffnung, deren Überzeugung und Anerkennung, der sie fallweis stützenden Einzeleinsichten (deren Unerläßlichkeit unterschiedlich sein mag). Darüberhinaus bedarf es eines eigenen, willensmäßigen Entschlusses. Vertrauen resultiert in seinem Überschritt und dem ihn bewegenden Überschuß stets aus einer (mehr oder minder ausdrücklich vollzogenen) *Entscheidung.* Diese Entscheidung entfaltet und überführt die vorgängig-umfassende Eröffnetheit und deren Überzeugung in die Praxis des konkreten Vertrauensbezugs, sie beschließt, in jene ausständige Offenheit einzutreten. Die Praxis der Entscheidung und des Vollzugs aber ist der Grund dafür, daß im Vertrauen (im geschilderten umfassenden Sinne) die ganze Person des Vertrauenden ins Spiel kommt (oder sogar auf dem Spiel stehen kann).

Die skizzierten Verhältnisse erhalten wiederum schärfere Konturen, blickt man auf das Phänomen des enttäuschten oder getäuschten Vertrauens. Weniger gravierend hierfür ist die Möglichkeit, daß Vertrauen sich täuscht auf Grund einer „Fehleinschätzung" (so in Bezug auf einzelne Vermögen des Partners oder in Hinblick auf singuläre Erwartungen), weil bestimmte, durchaus zugängliche rationale Einsichten oder vorliegende Erfahrungsbestände übersehen oder nicht berücksichtigt wurden. In diesem Falle irrt das Vertrauen in Folge eines behebbaren Erkenntnisdefizits. Wesentlich tiefreichender ist die Enttäuschung, wenn das angebotene Vertrauen nach einer explizit gegebenen Vertrauenserklärung und ihrer offen formulierten Erwartung getäuscht wird, wenn der Vertrauende darin am Ende auf seinen Partner im Ganzen baute. Dann erfährt der Vertrauende sich in seiner eigenen Person negiert: Sein offen verlaufender Gesamteinsatz ist mißachtet, der Ernst seiner Vorgabe wurde nicht übernommen. Der so Getäuschte sieht sich zum einen im Gewicht seiner Entscheidung (und was er darin aufs Spiel setzte) mißbraucht. Zum anderen aber beinhaltet die Täuschung den pervertierenden Mißbrauch jener vorgängig-umfassenden Gesamteröffnung und ihrer Anerkennung. Die Täuschung mißachtet und mißbraucht die ausständige Offenheit, vermöge derer die vorlaufende Erschlossenheit überhaupt erst ist und sein kann, was sie ist. Mit dem Mißbrauch aber verliert die vordem anerkannte Andersheit des Wirklichen seine Geltung, die ihr mögliche Bedeutung und der ihr zu eigene Sinn verfallen der Skepsis — sie stürzt möglicherweise in Realitätslosigkeit. Im enttäuschten oder getäuschten Vertrauen werden daher zentrale Momente humanen Wirklichseins verletzt, wird — ineins hiermit — eine eigene Erschlossenheit von Wirklichem desavouiert und tiefgreifend gestört. So eben rückt der Akteur der Täuschung ins sittliche Zwielicht: Er demonstriert eine Möglichkeit der Selbstverkehrung humaner Praxis und damit von Humanität selbst, insoferne er ein menschliches Fundamentalverhältnis zur Wirklichkeit und dessen Anspruchscharakter außer Geltung setzt. Schon diese Fehlformen bekunden die basale anthropologische Bedeutung des Vertrauens. Dessen humaner Rang tritt weiter ans Licht, lenkt man den Blick auf das Phänomen anfänglich verweigerten Vertrauens. Vertrauen nicht zu geben, wo es gegeben werden könnte und sollte, kann ein basales humanes Defizit enthüllen, das aus der Gesamtstruktur einer Persönlichkeit entspringt (und darin natürlich auf eine eigene Enttäuschungs- und Erfahrungsgenese verweisen mag). Im nicht gegebenen Vertrauen werden nicht allein die Entscheidung, deren Einsatz und Vorgabe verweigert, sondern wird zugleich verneint, über sich und seinen Raum hinaus und auf den Anderen zuzugehen. Ineins hiermit verleugnet jene Weigerung die mögliche Dimension der vorgängig-umfassenden Erschlossenheit. Sie negiert deren Eröffnung und ihr Angebot und lehnt es ab, ihre offene Ausständigkeit zu übernehmen. Die Verweigerung des Vertrauens beinhaltet daher eine entscheidende Einengung der vollen Spielbreite humaner Möglichkeiten, sie verzichtet auf genuine und konstitutiv menschliche Grundvollzüge und Gesamthaltungen.

In der Eigenart der vorgängig-umfassenden Eröffnetheit des Vertrauens wurde auch in dem Sinne ein zentrales Charakteristikum beschrieben, als darin Stellung und Verhältnis des Vertrauens zur Rationalität näher gefaßt werden können. Für diesen Zusammenhang aber ist sogleich zu erinnern: Das Zueinander von Vertrauen und Rationalität war als Gegensatz- und Verdrängungsverhältnis beschrieben worden, worin die Rationalität auf Herrschaft zielt. Der Vorgang beinhaltet eine Ausdehnung der rationalen Allgemeinvernunft und ihrer Prinzipien. Wieweit reicht dieses Geschehen, was vermag es gültig zu leisten und zu geben? Der Prozeß solcher Extension konfrontiert nunmehr mit dem Problem, in welchem Maße die rationale Allgemein- und Prinzipienvernunft die vorgängig-umfassende Erschlossenheit des Vertrauens zu durchdringen, in sich einzuholen, zu ersetzen und also zu überholen vermag? Die weitere Erörterung wird zeigen, daß der Blick hierauf nicht abgetrennt werden kann von der Frage nach der Ausweitung der Vernunft und ihrer Beweggründe. Gerade hierin nämlich wird das Problem des Vertrauens selbst in eigener Weise virulent: Die Extension der Vernunft entstammt ihrerseits einem eigenen Vertrauen und also einer eigenen Eröffnetheit ihres Vorrangs und ihres Vermögens. In diesen Verhältnissen ist ein Kernproblem des Zu- und Gegeneinanders von Rationalität und Vertrauen manifest. Seine Auflösung ist an die Verfaßtheit der prinzipienvorgebenden Vernunft verwiesen. Die Frage nach dem Ursprungsvermögen der rationalen Prinzipien aber hängt auf das engste mit der denkgeschichtlichen Herkunft dieser Vernunft zusammen.

IV. Zur neuzeitlichen Herkunft moderner Rationalität und ihrer Selbsterschlossenheit

In der Einleitung zur „Kritik der reinen Vernunft" gibt Kant folgende Erklärung:

daß die Vernunft nur das einsieht, was sie selbst nach ihrem Entwurfe hervorbringt, daß sie mit Prinzipien ihrer Urteile nach beständigen Gesetzen vorangehen und die Natur nötigen müsse auf ihre Fragen zu antworten, nicht aber sich von ihr allein gleichsam am Leitbande gängeln lassen müsse (6).

Kant formuliert die Sichtmöglichkeiten der Vernunft, er definiert die Reichweite ihres Einblicks und indiziert zugleich ihren Vorrang: Die Realität der Natur – traditioneller Musterfall selbsteigenen Wirklichseins – kann nicht länger fordern, in nachzeichnender Erkenntnis ihrer Eigenart erhellt zu werden. So bietet die Kantische Grundsatzerklärung eine der ursprünglichen und zugleich maßgeblich gewordenen Bestimmungen der prinzipienvorgebenden Vernunft der Neuzeit. Die Kantische Geburtsurkunde dieser Vernunft beinhaltet ineins eine Ursprungserklärung ihres anfänglichen Verhältnisses zur Wirklichkeit, sie manifestiert darin eine fundamental eigene Weise ihres Erschlossenseins. Worin besteht für Kant die anfängliche und uns erreichbare, selbsteigene Gegebenheit jenes Wirklichen, welches wir uns erst zu vergegenwärtigen haben?

Abbreviativ formuliert: Die Realität der anschaulichen Welt selbst ist uns in nichts anderem gegeben als in unserer „Sinnlichkeit", sie ist durch nichts anderes gegeben denn „durch die Art, wie wir von Gegenständen affiziert werden" (7). Die Typik dieser anfänglichen Präsenz wird näher erläutert: „Die Wirkung eines Gegenstandes auf die Vorstellungsfähigkeit, sofern wir von demselben affiziert werden, ist *Empfindung*" (8). Die empfindungsmäßige Präsenz alles anderen enthüllt sich für Kant als der anfänglichste Modus seiner Gegebenheit. In diesem Sinne zielt seine anschließende Erklärung auf den Prozeß ihres Erscheinens, den Voranschritt der „Empfindung" zur Gegenständlichkeit der Dinge und der objektiven Welt:

Da das, worinnen sich die Empfindungen allein ordnen, und in gewisse Formen gestellt werden können, nicht selbst wiederum Empfindung sein kann, so ist uns zwar die Materie aller Erscheinung nur a posteriori gegeben, die Form derselben aber muß zu ihnen insgesamt im Gemüte a priori bereitliegen, und daher abgesondert von aller Empfindung können betrachtet werden (9).

Was also kann „abgesondert von aller Empfindung", der anfänglichen Präsenzweise alles anderen (schon im Medium des Subjekts) „betrachtet werden"? Es sind jene Strukturierungsprozesse, Formierungsfunktionen und Formierungsvermögen der vergegenwärtigend-erkennenden Subjektivität, vermöge deren die gegenständliche Realität überhaupt erst objektiv gegeben, *für* diese Subjektivität erscheinen kann. Anders gewendet: In den Ordnungsformen, welche „insgesamt im Gemüte a priori bereitliegen", sind die prinzipiellen Grundmuster des möglichen Erscheinen- und Sich-zeigenkönnens von Realität vorab bereitgehalten — jene Ordnungsmuster also, vermöge deren und in deren Bahnlinien die bloß empfindungsmäßige Präsenz formiert, als gegenständlich-bedeutungshaftes Gegenüber (zum Subjekt) konstituiert wird. Gegenständliche Realität ist daher allein dann möglich, wenn eine empfindungshafte Gegebenheit besteht, wenn diese weiter dank der subjektiven Strukturierungsprozesse zu objektiv umrissener und objektiv konnexierter Wirklichkeit befördert werden kann. Die dem Subjekt gegebene, ihm erschienene Realität resultiert in Gestalt und Struktur ihres Erscheinens und ihrer Erscheinung ausschließlich aus der Ordnungsleistung dieser Subjektivität.

Kants Entfaltung des fundamentalen Verhältnisses von erkennend-vermittelnder Sicht und vergegenwärtigter Realität ist von kaum überbietbarer Radikalität. Für Kant besteht die selbsteigene Präsenz alles Nichtsubjektiven (im Bereich der theoretisch-erkennenden Vergegenwärtigung) anfänglich allein darin, die berührungs- und rezeptionsfähige Organisation der Sinnlichkeit zu ändern (also Empfindungen „hervorzurufen"). Mit dieser Änderung aber ist alles Nichtsubjektive präsent als ordnungslose und ordnungsbedürftige Mannigfaltigkeit (von „Empfindungen"). So übernimmt das Formierungsvermögen der Vernunft die Ordnung dieser Mannigfaltigkeit und befördert sie zu gegenständlicher Sachhaltigkeit und Bedeutung. Das meint: Was immer der gegebenen Wirklichkeit an Form, rationaler Sachhaltigkeit und vernünftiger Bedeutung zu eigen ist, entstammt ganz und gar der Gestaltungsleistung der Vernunft. Und umgekehrt: Allein die Vernunft und deren Ordnungsvermögen verbürgen die sinnvolle, rationale Sachhaltigkeit aller anschaulich erreichbaren, dem Subjekt solcherart zugänglichen, ihm erscheinenden Wirklichkeit.

Die Radikalität der Kantischen Position konfrontiert mit einer ungeheueren Umorientierung im Verhältnis von Vernunft und Wirklichkeit. Seine Umwendung beinhaltet: Im Kantischen Begriff der Vernunft ist anerkennbares Wirklichsein im Ganzen identisch mit dem Ordnungsausgriff und der Leistungsreichweite der human erkennenden Vergegenständlichungspotenz. Alle anschauliche Wirklichkeit ist auf diese Vernunft und deren Ordnungsleistung bezogen, umgekehrt ist anschauliche Wirklichkeit allein dann gegenständliche und also anerkennbare Realität, wenn sie in diesem Bezug und durch ihn vermittelt gegenwärtig wurde. Kurzum: Die Kantische Vernunft rationaler Vergegenwärtigung demonstriert den universal und ausschließlich gewordenen Geltungsanspruch rationaler Strukturierung und Vermittlung von Wirklichkeit. Sie beschränkt den Raum möglichen Wirklichseinkönnens auf den Ordnungsumkreis der strukturierenden Rationalität selbst. In diesem Sinn aber – so kann nun in Rücksicht auf die schon durchgeführte Erörterung festgehalten werden – vermag diese Vernunft jene im Vertrauen eröffnete Erschlossenheit per definitionem nicht zu übernehmen oder anzuerkennen. Im Definitionshorizont dieser Vernunft ist die mögliche Vieldeutigkeit und Offenheit allein als pure Diffusität, also einzig in der Weise ordnungslos mannigfaltiger Empfindungen präsent. Die Kantische Vernunft ist von ihrer Gesamtverfaßtheit aus darauf gerichtet, alle Vieldeutigkeit rational zu strukturieren und in geordnete Gegenständlichkeit überzuführen. So manifestiert diese Vernunft ein Paradigma jener Rationalität, welche von ihrer essentiellen Verfaßtheit her in die vorgängig-umfassende Erschlossenheit des Vertrauens einrückt, deren Vieldeutigkeit und ausständige Offenheit zu ausstandsloser Durchsichtigkeit befördert oder befördern will. Was sind die Gründe für diese Zielsetzung und Ausrichtung, was mobilisiert diese Bewegung der Vernunft? Die Frage wendet sich an die Gesamtverfaßtheit solcher Vernunft (10). Deutlicher noch: Mit dieser Frage wird das Phänomen jener scheinbar verabschiedeten und überholten vorgängigen Erschlossenheit des Vertrauens in neuer und anderer Weise virulent.

Entscheidend für diese Frage ist zunächst: In der Kantischen Ordnungsvernunft ist allem anschaulich Wirklichen die Möglichkeit abgesprochen, vorsubjektiv selbsteigene Bedeutung, selbsteigenen Sinn und selbsteigen sachhaltige Realität zu besitzen. Wie und wann fällt die Vernunft in jenem reflexiven Prozeß ihrer Selbsterkundung, ihrem Blick auf „das System aller Prinzipien der reinen Vernunft" (11) dieses Gesamturteil? Sie fällt es mit dem Entschluß ihrer Selbsterkundung und der darin beschlossenen Rückwendung auf sich selbst, sie fällt es mit der generellen Absicht, in der Frage nach der Realität gültig gegebenen, allgemein objektiven

Wirklichseins auf sich und ihre Leistungen zu rekurrieren und an eben diesem Ort anzusetzen. So die von Kant vorab formulierte Bestimmung der Zielrichtung und ihrer Bestandsaufnahme:

Denn es ist nichts als das Inventarium aller unserer Besitze durch reine Vernunft, systematisch geordnet. Es kann uns hier nichts entgehen, weil, was Vernunft gänzlich aus sich selbst hervorbringt, sich nicht verstecken kann, sondern selbst durch Vernunft ans Licht gebracht wird, sobald man nur das gemeinschaftliche Prinzip desselben entdeckt hat (12).

Das gefällte Urteil scheint ein Folge- und Nebenergebnis. Es scheint eine Folge jener Entscheidung, die vollendete Durchsichtigkeit alles Wirklichen und seiner Vermittlung dort aufzusuchen, wo sie erreicht werden kann, im Selbstbesitz der Vernunft und ihrer rationalen wie universalen Enthüllbarkeit. Es scheint eine Konsequenz jener fundamentalen Entdeckung, daß die Vernunft selbst, deren Dimension und Leistungssphäre es eben ist, worin das angestrebte Ziel realisiert werden kann. Das gefällte Urteil scheint daher ein implizites Folgeergebnis jenes ermöglichten und geforderten Rückgangs auf die Vernunft wie zugleich seiner leitenden Motivation, den Leistungsraum der Vernunft und dessen rationale Durchsichtigkeit so radikal als möglich auszuloten und dessen vorderste wie äußerste Grenze zu erreichen. Die gesichtete Vordergrenze aber läßt die selbsteigene Gegenwart alles anderen Wirklichen allein noch als Empfindungsgegebenheit, als ordnungslose Präsenz im Medium subjektiver Sinnlichkeit zu. Jener Urteilsspruch fällt unausdrücklich und beiherspielend im Gefolge der Strukturentfaltung der reinen Vernunft. Er ist indessen mit eben dieser Vernunft im Ganzen gesetzt, er resultiert aus deren Gesamtanspruch und bezieht sich mit ihr aufs Ganze möglicher anschaulicher Wirklichkeit. So steht er als ursprünglich gesetztes Folgeergebnis gleichsam im Denkschatten jener Vernunft. Könnte diese Vernunft den Urteilsspruch indessen überhaupt ausdrücklich fällen, vermöchte sie ihn ausdrücklich zu begründen? Genau dies kann die Vernunft nicht, verharrt sie in ihrem Definitionshorizont, bleibt sie ihrer Gesamtdirektion und deren leitender Absicht, allein den ihr zugänglichen Raum auszuloten, treu. Der Urteilsspruch übersteigt die rationalen Mittel und Möglichkeiten jener Vernunft. Dem Urteil aber korreliert zuvörderst schon die Behauptung und Selbsteinschätzung der Vernunft, die dem Menschen allein zugängliche und die human einzig mögliche sinnvolle Ordnung zu leisten und die einzig gebbare rationale Bedeutung verleihen zu können. Wie begründet die Vernunft dieses Gesamturteil über sich selbst, vermöge welcher der ihr verfügbaren rationalen Mittel fällt sie diesen Spruch? Die schon im erstgenannten Urteil hervorgetretenen Schwierigkeiten kehren nun wieder – in verschärfter und zugespitzter Form: Auch und bereits in ihrer Selbstbestimmung und der Selbstbehauptung ihres Rangs übersteigt diese Vernunft ihren Möglichkeitshorizont, ihre darin definierte Reichweite. Gleichwohl aber fällt die Vernunft jene Urteile – zuvörderst und ausdrücklich über sich selbst, korrelativ und verborgen über alles andere, installiert sich so als alleiniges Sinnzentrum. Das aber meint: In jenem Urteil über sich, der hierin waltenden Selbstentdeckung ihrer selbst, der darin wirkenden Entscheidung zu sich selbst greift sie vor auf ihre zu enthüllende Ordnungspotenz, setzt sie auf deren Leistungsvermögen. Die Rückwendung der Vernunft fußt und beginnt in der Überzeugung, den Ursprung sinnvoller Realität in sich selbst auffinden zu können, wenn denn überhaupt sinnvolle Realität sollte möglich und erschließbar sein. Vernunft ist zu sich selbst entschlossen in einem Vorgriff und Vorlauf auf ihre (nachgerade zu enthüllende) Leistungspotenz. Eben diese Verhältnisse tragen jene Charakteristika in sich, welche die durchgeführte Analyse des Vertrauens zum Vorschein brachte: Die Reflexionsbewegung der Vernunft auf sich selbst entstammt einer Selbsterschlossenheit ihres Ausschließlichkeitsanspruchs und ihres Leistungsrangs. Genauer: Die reflexive, rationale Entdeckungsbewegung ihrer rationalen Gesamtverfaßtheit entspringt aus der vorgängig-umfassenden Eröffnetheit dieser Vernunft im Ganzen. Sie ist sich selbst vor aller rational einholenden und rational bestätigenden Begründung vorlaufend erschlossen und aufgetan. Dieser ihrer rational vorgängigen Eröffnetheit stimmt sie zu – Vernunft beginnt mit dem Vertrauen in sich, sie gründet im Vertrauen zu sich.

Die sichtbar gewordene Unersetzbarkeit des Vertrauens schon im Zentrum ihrer geschichtlich inaugurierten Verdrängung wirft nun endgültige Fragen auf, welche nicht allein für das Selbstvertrauen jener zentral gewordenen Vernunft und ihrer Erschlossenheit gelten. Im Blick auf jene Selbsteröffnetheit der Vernunft nämlich muß generell gefragt werden, wie und worin die im Vertrauen waltende Erschlossenheit gegeben ist? Für diese Frage wird nun entscheidend, daß sie erst hier, im Gegenlicht strikter Vernunft der Rationalität formuliert wird. An diesem Ort nämlich ist zugleich die spezifische Frage nach der Selbsterschlossenheit der Vernunft, ihrer Eigenart und ihrem distinkten Vertrauenscharakter gefordert und möglich. Näherhin: Die Wendung der Vernunft zu sich selbst erfolgt in der vorgängig schon eröffneten Erschlossenheit ihrer selbst. Erlaubt also gerade die Rückwendung der Vernunft in sich, Voraussetzungen jener vorgängigen Eröffnetheit in den Blick zu nehmen? Festzuhalten ist in jedem Fall: Die vorgängige Erschlossenheit der Vernunft eröffnet und ermöglicht deren Reflexionsgang. Das vorlaufende Vertrauen erschließt den Raum der reflexiv erkundenden Einsicht. Das so sich abzeichnende Zueinander von Vertrauen und Rationalität enthält entscheidend wichtige und unumgängliche Hinweise. Zum ersten: Gegenüber dem denkgeschichtlich manifest gewordenen Vorrang strikter Rationalität präsentiert das Vertrauen eine eigene Weise der Einsicht. Sie ist generell und ursprünglich von anderer Art als das Wissen rationaler Erkenntnis. In dieser Eigenbedeutung und ihrem eigenen Rang bekundet das Vertrauen zum zweiten eine umgreifende Erschlossenheit. Sie ist umfassender und anfänglicher als die Erkundungsart der Rationalität, sie liegt deren Reflexionsbewegung schon zuvor. Der fundamentale Status dieser Erschlossenheit beinhaltet daher zum dritten eine Gesamteröffnung in dem Sinne, daß der distinkt strukturierenden Rationalität die Bewegungsdimension und das Formierungsfeld ihrer Prozesse aufgetan und eingeräumt sind. Das Zueinander von Vertrauen und Rationalität ist so im Ganzen als ursprüngliches Eröffnungs- und Folgeverhältnis zu bestimmen. Dieses Verhältnis muß durch zwei weitere Charakteristika näher gefaßt werden. Erstens: Der fundamentale Status und die ursprüngliche Position der vertrauenden Erschlossenheit verbieten, sie unter den Maßstab der Rationalität und ihrer Erfolgsgarantien zu stellen. Zweitens: Der Erkundungsgang der Rationalität vermag die eigene Sichtweise des Vertrauens nicht zu ersetzen – umgekehrt aber kann das Vertrauen (in der ihm zu eigenen, ausständig offenen Erschlossenheit) nicht leisten, was allein die Rationalität zu geben imstande ist. Das Ursprungs- und Eröffnungsverhältnis des Vertrauens impliziert so keinen Vorrang von Positionen in dem Sinne eindeutig herrschender Determination. Das Zueinander von Vertrauen und Rationalität fordert vielmehr (soll es überhaupt bewahrt bleiben können) die ausgewogene Balance beider. Für deren Geschick wird deshalb insgesamt entscheidend: Die im Vertrauen gegebene Erschlossenheit ist nicht gewinnbar in der Weise rationalstrukturierender Erkundung, sie ist nicht zu leisten im Modus aktiv verfahrender und produzierender Erkenntnis.

V. Selbstvertrauen der Rationalität und moderne Folgerealität

Vor diesem Hintergrund kann nunmehr der Blick auf die distinkte Typik jener Erschlossenheit gelenkt werden, welche im Selbstvertrauen der Kantischen Vernunft gegeben ist. Im Blick hierauf – so darf vermutet werden – ist zugleich ein Zentrum jener Verdrängung und Ersetzung des Vertrauens angezielt, welche gerade in der Kantischen Vernunft der Rationalität geschehen, welche an eben dieser Vernunft abgelesen werden können. Worin besteht deren Vertrauen, was ist dessen Eigenart? Die Kantische Rationalitätsvernunft vertraut allein auf sich. Sie vertraut auf ihre Rationalität. Ihr Selbstvertrauen ist zum einen dadurch ausgezeichnet, daß dessen anerkennend-umfassender Vorgriff vollständig eingeholt werden kann. Der Vorgriff antizipiert jene Rationalität im Ganzen, welche in der nachfolgend rationalen Erkundung umgreifend durchstrukturiert wird: Sie ist Enthüllung ihrer selbsteigenen Strukturen. In diesem Sinne konfrontiert das Selbstvertrauen der Vernunft zum anderen mit einer exemplarischen und singulären Typik vorlaufender Erschlossenheit. Allein in jenem Selbstvertrauen der Vernunft besteht die Möglichkeit, die vorgängig erschlossene, ausständige Offenheit in vollendet begründete Bewährung überzuführen. Beinhaltet dieses Geschehen, daß Vertrauen überhaupt reduziert wird in der Spannweite seiner vollen humanen Möglichkeit? Enthält der Vollzug solcherart sich bewährenden Vertrauens andererseits – erhebt man ihm zum Leitmaß für jeden

Vertrauensbezug — eine Überforderung des Vertrauens in seiner vollen humanen Spannweite? In Rücksicht auf die Kantische Rationalitätsvernunft wird deutlich: Ihr Selbstvertrauen manifestiert eine strikte Beschränkung. Sie ist ausschließlich zentriert in ihren spezifischen Vertrauensbezug. Diese Zentrierung aber bedeutet, daß der umfassende Spielraum, welcher im Vertrauen überhaupt erschlossen sein kann, in entscheidendem Maße verengt und eingeschränkt wird. Das Selbstvertrauen der Rationalitätsvernunft limitiert die Dimension anerkennbarer Eröffnetheit, es umgrenzt die Sphäre des akzeptierbaren Vorgriffs. Die gezogene Grenze aber — definiert durch den Selbstbezug rationaler Vernünftigkeit und ihren Erfüllungsausgriff — grenzt aus und verschließt. Die Selbstbeschränkung der Rationalitätsvernunft verschließt und verbirgt sich so im letzten die Eröffnetheit des anderen ihrer selbst. Ist also die Vernunft des ausschließlichen und ausschließenden Selbstvertrauens ineins Vernunft umfassenden Mißtrauens? Mit dieser Vermutung ist nicht allein darauf zu sehen, wovon diese Vernunft getrieben ist in ihrer eliminierenden Grenzziehung. Darüberhinaus ist grundsätzlich zu fragen, ob Vertrauen in der in ihm waltenden Erschlossenheit überhaupt beschränkbar und limitierbar, ob es also teilbar sei?

Daß Vertrauen begrenzt werden muß und kann, scheint eine Trivialerfahrung und eine Trivialforderung der modernen Realität und ihrer Eigenart. Weshalb? Die moderne Realität ist einerseits maßgeblich geprägt durch den Prozeß industriell-arbeitsteiliger Selbst- und Gesamterhaltung. Der Vorgang entfaltet ein Universum spezifischer Funktionen und Leistungsanforderungen, welche auf jeweils distinkt umrissene Fähigkeiten, Vermögen und Fertigkeiten des Menschen zielen. Unter diesen Bedingungen verläuft der Erwartungsvorgriff, worin der Einzelne vorgängig angesprochen werden kann, in relativ präzis profilierten Bahnlinien. Sie mindern das Risiko einer Fehleinschätzung in weitgehendem Grade. Zum anderen enthält das universale Prozeßgeflecht der modernen Realität eine eigene Welt verschiedenster Instrumentarien der Ein- und Durchsicht, der Bestands- und Kontinuitätssicherung, der Ver- und Übermittlung. Sie alle erlauben, die pragmatische Notwendigkeit des Vertrauens einzuengen und den vormals in vollem Maße gebotenen Vertrauensbezug zu beschränken - sei es, daß die auf „Treu und Glauben" gegebene Zusicherung längst ersetzt werden kann durch den Vertrag und die exakte Aufzeichnung, sei es, daß die persönliche Zeugenschaft ergänzt und substituiert wird durch die Systeme der Informationsgewinnung, der Informationsübertragung und der Informationsspeicherung. Der faktische Vorgang solcher Begrenzung und Verdrängung des Vertrauens entstammt freilich nicht allein den Möglichkeiten der modernen technischen Welt und der von ihr bereitgehaltenen Entlastungen. Er entspringt darüberhinaus und ursprünglicher noch einer Notwendigkeit, die aus der Typik ihrer Selbst- und Gesamterhaltung erwächst. Deren Prozeßgeflecht und Gestalt ist prinzipiell davon bestimmt und dadurch ermöglicht, daß sie die verschiedenartigsten und umfassendsten Realitätsdimensionen aufbereitet (so etwa in der wissenschaftlich-industriellen Auslotung differenziertester und unterschiedlichster Bereiche und Prozeßebenen der Natur) und in den Aktionskomplex jener Selbst- und Gesamterhaltung einbezieht. Dessen Erhaltungsfunktion aber steigt und fällt mit der Möglichkeit, das Einbezogene zu integrieren, es exakt zu verzahnen in der Komplexität des Ganzen und endlich die möglichen, disfunktionalen Neben- und Folgewirkungen jener Integration verläßlich zu prognostizieren. Unter dieser Hinsicht resultiert die Tendenz, der Planungs- und Kontrollrationalität den unbedingten Vorrang einzuräumen, aus der Eigenart der modernen Realität selbst. Sie verschleiert fürs erste, daß auch darin Vertrauen gegeben und unumgänglich ist zunächst in dem Grade, als die Lebenswirklichkeit des Menschen nicht aufgeht im Prozeßgeflecht der modernen Realität, prinzipiell aber in dem Maße, als die Selbsterfahrung des Menschen und ihr Begriff von Humanität über diese Typik der Selbst- und Gesamterhaltung hinausreicht. Der Rang freilich, den die Planungs- und Kontrollrationalität in der modernen Welt erhalten hat, gründet seinerseits in einer eigenen, geschichtlich bedingten und angereicherten Selbsterfahrung des Menschen. Zunächst basiert der Vorrang der Rationalität in der technisch-arbeitsteiligen, industriellen Gestalt der Selbst- und Gesamterhaltung. Er ist eine konstitutive Folge der Verfahrensart, der Mobilität und Tendenz dieses Prozeßzusammenhangs, er gehört essentiell zu dessen Entfaltungs-, Ausgriffs- und Integrationscharakter. Er beruht insgesamt in jenem arbeitend-technischen, produzierenden Realitätsverhältnis, das jener Prozeßzusammenhang errichtet (in seinem Bezug zu Mensch und Natur), er ist weiter gestützt von den Erfahrungen und dem Problemdruck, die sich mit und in diesem Realitätsbezug ergeben: Der Erfahrung, daß die humane Selbst- und Gesamterhaltung auf die Funktionalität und Effizienz, also Rationalität dieser Prozeßkomplexion verwiesen ist, dem Problemdruck, welchen dessen Folgelasten erzeugen. Im letzten aber entspringt das Prozeßgeflecht jener Selbst- und Gesamterhaltung (und also der in ihr gegebene Rang der Rationalität) aus einer Selbst- und Gesamterfahrung des Menschen: Der Erfahrung seiner Erhaltungsbedürftigkeit, aber auch der Erfahrung seiner Erhaltungspotenz und seiner Aktionsmöglichkeiten wie endlich seiner Bestimmung, auf eben dem Niveau sich zu erhalten, das mit dem industriell-technischen Prozeßzusammenhang der modernen Arbeitswelt gewährleistet scheint. Der Vorrang der Rationalität korreliert so spezifischen Gegebenheiten der humanen Realität des Menschen, er entspringt bestimmten Selbstinterpretationen und Gesamtorientierungen des Menschen. Das aber bedeutet: Der Verdrängungszusammenhang von Rationalität und Vertrauen wie die sichtbar gewordene Teilung und Limitierung der vertrauenden Erschlossenheit führt in das Feld anthropologischer Faktoren. In diesem Sinne aber kann die schon getroffene Feststellung über die basale humane Bedeutung des Vertrauens strenger und genauer entfaltet werden. Die stenogrammartige Skizze einiger faktischer Grundzüge der modernen Realität der Planungsrationalität wie ihrer anthropologischen Hintergründe macht klar: Wie diese Rationalität, so sind auch Rang, Status und Bedeutung des Vertrauens selbst untrennbar verflochten mit der jeweiligen, geschichtlich erfahrungsmäßigen Selbstdefinition und Selbstauslegung des Menschen.

VI. Selbstvertrauen der Rationalität und limitierte Realität

Gilt dieser Zusammenhang auch für die Eigenart jenes Selbstvertrauens, das die Kantische Vernunft manifestiert? Daß die Kantische Vernunft allein auf sich vertraut, konfrontiert mit einer aufschlußreichen Analogie zur strukturellen Unerläßlichkeit der Kontrollrationalität der modernen Welt. In Rücksicht auf Kant wird einsichtig: In ihrem ausschließlichen Selbstvertrauen ist diese Rationalitätsvernunft ebenso ausschließlich auf sich verwiesen. Sie ist aus strukturellen Gründen ihrer Gesamtverfaßtheit auf sich zentriert und damit in die Notwendigkeit versetzt, bei sich bleiben zu müssen. Gelangen also in dieser Selbstzentrierung, der darin geschehenen Limitierung der Erschlossenheit und ihrer „Teilung" der Vertrauens spezifische anthropologische Faktoren zum Austrag, wirkt hier das Prinzip einer eigenen Selbsterhaltung? Die Frage läuft in die Voraussetzungen jener Selbsteröffnetheit der Vernunft und deren Wendung zu sich. In Vorrede und Einleitung zur „Kritik der reinen Vernunft" gibt Kant einen Bericht über die denkgeschichtlichen Erfahrungen, welche seinen Gang zur „reinen Vernunft" veranlaßten und vorantrieben. Was erzählt wird, ist die Geschichte einer doppelten Täuschung und Enttäuschung: Täuschung und Enttäuschung durch die Wirklichkeit, Täuschung und Selbsttäuschung der (ungenügend erkundeten und enthüllten) Vernunft. Beide Enttäuschungen inaugurieren und bewegen die radikale Entdeckung der Vernunft, beide bedingen die Entscheidung zur Vernunft. Worin bestehen beide Enttäuschungen? Die Wirklichkeit enttäuscht die Hoffnung der unerkundeten Vernunft, sie umfassend durchdringen zu können. Die Wirklichkeit widerlegt deren Hoffnung, in der ihr zu eigenen Vieldeutigkeit der Aspekte und Dimension wie ihrer ausständigen Offenheit umfassend und in bewahrter Mannigfaltigkeit eingeholt werden zu können in der Weise rational eindeutiger Strukturierung. Die Wirklichkeit enttäuscht diese Hoffnung der Vernunft dort, wo sie anfänglich (in ihrer Offenheit und Vieldeutigkeit) nur dem Vertrauen zugänglich ist und in die Rationalität nicht eingeholt werden kann. Ist die Rationalitätsvernunft indessen in jene anfängliche Eröffnetheit des Vertrauens vorgedrungen und selbsteigen in deren Vieldeutigkeit eingetreten, muß sie erfahren, ihre rationale Notwendigkeit und Eindeutigkeit verlassen zu haben. Dann bewegt die Vernunft sich in einer Sphäre möglichen Scheiterns ihrer Rationalität – sie sieht sich konfrontiert mit der Gefahr ihres Selbstverlustes. Beide Enttäuschungen dokumentieren ein Verkennen dessen, was Vertrauen ist und zu geben vermag, sie bekunden weiter ein Selbstmißverständnis der Rationalität und ihrer Täuschung darüber, was sie vollzieht und erreicht. Beiden Enttäuschungen aber entspricht eine fundamentale Störung: In ihnen dokumentiert sich die Irritation jenes Ursprungs- und Eröffnungsbezugs von Rationalität und Vertrauen. Deren ausgewogenes Zueinander ist aus dem Gleichgewicht, die fragile Balance der Positionen und Erkundungsweisen gestört und verkehrt. Woraus resultiert diese Desorganisation, welche anthropologischen Faktoren gelangten in ihr wie in den beiden Täuschungen zur Geltung? Die Antwort hierauf mag möglich werden im Blick auf die Negativkonsequenzen jener Irritation. Sie wird möglich werden im Blick darauf, was im verkannten Vertrauen und dem Selbstmißverständnis der Rationalität verfehlt und verweigert wurde.

Der Desorganisation jenes ausgewogenen Zueinanders entspricht die alleinige Alternative, wovor die Vernunft sich gestellt sieht in ihrem Selbstvertrauen: Entweder auf umfassende Einsicht oder die begrenzte, jedoch durchgängige Notwendigkeit ihrer Rationalität und also ihrer rationalen Vernünftigkeit zu verzichten. Die so geforderte Vernunft wählt die Möglichkeit rationalen Ordnens – sie wählt sich selbst und zentriert sich in ihr bewahrtes und entfaltbares Vermögen. Diese Wahl mündet in radikale Selbstbeschränkung. Sie verhindert gerade darin das mögliche Scheitern, den drohenden Selbstverlust der Vernunft: Die Rationalitätsvernunft ermöglicht die radikale Selbstbeschränkung, sie akzeptiert ihre radikale Selbstfixierung in der Überzeugung, sich allein darin bewahren und Vernunft bleiben zu können. Gelangen also in dieser Wahl wie in der Desorganisation des Ursprungsverhältnisses von Rationalität und Vertrauen Momente ins Spiel, welche zur beschränkenden Selbstbewahrung auffordern, welche den Willen zu solcher Selbsterhaltung hervorrufen? Anders gewendet: Wodurch und woher sieht diese Vernunft (in ihrem anthropologischen Kontext und Rang) sich bedroht? Die Frage kann auf einem Umweg beantwortet werden. Sie fordert den Sprung zu den faktischen Gegebenheiten, welche auftreten, wenn jene Vernunft zur wirklichkeitsprägenden Realisationsvernunft, wenn also das Potential ihrer Rationalität umgesetzt wird in die faktische Formierung von Realität. Dann gilt: Das Strukturierungsvermögen dieser Rationalität durchformt die Wirklichkeit in der Weise rationaler Notwendigkeit und

Eindeutigkeit. Sie entfaltet ein Geflecht von Notwendigkeitsbeziehungen, worin jedwedes Wirklichsein einbezogen und in seinem Wirklichkeitscharakter und seiner anerkennbaren Realität gegenwärtig ist. In letztendlicher Konsequenz bedeutet dies: Die universal realisierte Notwendigkeitsvernunft mündet in die totale „Versachlichung", die durchgängige Eindeutigkeit und die durchlaufende Determination von Wirklichkeit überhaupt wie der Wirklichkeit des Menschen. Für diesen Vorgang aber wird nun in aufschlußreichem Sinne bedeutsam, welchen anthropologischen Horizont er sowohl entfaltet wie er sich ebenso darin vollzieht. Er errichtet einen umfassenden Horizont des Mißtrauens und vollzieht sich in einem Raum total gewordenen Verdachts: Des Verdachts und des Mißtrauens gegenüber jedwedem Wirklichsein, das außerhalb jener entworfenen und entfalteten Notwendigkeitsbeziehungen und ihres eindeutigen Realitätscharakters spielt und besteht. Wovon also sieht jene Rationalitätsvernunft, gerade auch und eben in ihrer Realisation sich bedroht? Es ist eben jenes, was ihr Verdacht und ihr Mißtrauen sie nötigen zu strukturieren und umzuprägen: Die Mannigfaltigkeit, die Vieldeutigkeit und die ausständige Offenheit der Realität, jene Pluralität der Aspekte und Dimensionen also, worin alles Wirkliche überhaupt und im Ganzen wirklich ist und wirklich zu sein vermag. Ist diese Strukturierung in Hinsicht auf den Menschen und seine humane Realität durchführbar? Mit dieser Frage ist das Feld der anthropologischen Konsequenzen jenes Selbstvertrauens der Vernunft, ihrer Selbstzentrierung wie ihrer faktischen Realisation betreten. Was nämlich bedeutet die durchgreifende Rationalisierung humanen Wirklichseins, wird sie im Sinne einer Selbstauslegung und Selbstdefinition des Menschen akzeptiert und übernommen, wird sie weiter bestimmend für die Selbstorientierung seiner humanen Realität, seines Verhaltens und Agierens? Im Vorgang solcher Rationalisierung bleibt gleichwohl und nicht eliminierbar die Lebendigkeit des Menschen, bleibt die Sphäre seiner Sinnlichkeit, bleibt die Dimension seiner psychischen und willenshaften Realität. Sie alle stehen unter dem Horizont des total gewordenen Verdachts, der ihm entsprechenden Bedrohlichkeit und der Notwendigkeit der Selbsterhaltung. Wird aber die humane Lebendigkeit im Sinne purer Erhaltung ihres Lebendigseins (zuvörderst und maßgeblich im Sinne physiologisch-biologischen

zugleich in der Einsicht, in diesem Rückgang eine uneinnehmbare Kernfestung humanen Wirklichseinkönnens (und seiner Bewahrung) zu erreichen? Entspringt die Selbsteröffnung der Kantischen Vernunft zugleich einem Vorblick auf die Negativmöglichkeiten von Realität und deren Zerfallstendenz, resultiert sie (aus einem geschichtlich gesättigten) Einblick in deren Pervertierbarkeit und deren Korruptibilität? Dann beinhaltet die Selbsterschlossenheit der Kantischen Vernunft ineins eine Erschlossenheit von Wirklichem im Sinne negativer Erwartung, in der Weise eines prinzipiellen und umfassenden Vorbehalts — eines Vorbehalts, der vom Nichtsubjektiven nichts erwartet und also alles der Leistung der Vernunft anheimstellt. Die so erreichte Garantie humanen Wirklichseins manifestiert freilich eine Rückzugs- und Minimalposition. Die Selbstbeschränkung jener Vernunft gewährleistet allein die Selbsterhaltung der humanitätsverbürgenden Rationalität: Sie vergegenwärtigt eine Letztgarantie mit erheblichen Folgelasten, in enormer Einschränkung von Humanität und ihrer möglichen Erschlossenheit.

VII. Vertrauen und Vielfalt der Wirklichkeit

Vor diesem Hintergrund vermag nunmehr endgültig deutlich zu werden: Die selbsteigene Möglichkeit des Vertrauens kann begriffen werden als Maßstab der jeweils möglichen und waltenden Humanität und ihres humanen Niveaus, sie kann genommen werden als Gradmesser für die jeweils eröffnete, noch offene und bewahrte Wirklichkeit selbst und im Ganzen. Was aber kennzeichnet das Niveau der jeweils waltenden Humanität, was kennzeichnet die erschlossene und offene Realität? Beide Fragen versammeln die sichtbar gewordenen Problemlinien, sie führen in den Brennpunkt des Verhältnisses von Rationalität und Vertrauen. Die Möglichkeit beider wie deren Zueinander ist — so wird sich sogleich zeigen — im letzten nur entzifferbar im Blick auf eine mutmaßliche fundamentale Verfaßtheit von Wirklichkeit selbst und im Ganzen. Worauf nämlich zielt ein universal gewordenes Mißtrauen, wogegen wendet sich ein total gewordener Verdacht, was beinhaltet ein umfassender und prinzipieller Vorbehalt? Der Vorbehalt verwahrt sich gegen das Andere und Fremde. Er wendet sich gegen das Andere und Fremde der von ihm (und seinem Träger) verschiedenen und ihm distanten Realität. Deren Abständigkeit und Verschiedenheit wird als bedrängend erfahren, sie ist erschlossen im Modus der Andersheit und Fremdheit und darin eröffnet als fremdartig bedrohende Verschlossenheit. Andersheit, Fremdheit und Verschlossenheit manifestieren so eine spezifische Weise, wie jene Wirklichkeitscharaktere der Mannigfaltigkeit, der Vieldeutigkeit und der ausständigen Offenheit präsent und gegeben sein können. So aber enthüllt der umfassende und prinzipielle Vorbehalt sich als Verweigerung von Realität selbst, er offenbart sich als Vorbehalt gegenüber einer fundamentalen Verfaßtheit von Wirklichkeit überhaupt. Was wird verweigert in jenen Präsenzmodi der Fremdheit, der Verschlossenheit, der undurchdringlichen und unübersehbaren Andersheit? Verweigert wird, daß Wirklichkeit allein ist und gegeben sein kann in und als Mannigfaltigkeit von Dimensionen, der Vieldeutigkeit ihrer Verläufe, der Ambivalenz ihre Aspekte und Verflechtungen: Der Dimension der sozialen Konnexionen und seiner verborgenen personalen und interpersonalen Motivationen, der Sphäre der geschichtlichen Verläufe und ihrer Unerwartbarkeiten, den Horizonten eines letztgültigen Heils wie seiner Ausständigkeit und seiner Verfehlung, der Dimension des Psychischen und seiner Tiefenwelt, den Sphären der biologischen Lebendigkeit und ihrer Abgründe, dem Kosmos der Natur, ihren Reichen animalischer und vegetabilischer Vitalität. Das Universum dieser Dimensionen übersteigt den Menschen und ist zugleich in ihm selbst schon gegeben, in seiner Realität versammelt und in sein Wirklichsein eingeblendet. Unter diesen Gegebenheiten kann die humane Wirklichkeit des Menschen genommen werden als Durchgang und Aufenthalt: Seine eigene Realität erwächst aus der Mannigfaltigkeit jener Sphären und ihrer Verflechtung, er selbst bewegt deren Ineinander und durchläuft deren Gewebe. Humane Wirklichkeit kann wirklich sein, weil der Mensch eingelassen ist in diese Mannigfaltigkeit, ihre Abgründe und ihre Vieldeutigkeit. Was also wird verweigert in jenem Vorbehalt? Verweigert wird die Zumutung der Realität selbst, verneint wird, worin humanes Wirklichsein verflochten ist in dieser Eingelassenheit: In das mögliche Gegeneinander der Dimensionen, die Gefährdung seines Aufenthalts, das Risiko der Verläufe, den Schmerz des Durchgangs – dies bereits dann, wenn der Gang der Natur im Menschen unerwartete Wege einschlägt. Muß diese Zumutung übernommen werden, immer und überall, selbst dort, wo sie in Zentren humanen Wirklichseins zielt und also gefährdet, was dem Menschen möglich und aufgetan ist in dieser Eingelassenheit? Die Frage umgrenzt den Ort der Rationalität der Planung und Kontrolle, über deren Minimalaufgabe hinaus: Daß ihre Strukturierungsleistung in den Sphären der Personalität, der sozialen Welt und der geschichtlichen Verläufe den unvermindert humanen Aufenthalt verbürgt und deren Verfaßtheit optimiert, soweit ihre Mittel es erlauben, daß ihre Ordnungspotenz jene Vermittlung von humaner Lebendigkeit und vitaler Natur ermöglicht und erbringt, worin beide bestehen und beide bleiben können. Kann jene Zumutung aber stets und in jedem Fall distanziert werden? In jener Eingelassenheit ist das humane Wirklichsein eingebunden in Verläufe, die der Eigenart nur einer Dimension angehören, gleichwohl in die übrigen hineinragen und die Realität des Menschen insgesamt betreffen – so in den Vorgängen biologischen Verfalls, so im Anblick des Todes. Diese Grundmöglichkeit und Grundgewißheit humanen wie natürlichen Lebendigseins ist ebenso unausweichlich, wie in ihr die offene Ausständigkeit, die Vieldeutigkeit und die kompakte, andersartige Fremdheit solchen Wirklichseins kulminieren. Vermag sich indessen die Andersheit des Todes zu lösen, vermag dessen kompakte und bedrohende Fremdheit durchsichtig zu werden, wenn dessen Möglichkeit übernommen wird, weil jene Eingelassenheit anerkannt wird? Einsehbar wird in jedem Fall, worauf jener Vorbehalt und seine entschiedene und ausschließliche Wendung zur Rationalität der Planung und Kontrolle zielen: Die Strategie der Rationalitätsvernunft beabsichtigt, von jener Fremdheit und Andersheit zu entlasten, ihre Strategie durchgängiger Erwartungsgewißheit und Erwartungserfüllung intendiert, die Mannigfaltigkeit der Dimension in den Determinations- und Erzeugungsraum des Menschen einzuholen, deren Geflecht umzuprägen, deren Vieldeutigkeit zu reduzieren, deren ausständige Offenheit festzubinden und zu korsettieren. Welche Last also will die Entlastung mildern und mindern? Sie will von der Wirklichkeit selbst, von einer ihrer fundamentalen Verfassungen entlasten. Diese Entlastung aber führt im letzten zu einem Verlust: Sie endet im lautlosen Sturz aus der Realität, sie mündet in den schweigenden Zerfall der Wirklichkeit überhaupt — sie ist Verlust jenes human möglichen, allein dem Menschen aufgetanen Eingelassenseins in diese Wirklichkeit. Was also bedeutet Vertrauen? Im Vertrauen wird jene Eingelassenheit übernommen, wird jene Vieldeutigkeit wie die Mannigfaltigkeit der Dimensionen anerkannt, wird jene vorgängige Erschlossenheit und deren vorgängiges Eröffnungsverhältnis ausgehalten, wird das Zueinander von Rationalität und Vertrauen bewahrt und in seiner Spannung entfaltet: Als Spannung unverminderten Wirklichseins selbst und überhaupt. Vertrauen übernimmt jenes Eingelassensein, seinen gewagten Gang und gefährdeten Durchgang — und gewinnt vielleicht ein "Behagen im Einstweiligen" (13). Sie übernimmt jene Eingelassenheit umwillen humanen Wirklichseins, weil die humane Wirklichkeit wie die Wirklichkeit im Ganzen nicht sein können ohne diesen Gang und seine Teilhabe, weil Wirklichkeit nicht wirklich sein kann ohne die Freundlichkeit des Mitgangs und jene Gelassenheit, worin eine unverhoffte Wendung der Dinge sich auftut und unerwartbare Rettung auch.

Anmerkungen:

1 Der Begriff „moderne Wissenschaft" bedarf selbstverständlich weiterer Differenzierungen. In dem hier global angeführten Sinne ist näherhin – in Abhebung von den hermeneutisch-interpretativen, auf Texte bezogenen „Geisteswissenschaften" – das Spektrum der exakten „Naturwissenschaften" und deren spezifische, darin aber paradigmatisch gewordene Erkenntnishaltung gemeint. Dem korreliert die distinkte Typik der hier waltenden Rationalität, worauf ich mich beziehe. Dazu näherhin: W. Stegmüller, Metaphysik, Skepsis, Wissenschaft, Berlin 2. Aufl. 1969; A. Diemer (Hrsg.), Der Wissenschaftsbegriff (Studien zur Wissenschaftstheorie, Bd. 4), Meisenheim 1970; L. Krüger (Hrsg.), Erkenntnisprobleme der Naturwissenschaften, Köln 1970; A. Halder, M. Müller, Wissenschaft, in: Sacramentum Mundi, Bd. 4, Freiburg-Basel-Wien 1969, S. 1379 - 1394; H. Rombach (Hrsg.), Wissenschaftstheorie, 2 Bde., Freiburg-Basel-Wien 1974.

2 Das Beispiel der Uhr ist repräsentativ auch darin, als es mit Kepler zum neuzeitlichen Auslegungsmodell für die Welt und deren rationalen Strukturzusammenhang wurde. So H. Rombach, Substanz, System, Struktur. Zur Ontologie des Funktionalismus und der philosophische Hintergrund der modernen Wissenschaft, 2 Bde., Freiburg-München 1965, Bd. 1, S. 305. Vgl. ebd., S. 253 die bei Kopernikus gegebene Deutung der Welt als „Maschine". Zur Bedeutung der „Maschine" als dominant gewordenem Interpretationsmodell der neuzeitlichen Philosophie: A. Baruzzi, Mensch und Maschine. Das Denken sub specie machinae, München 1973; weiter auch E. J. Dijksterhuis, Die Mechanisierung des Weltbildes, Berlin-Göttingen-Heidelberg 1956.

3 Die enorme Komplexität dieser Geschichte schon in ihren maßgeblichen Gestalten kann im Rahmen dieser Erörterung nur angemerkt werden. In der Fülle der dazu gegebenen Darstellungen sei hier verwiesen auf: A. Halder, Metaphysik, in: Sacramentum Mundi, Bd. 3, S. 463 - 464; H. Rombach, Substanz, System, Struktur, (vgl. Anmerkung 2); M. Müller, Erfahrung und Geschichte. Grundzüge einer Philosophie der Freiheit als transzendentale Erfahrung, Freiburg-München 1971, besonders S. 424 - 444 u. 458 - 508; C.-A. Scheier, Die Selbstentfaltung der methodischen Reflexion als Prinzip der neueren Philosophie von Descartes bis Hegel, Freiburg-München 1973; H. Boeder, Topologie der Metaphysik, Freiburg-München 1980.

4 H. E. Nossack, Unmögliche Beweisaufnahme, Frankfurt a. M. 1956, S. 20.

5 Der leitende Begriff der „Erschlossenheit" ist orientiert an den entsprechenden Analysen von M. Heidegger, Sein und Zeit, Tübingen 11. Aufl. 1967. So dort als „Erschlossenheit von Sein" (ebd. S. 38). Der Begriff verschränkt aktive und passive Momente im Geschehen einer eigen sichtenden Vergegenwärtigung, deren „λόγος ein Sehenlassen ist", darin einer eigenen „Hermeneutik" bedarf (ebd.), darüberhinaus und ineins in einem aktiv vollzogenen Verstehen eröffnet wird.

6 I. Kant, Kritik der reinen Vernunft, hrsg. v. R. Schmidt (= Philosophische Bibliothek, Bd. 73 a), Hamburg 1956, B XIII, S. 28.

7 A 19/B 33, S. 63.

8 A 20/B 33, S. 63.

9 A 20/B 34, S. 64

10 Hierbei steht im Rahmen meiner Erörterung und der darin angezielten spezifischen Typik von Rationalität allein die sog. „theoretische Vernunft" zur Debatte. Das Feld der sog. „praktischen Philosophie" bleibt unter dieser Perspektive außer Betrachtung. Mutmaßlicherweise hätte Vertrauen dort – Kant selbst thematisiert es nicht – seinen Ort in der „Achtung" vor der „Idee der Persönlichkeit", dem „Subjekt des moralischen Gesetzes" und der „Autonomie seiner Freiheit" (I. Kants Werke, hrsg. v. E. Cassirer, Bd. 5, Berlin 1922, S. 96), welche, „sofern sie zugleich zur intelligibelen Welt gehört" (ebd.) der vergegenständlichenden Erkenntnisrationalität nicht zugänglich ist.

11 Kritik der reinen Vernunft, B 27, S. 57*.

12 A XX, S. 12.

13 So O. Köhler, Johann Peter Hebel, Freiburg-Hamburg 1980, S. 44.

Kunst und Religion
Christlicher Glaube und Kunst als Weltgestaltung*

Alois Halder

I.

1.

Die Thematik „Kunst und Religion" scheint sich wie selbstverständlich als Frage nach dem allgemeinen „Verhältnis" beider zu-, mit- oder gegeneinander zu stellen. Gelten sie doch einem lange vorherrschenden Verständnis als die beiden Grundweisen, wie der Mensch sein Leben im ganzen, darin seine Welt und sich selbst „gestaltet". Demnach geht es in beiden nicht nur um „gewöhnliche" Hervorbringungen, durch die der Mensch innerhalb seines schon gewohnten Lebensrahmens fortlaufend dies und jenes Besondere tun muß und auch tun kann, so daß alle seine Tätigkeiten und Tätigkeitsergebnisse freilich den Charakter der Gelerntheit und „Künstlichkeit" haben: weil sie ohne den Menschen und sein eingeübtes Können, gewissermaßen von Natur allein aus, nicht erfolgen würden. Diese Tätigkeiten und Tätigkeitsergebnisse sind deshalb wohl nicht bloß natürliche, sondern solche, die der Mensch bebaut: „kultiviert". Zur Natur des Menschen gehört es, in seinem Leben die Natur an ihm und um ihn her um- und auszubauen, Kulturwesen zu sein. Kunst und Religion sind dann aber solche „außergewöhnlichen" Hervorbringungen, in denen es darum geht,

* Teile der hier vorgetragenen Überlegungen sind eingegangen in einen zusammen mit Wolfgang Welsch verfaßten Beitrag „Kunst und Religion", in: Christlicher Glaube in moderner Gesellschaft, Teilband 2, hrsg. v. Franz Böckle u.a., Verlag Herder, Freiburg 1981.

den Lebensrahmen selbst zuvor jeweilig und jeorts zu ziehen, die Wohnung als den Zeitraum zu errichten und sich das Maß zu geben, worin eingerichtet das Leben des Menschen als gemeinsames Leben von Menschen seine Möglichkeiten in kulturzeitlicher und kulturräumlicher Einfriedung allererst eröffnet und gewahrt findet. Kunst und Religion sind nicht nur partikuläre Bereiche „innerhalb" einer Kultur, Gestaltungen „im" Leben, sondern universale Weisen des Gestaltenkönnens und Gestaltenmüssens „des" Lebens selber, Eröffnungen „der" Kultur als eines je geschichtlichen, zeitlich und räumlich leitenden Lebensstils.

Leben, auch menschliches, ist sinnliches Leben. D. h. gerade nicht, daß es auch als menschliches „nur" sinnliche Daseinsform wäre (das ist nicht einmal das tierische), und nicht auch „geistige" Daseinsform. Aber der menschliche Geist (Vernunft, Bewußtsein) ist eben das Kunst-Vermögen, Freiheit und Not zugleich, des menschlich-sinnlichen Daseins, sich erst seine Fassung und Erfüllung, seinen Stil, seine „Schönheit" zu geben. Kunst ist so allerdings die schöne Stilisierung der sinnlichen Wirklichkeit, der Welt und des Menschen, und faltet sich aus mit den Grundformen der Sinnlichkeit, in die Kunst der bildenden und darstellenden Künste, des Tanzes, der Musik, des gesprochenen und geschriebenen Wortes usw. Weil unter den Grundformen des menschlich-sinnlichen Lebens das „Sehen" einen weithin zugestandenen, obzwar fragewürdigen Vorrang genießt, und weil dementsprechend die Anschaulichkeit, die Sichtbarkeit des Weltlichen als vorrangige Weise gilt, wie etwas leibhaft gegenwärtig sein und wahrgenommen werden kann, deshalb ist es üblich geworden, unter „Kunst" in einer nächsten Bedeutung die bildende Kunst, die Kunst der anschaulichen Bildungen zu verstehen, und freilich dann in einer weiteren Bedeutung auch die mehreren Künste.

Sofern nun auch die Religion als eine Gestaltungsweise des menschlich-sinnlichen Lebens aufzufassen ist, so gehört unablösbar zu ihr und gewissermaßen mit in sie selber hinein auch „Kunst". Dies zumal, wenn es der Kult als Lebensmitte der Religion ist, von der aus der Geist der Religion alles menschliche Leben religiös „durchdringen", d. h. bewußt unter das Maß des Heiligen, Göttlichen, Gottes bringen soll. Aber Religion ist so verstanden überhaupt Kunst, da die Vorgabe der Gestalt des Heiligen, in deren Angleichung das Leben geheiligt werden soll, sich nicht schlechthin „von allein" ergibt, sondern das Heilige als vorbildliche, vollkommene und damit „schöne" Gestalt, als richtender und segnender Sinn von „Leben" für das Leben selbst erst erbildet werden muß und dies also einem Können, einer Kunst entspringt. Umgekehrt freilich ist zu bedenken: Da Kunst eben darin beruht, Fassung und Füllung des leibhaft-sinnlichen Lebens des Menschen und seiner Welt zu sein und zwar so, daß sie das („schöne") Maß für ein wohnliches Leben gründet, so ist dieses Maß nicht einfach abzunehmen und aufzunehmen, gleich als ob es schon vor- und bereitläge. Es ist selbst erst zu bereiten. Und diese Bereitung des Maßes geschieht wohl immer nur in geschichtlicher Wandlung, d.h. in Anknüpfung an ein schon vorausgegangenes, aber zugleich in gründlicher Veränderung dieses vorausgegangenen. Darüber hinaus aber geschieht die Errichtung des Maßes als eines solchen gewissermassen inmitten des Unermeßlichen, als gründende Maßgabe und Maßnahme für das Menschliche in einem Bezug mit dem Über-Menschlichen, als Gründung, die Halt gewährt und doch zugleich in die Abgründigkeit verweist. Wenn nun betont wird, daß vornehmlich in der Religion dieser Bezug zum Unermeßlich-Übermenschlich-Abgründigen walte, da in den Gestaltungen des Heiligen (des Göttlichen, Gottes) dieses ebenso offenbar wie zugleich verborgen bleibe, Bild des Bildlosen oder Sage des Unsagbaren sei – so gehört also unablösbar zur Kunst und gewissermaßen mit in sie selber hinein auch „Religion". Nach einer altüberlieferten Nennung ist der Mensch das meta-physisch transzendierende Lebewesen, und das bedeutet, daß er nur im unendlichen Überstieg über sich selbst seine endliche Wesensbestimmung, den Kreis seiner Lebensmöglichkeiten, seine Welt zurückgewinnt.

2.

Die Frage nach dem allgemeinen „Verhältnis" von Kunst und Religion als der beiden „Grundweisen" der schönen und heilen Lebens-, Welt- und Selbstgestaltung führt in eine unauflösbare Verschränkung beider, in der sie sich kaum mehr auseinanderhalten lassen. Sie gehen vielmehr zusammen in das eine Geschehen des Lebens, das sich seine Weltlichkeit und Menschlichkeit selbst vor sich aufzurichten hat, um darin vorzugehen. Und so verliert die Frage ihre Allgemeinheit und Selbstverständlichkeit. Und dies nicht nur angesichts der Erfahrung des geschichtlichen Wandels, der großen Lebensauf- und -untergänge, der Vielzahl der kulturellen Welt- und Selbstbestimmungen, die zum Problem werden läßt, wie eine geforderte Allgemeinheit des Welt- und Menschenwesens mit der Vielheit der konkreten Kulturgestalten überhaupt noch verbunden werden könne. Auch nicht nur angesichts der Erfahrung, daß doch jedenfalls in der europäsichen Kulturentwicklung seit der Renaissance die Kunst sich aus den Bindungen der Religion, hier der christlich-religiösen Glaubensüberlieferung, befreit habe und in einer Gründlichkeit autonom geworden sei, die das Verhältnis von europäischer Kunst und christlicher Religion aufs ganze hin eher als Verhältnislosigkeit erweisen lasse, und Berührungen und Verschränkungen als teilweise und mehr zufällige, interessante, förderungswürdige usw. Sondern die Frage nach Kunst und Religion verliert ihre Selbstverständlichkeit und Allgemeinheit vor allem in der gegenwärtigen Erfahrung einer tiefgreifenden und umfassenden Krise: daß unter den Rahmenbedingungen des heraufkommenden wissenschaftlich-technisch-industriellen Zeitalters, d. h. unter den Bedingungen der sich ausdehnenden Lebensgestalt „Industriekultur", die Kunst und die Religion, wie immer ihr Verhältnis zueinander war oder noch ist, es schwer haben, sich überhaupt in einem überlieferten Verständnis von universaler Lebensprägung zu halten. Das betrifft europäische Kunst in ihrem neuzeitlichen, bei allen Umbrüchen doch noch bislang kontinuierenden Bewußtsein ihrer Bedeutung; und betrifft die christliche Religion, die bei aller gewahrten Treue zu ihrer geschichtlichen Herkunft nicht weniger an Wandel ihres Bewußtseins vor allem in der Neuzeit durchschritten hat. Das betrifft aber auch nichtchristliche Religionen in außereuropäischen Kulturen und dasjenige, was ein im europäischen Kunstsehen geübtes Auge dort an Kunst zu erblicken vermag, im Maße auch diese Kulturen vom Prozeß der wissenschaftlich-technisch-industriellen Kultivierung ergriffen werden und sich dessen Impuls und Lebensinteresse, seine Maßstäblichkeit zu eigen machen.

In dem mit aller Macht auf die theoretische und praktische Beherrschung der Natur und die hierzu dienliche Organisation des gesellschaftlichen Miteinanderlebens sich konzentrierenden Gestaltungsbewußtsein der Industriekultur scheinen Interesse an Heilsverkündigung des christlich-religiösen Glaubens und daraus motiviertes Heilshandeln so überflüssig und überholt zu sein wie ähnlich auch das Interesse an Schönheitsoffenbarung der Kunst und daran orientierter schöner Gestaltung des Lebens und seiner Welt. Die Inkongruenz von Kunst und Religion einerseits, wissenschaftlich-technischer Industrie anderseits wird deutlich z. B. an dem, was hier und dort sich als Symbol und Symbolverständnis erweist und sich von Grund auf unterscheidet. Das religiöse wie das künstlerische Symbol beruht darin, daß es sich nicht in der anschaulichen Vergegenwärtigung einer solchen Bedeutung erschöpft, die aus dem Weltzusammenhang aller Lebensbedeutungen heraus eindeutig eingegrenzt, definiert wäre, sondern daß es mit einer bestimmten Bedeutung zugleich einen Überschuß über diese hinaus in eben dieses Bedeutungsganze vorweisen will. So ist es der Ineinsfall eines einzelnen mit dem Lebensganzen eines geschichtlichen Welt- und Menschenwesens. Und so erzwingt das Symbol, wenn es „verstanden" wird, eben nicht nur ein festgelegtes Verhalten, sondern eröffnet vielmehr einen Zeitraum für mögliches Verhalten, und gibt so die Freiheit für eine Lebensbewegung, die dem Symbol und seinem Bedeutungsganzen entsprechen (und damit „heil" und „schön" sein) kann. Symbol im technischen Verständnis dagegen ist in seiner Bedeutung eindeutig definiert. Es legt, sofern man es „verstanden" hat, eine Handlung genau fest, die dann, wenn sie ihm entspricht, so zweckdienlich (ökonomisch, effektiv) ist, wie es das technische Symbol im ganzen einer Lebenswelt ist, deren „Stil" durch den „Geist" der Zweckdienlichkeit, durch die moderne Grundgestalt der Rationalität, charakterisiert werden kann. Damit hängt zusammen, daß die heraufkommende industrialisierte Lebenswelt, bei allen zunehmenden Beherrschungsmöglichkeiten der Natur und Organisationsmöglichkeiten des gesellschaftlichen Lebens, statt als Befreiung in einen neuen Sinn-Zeitraum freier Lebensbewegung vielfach zunehmend gerade als Einschnürung der Freiheit erfahren wird, als Schwund von Sinn. Symbole im angedeuteten technischen Verständnis kommen wohl vor innerhalb der

Industrialisierungsgestalt des Lebens und seiner Welt. Aber Symbole, die zugleich diese Gestalt, das Leben und die Welt selbst mit sichtbar werden ließen, sind aus Gründen der Rationalität dieses Lebens selber nicht verständlich und erübrigen sich. Und was Kultur, Lebensgestalt, Menschsein und Welt jetzt zu bedeuten hätte, d. h. welcher „Sinn" sich in ihnen bekunde, ist auch von jeglichem tradierten Verständnis von Kultur, Leben, Mensch und Welt in einer Weise verschieden, wie kaum eine Kultur bislang von einer vorhergehenden, und deshalb von dieser Überlieferung her nicht einmal im Absprung davon zu erreichen.

3.

Der Utopismus eines solchen technischen Lebens, das sein Maß zum ersten Mal in der Geschichte nicht einem Unermeßlichen abringt und als gegenwärtige Fassung und Füllung, als endliche Beheimatung erfahren will, sondern das sein Maß als die Maßlosigkeit der Zukunft sich vorauswirft und Heimat (Kultur, Menschsein, Welt) als solche immer nur zu erhoffende und nie zu erreichende Zukunftsgestalt anzielt – dieser Utopismus mag wohl darauf pochen, daß sich damit eine neue Bewegungsweise auch von Religion und Kunst vollziehen werde, eine neue Lebensgesinnung und Bewußtseinsart sich bilde (Ethos). Diese habe die außergewöhnliche symbolische, religiös-mythologische und ästhetisch-künstlerische Repräsentation des Lebensganzen in Werken der Religion und Kunst in der Tat nicht mehr nötig, insofern nämlich zukünftig das Leben in allen seinen gewöhnlichen Teilvollzügen sich kunstwerkfrei „ästhetisiere" und eine kult- und mythologiefreie „religiöse" Qualität erlange. So werde Religion und Kunst verabschiedet durch ihre „Realisierung", nicht gegen Wissenschaft, Technik, Industrie, sondern mit ihnen und durch sie in rationaler Verantwortung. Dies bedeutete dann nur die konsequenteste Fortführung der neuzeitlichen Entwicklung, in welcher die Kunst, freigesetzt aus der Herrschaft der Religion, selber gerade die erste wahrhaftere „Realisierung" eben dieser (christlichen) Religion gewesen sei. Das Weltlichwerden des Christlichen, die unausweichliche ja geforderte Wendung des Auftrags christlicher Weltaneignung, treibe zu auf eine zukünftige Gestalt vernünftig-menschlicher Wirklichkeit. Aus eben dieser Rationalität und dem Vermögen ihres technischen Könnens seien denn auch alle auftretenden Widrigkeiten, Widersinnigkeiten und Verkehrungen der Technisierung und Industrialisierung grundsätzlich als Störungen zu berichtigen und auszumerzen. Vorderhand bleibt es freilich eher bei einem rational selbst nicht begründbaren Vertrauen in diese Rationalität, in die Möglichkeiten eines ihr selbst eigenen Verantwortungsbewußtseins, in die maßlose Macht ihres Vermögens, und es bleibt bei vielfachen Erfahrungen von „Grenzen".

Ökologische Grenzerfahrungen in Bezug auf fortschreitende Naturbeherrschung und fortschreitende Organisierung des Miteinanderlebens mögen nun freilich anscheinend zurückverweisen auf christlich-religiöse Überlieferung; von ihr her kann gemahnt werden, daß Natur und menschliches Leben gottverliehen, in ihrer eigenen Würde zu respektieren und in das Geschehen des Heils aufgenommen sind. Und Grenzerfahrungen mögen auch anscheinend zurückverweisen auf überliefertes Kunstbewußtsein; von diesem her kann an der Nötigkeit festgehalten werden einer Gestaltung des Lebens und der Welt nicht nur auf rationale Ökonomie und Effizienz, auf „Nützlichkeit" hin, sondern auf musische Sinnbildung hin und auf Entfaltung der freien Kreativität, die sich über alle Zweckfindung erheben und sie umgreifen. Und solche Rückverweisungen auf Kulturtradition sind wohl einzubringen in die wiederholt auf- und abebbende Diskussion um Werte und Grundwerte, in denen das menschliche Leben seine Aufgabe formuliert, nicht nur dies oder jenes besondere, sondern sich selbst und seine Welt im ganzen lebenswert zu machen. Die Schwierigkeit ist aber die, daß die sich ausbreitende Industriekultur, sowenig ihre Grundgestalt begrifflich, geschweige denn symbolisch zu erreichen ist, jedenfalls geschichtliche Erinnerung und erst recht in Erinnerung gelebte Geschichte eines von Grund auf anders gearteten Kultursinns nicht verwerten kann: Kunst und Religion, die es allerdings noch „gibt", sind der Zeit des Fortschritts heute schlechthin anachronistisch, und ihre symbolischen Werke werden ortlos im sozialen Leben, das für seinen Betrieb keine Zeit und für seine Welt keinen Platz zu verschenken hat. Wo aber Kunst und Religion, da es sie noch „gibt", dennoch verwertet werden, dort sind sie nicht mehr in dem, was sie mit ihrem universalen Gestaltungsanspruch waren und in Erinnerung sein wollen, belassen; sondern sie sind partiell funktionalisiert, in die Freizeiten und Freiräume verwiesen, aber zu Zwecken der z. B. sozial-psychischen Stabilisierung von Kräften für forttreibende Mobilität, zur Frustrationsvermeidung in Sonderfällen, zu Regeneration, Therapie usw. in einer Gesellschaft, welche ihren Gliedern keine symbolische Identifikation mit dem Sinnganzen der Lebenswelt mehr ermöglicht und abnötigt, wohl aber stets vorübergehende, austauschbare und wechselbare Teilidentifikationen. Zu solchen gehörig sind dann auch Kunst und Religion im Pluralismus von Identifikationsangeboten der Konkurrenz ausgesetzt und der Bemessung nach Kosten und Ertrag unterworfen. Nur scheinbar sind sie aus ihrer partikulären Beschränkung und ihrer peripheren Bedeutung noch einmal erhoben dort, wo angesichts des Sinnverlustes, der Entfremdung, der Desintegration der Glieder gerade im anonymen Funktionszusammenhang der Apparatur von Welt und Mensch sich Ideologien breitmachen, die überholtes Kunstverständnis mit den Mitteln moderner Rationalität sich zurichten und einigenden Sinn gewaltsam verordnen, für dessen symbolische Vergegenwärtigung und zu dessen Bewußtseinsbildung dann auch sogar Religion, eher noch Kunst, aus rationalen Gründen in Dienst gestellt werden.

Von der Rationalität der wissenschaftlich-technisch-industriellen Realität her aber sind ideologische Sinnproduktionen in ihrer Art ebenso irreal und illusionär wie Religion und Kunst. „Alles" ins heilende Wort des religiösen Glaubens zu versammeln und „alles" im schönen Bild der Kunst mit sichtbar zu machen kann in der Tat nur heiler und schöner Schein sein gegenüber der Lebenswirklichkeit, die nur wirklich gegenwärtig ist in Segmenten und nur wirklich gelebt wird in Arbeitsteilung. Zur Arbeitswelt gehört auch die Zerlegung ihrer selbst in die Freizeitwelt, die Unterbrechung, die Pause. Sie ist freilich vom Rhythmus der Arbeit umgriffen und Takt in der Taktfolge. Aber sie hat den Schein, als ob sie nicht selber eine Modifikation des sich reglementierenden Arbeitslebens sei, das seine Totalität allerdings nicht mehr feierlich zur Sprache und Anschauung bringen kann (und dies auch nicht nötig hat, weil es sie statt dessen wirksamer ausarbeitet). Sie hat den Schein, als ob sie vielmehr gegenüber dem gesichtslosen (obzwar zügig gegliederten) und weltlosen (obzwar fortlaufend zusammenballenden) und un-menschlichen (obzwar von Menschen geführten) Arbeitsleben doch gerade die „eigentliche" Welt sei, das Zuhause. In ihm erst könne sich der Mensch finden, entfalten, verwirklichen im zweckfreien aber sinnvollen Umgang mit den Dingen: das gute und beglückende Leben. In ihm erhalten dann u. a. auch Kunst und Religion noch ihr in Grenzen legitimes Asyl, als Schein des Heilen und Schönen. Unter den Bedingungen der industriellen Wirklichkeit haben es Kunst und Religion schwer, tradiertes Selbstverständnis und damit ihr Gestaltungsvermögen zu bewahren oder auch nur so zu verwandeln, daß Erinnerung an ihre Geschichte bleibt, die selbst eine Geschichte der Wandlungen war. Klar ist, daß sie sich als Gestaltungsweisen selbst noch einmal ändern müßten in einer Radikalität wie kaum zuvor. Wie das möglich sein soll, ist nicht in einer „theoretischen" Besinnung, einer begrifflichen Reflexion aufzuweisen und vorwegzunehmen, sondern kann nur hervorgebracht werden durch die „lebendigen Kräfte" in Kunst und Religion selber. Fraglich ist, ob das, was in solcher Änderung von Grund auf als neue Gestaltungsweisen hervorgehen könnte, sich noch in den Namen Kunst und (christliche) Religion genannt hören kann oder überhaupt noch so genannt werden will.

II.

1.

Kunst und Religion haben unter den Bedingungen der Industriekultur ein gewissermaßen ähnliches Schicksal, das wohl „Herausforderung" bedeutet. Aber es bringt beide auch in eine Spannung zur gegenwärtig herrschenden und sich ausbreitenden Wirklichkeit, in der sie zerrieben werden können, und die Chancen sind nicht mit reflexiver Gewißheit ausmachbar. Aber Kunst und Religion stehen überdies, schon aus ihrer älteren und vor allem neueren Geschichte her, in einer eigentümlichen Spannung, in einem problematischen Verhältnis zueinander. Sowenig Welt und gesellschaftliches Leben gegenwärtig noch einfachhin als „christlich" bezeichnet werden können, sowenig ist die Kunst noch in der Breite christliche Kunst. Und umgekehrt: Wie die wissenschaftlich-technisch-industrialisierte Wirklichkeit so etwas wie Kunst nicht mehr für sich zu brauchen scheint im Sinn der erhebenden und eröffnenden Selbstdarstellung und Selbstbewußtwerdung, so auch scheint der Religion, dem christlichen Leben, zu seinem christlich leben Können Kunst entbehrlich. Zwar ist Kunst industriell verwertbar; sie ist auch im christlichen Leben verwendbar. Aber beide Male bedeutet dies statt einer wesentlichen Verwiesenheit eine beliebige Möglichkeit.

Damit ist nicht behauptet, es gebe nicht auch noch christliche Kunst und Kunstwerke, die aus christlicher Glaubenserfahrung betroffen wären und betroffen machen könnten. Und es ist auch nicht gemeint, es gebe keine kirchliche Kunst mehr, die als christlich-kirchliche mit dem Kult entspringt und mitgeht und für ihn das Haus Gottes als das der Gemeinde architektonisch, in Worten, Bildern, Tönen symbolisch erbaut, als die schöne Stätte des Heiligen. Daraus ergeben sich allerdings nochmals besondere Probleme. Religion „bedient" sich der Kunst, aber jedenfalls nicht mehr in der Selbstverständlichkeit einer einseitigen Dienstleistung, die man im Rückblick noch der mittelalterlichen Kunst zuzuschreiben geneigt ist. Diese Selbstverständlichkeit beruhte vielmehr darin, daß die Grunderfahrung des religiösen Heilsglaubens des Gemeindelebens zugleich die Grunderfahrung des allgemeinen gesellschaftlichen Lebens (über alle Differenzen hinweg) war, dem auch der Kunstschaffende und -mitschaffende, also das Leben der Kunst entsprang und dem dieses somit zu seiner maßstäblichen Erhebung und schönen Gestaltung diente. Diese Selbstverständlichkeit in der „geistigen" Gemeinsamkeit einer Welt- und Selbsterfahrung ist längst nicht mehr gegeben. Wo heute — und schon seit langem — Kunst noch christlich dient, da „bedient" sie sich umgekehrt selbst auch der Religion, dem kultischen und aus dem Kult her sich erbauenden christlichen Leben: nämlich um Erfahrungen der Welt und des Lebens einzubringen, die nicht ohne weiteres in der christlichen Erfahrung schon mitumfaßt sind. Sie sind auch nicht ohne weiteres und bruchlos vom religiösen Heilsleben aufholbar und einholbar, nachträglich zu taufen oder als irregegangene und reuig zurückkehrende wieder mit ihm zu versöhnen. Die Geschichte seit dem Ende des christlichen Mittelalters ist nicht nur Geschichte der Verweltlichung und Vermenschlichung ursprünglich christlicher Erfahrung, welche Geschichte von daher abgeleitet und deshalb auch wieder zurückgeleitet werden könnte. Sondern sie ist eine Geschichte neuer und unableitbarer Lebenserfahrungen von der Eigenmacht des Menschen, der menschlichen Gesellschaft, der noch höfischen bis zur bürgerlichen, und von der Eigenmacht der Natur, wie sie sich jeweils in einem bestimmten Lebensverhältnis bekundete. Und diese Geschichte geht bis hin zur Auflösung der Natur und des Menschen und hinein in die Not zunächst der Restitution, die freilich den vergangenen Bestand nicht so, wie er war, wiedergewinnt. So hat die Kunst wohl je zu ihrer Zeit „gedient", nämlich einem gesellschaftlichen Leben und seiner Welt, um es sich selbst in seiner vollen und maßgebenden Gestalt zu Gesicht zu bringen, bis die natürlichen und menschlichen Vorgegebenheiten zerbrachen und die Kunst „nur" noch oder „reine Kunst" war, aber eben noch Kunst war und auch dies zur Darstellung brachte.

Religiöses Leben in Erinnerung an seine ursprüngliche Heilserfahrung gerät, wenn es die je eigenmächtige Welt- und Selbsterfahrung des Lebens seiner Zeit nicht bloß zur Kenntnis nimmt sondern miterlebt, u. U. in einen Widerspruch, der noch einmal durchgehalten und ausgetragen werden muß. Und eben dies ist die Situation der christlichen und kirchlichen Kunst, sofern sie christlich, gar kirchlich, und doch Kunst ist: daß sie die weltliche und menschliche Erfahrung durchhaltbar und austragbar mit der christlichen Heilserfahrung zusammenbinden muß und eine solche lebbare Gestalt im Werk hervorzubringen sucht; aber daß sie dabei verwiesen ist auf Verantwortungsträger für Religion und Kult, die christlich-religiöses und kultisches Leben aus verständlichen Beweggründen vor möglicher Verdeckung, Verfälschung und Veruntreuung des geschichtlichen Erbes bewahren wollen und die deshalb an der Tatsächlichkeit und Rechtfertigbarkeit weltlicher und menschlicher Erfahrungen eigenen Ursprungs zweifeln. Und dies geschieht weithin, auch wenn gleichwohl betont wird, daß auch religiöses und kirchliches Leben je „in dieser Welt zu dieser Zeit" lebe. Die bedingungslose Begrenzung auf bestimmte, gar in ihrer Lebensbedeutung schon begrifflich (theologisch) definierte „christliche Inhalte" und die Bevorzugung einer „würdigen Form", deren Würdigkeit zwar weniger streng definierbar ist, aber allzuoft ausgewählt und abgezogen wird von Werken vergangener Kunst, die überblickbar und abschätzbar sind – dies beides zusammen mag religiöses Leben zwar vordergründig vor Verdeckungen und Verfälschungen bewahren. Aber es verhindert dann auch, mit dem Leben der Zeit mitzuleben, und d. h. auch dessen u. U. widersprechende Erfahrung der Welt und des Menschen in die Lebensgestaltung hinein mit- und auszutragen. Und es veruntreut so gerade das Erbe, nämlich christlich zu leben je „in dieser Welt zu dieser Zeit". Dann allerdings ist die Zuflucht ins feiertägliche Asyl nicht Vertreibungsschicksal durch die Weltwirklichkeit nur, sondern zugleich ängstliche Flucht vor dieser.

2.

Im Blick darauf, daß in der Neuzeit die christliche Lebenserfahrung sich nicht mehr bloß von anderen, nichtchristlichen Religionen unterschieden wußte, die für Mission und Konversion immerhin nicht unempfindlich waren, sondern daß jetzt eine der religiösen Erfahrungsgeschichte gegenüber von Grund auf andersartige Geschichte der Erfahrung der Eigenmacht, der „Eigengesetzlichkeit" des menschlichen Weltlebens begann, im Blick hierauf zeigt sich, daß die oft zitierte „Emanzipation" der Kunst (und weiterer „Kulturbereiche") aus der Bindung an die Religion nicht selbst der ursächliche Vorgang, sondern der Folgevorgang war. Ein weiteres kommt hinzu. Der damit zusammenhängende Verfall der alleinigen, einigenden Verbindlichkeit und Selbstverständlichkeit bisheriger Formen und Inhalte des Weltlichen und Menschlichen kennzeichnet diese Erfahrung der Eigenmacht als eine Erfahrung des Zurückwurfs des Menschen und seiner Welt auf sich selbst. Jetzt erst wird er „Subjekt", „Individuum". Die Gesellschaft wird in diesem Fortgang zur Gesellschaft der Individuen, die sich deshalb auf andere Weise als zuvor ihre soziale Formierung und Bedeutung gibt und durchsetzt, nämlich in der Institutionalisierung herrschender und übergreifender Subjektivitäten. Eine solche Gesellschaft der Individuen und der herrschenden Subjektivitäten ändert aus der Macht der Selbstsetzung und Selbstdurchsetzung zunehmend rascher ihre Formen und Bedeutungsansprüche. Kunst nimmt so zunächst wohl immer diese Gehalte aus dem vorherrschenden sozialen Leben und erhebt sie zur symbolischen Gestalt. Aber gerade in dieser höchsten Gestaltung des neuerfahrenen Lebens wird immer mehr sichtbar, daß es ja im Grunde ein Leben je des Individuums, des Subjekts ist, und daß die lebensbedeutenden Gehalte, welche die Kunst stilisiert, nicht nur schlicht als gottgegebene und immer schon vorliegende zu gewinnen sind, sondern aus der Subjektivität und seiner Vermöglichkeit stammen und auf diese zurückweisen. Was die Subjektivität freilich mag und vermag, willentlich sich voraussetzt und durchsetzt, ist deshalb nicht schlichtweg immer das gleiche, sondern ändert sich. Kunst vor allem wird so zur „Institution der Subjektivität''. Sie holt dann schließlich auch nicht allein mehr das dem gewohnten Leben immanente Bedeutsame als das Maß hervor, das dieses Leben richtet und aufrichtet. Sie wirft vielmehr zugleich neue Maßstäblichkeiten voraus und bringt sie ins Bild, die alle gewohnten Bestände eines jeweils schon vorsichgehenden Lebenszusammenhangs, seinen Bezug zur Natur und seine mitmenschlichen Beziehungen, aus einer geänderten Sicht her im ganzen „kritisieren''. Sie sucht in wiederholten und sich beschleunigenden Anläufen jeweils neu nach der verbindlichen Wahrheit, nach dem „wahren'' Gesicht der Natur und des Menschen. Sie zeigt im Fortgang schließlich, daß Wirklichkeit, die objektiv-natürliche wie die subjektiv-menschliche, nicht von der Art ist, als ob sie nur endlich und endgültig wahrhaft zu Gesicht gebracht werden könnte. Sondern die Kunst zeigt im Fortgang schließlich, daß die Wirklichkeit vielmehr überhaupt erst aus Elementen konstruiert und synthetisiert werden muß, um ein „Gesicht'' zu erhalten. Die Dynamik der neuzeitlichen Kunstentwicklung spiegelt und treibt mit die Dynamik der neuzeitlichen Geschichte des menschlichen Lebens in der Welt. Sie wird zur Anschauungsgeschichte der Suche des Menschen nach sich selbst in seiner Welt, als Subjekt der Objektivität. Sie führt bis an die Grenze, an der erfahren wird, daß der Zerfall der Wirklichkeit selbst bei ihren Elementen nicht haltmacht und deshalb Konstruktionen und Synthesen nicht ein Gesicht der Natur und des Menschen ergeben, das sich zu einer maßgebenden Gestalt verdichten und steigern lassen könnte, worin das Leben wenn nicht schon gegenwärtig so jedenfalls zukünftig seine Fassung und Füllung, seine „Schönheit" haben könnte. Die Erfahrungsgrenze ist die der heraufkommenden Industriekultur. In deren technischer Organisation verliert zuletzt sowohl Natur ihre Objektivität und zersplittert vielmehr in die perspektivischen Wertigheiten des Materials, als auch die Subjektivität, die Individualität, ihre Eigenmacht und Freiheit im Prozeßsystem der Funktionen verschwindet und verwiesen wird in die Unterbrechungen, die keine sind. Kunst, die selbst dieses noch im Werk sichtbar macht – die Denaturierung der Natur und die Entmenschlichung des Menschen, die „Weltlosigkeit" der gemeinsamen Welt und die undurchschaute Misere des Privaten, die „Wohnungslosigkeit" des modernen Lebens –, solche Kunst lebt jedenfalls kaum schon als Vorauswurf einer zukünftigen Lebensgestaltung, von der her die Gegenwart zur Verwandlung gefordert und geleitet würde. Eine solche Kunst lebt vielmehr mit Erinnerung an das, was einmal Subjektivität und Objektivität, Individualität und Freiheit zu bedeuten versprachen, mit Erinnerung an das neuzeitliche Erbe. Dieses ist zwar unzweifelhaft anderen „Wesens" als das christliche. Aber auch dieses weltlich-menschliche Erbe zu verlieren ist nicht schmerzlos, und eine Restaurierung vorneuzeitlicher Lebenswirklichkeit und -bewußtheit ist erst recht unmöglich.

3.

Von der Dynamik der neuzeitlichen Subjektivitätsgeschichte bleibt freilich auch die christliche Religion nicht unberührt. Auch in ihre Institutionalisierung drang die Erfahrung der Eigenmacht, der Selbstbestimmung, der freien Individualität, und zwar auch im Verhältnis zum Erbe aus dem alten Ursprung christlicher Glaubenserfahrung. Aus dieser christlichen Glaubenserfahrung heraus wußte sich der Mensch allerdings nicht als Subjekt, sondern als geschaffenes, gefallenes und erlöstes Ebenbild Gottes. Und die

Welt war gewußt nicht zuerst und zuletzt als Feld der Selbstsetzung und Durchsetzung, sondern als Welt göttlichen Schöpfungs- und Heilshandelns. Aber nur von diesem Eindringen neuzeitlicher Subjektivitätserfahrung auch in das gläubige Sich-Wissen der Religion und ihrer Institutionen her sind die Reformation und die Reformationen zu verstehen. Denn in ihnen wurde und wird jeweils auf jeder Seite mit aller Bestimmungsmacht und Selbstgewißheit, wie sie nur Subjektivität zu eigen sein kann, beansprucht, das alte Erbe unverfälscht zu „verwalten". Gerade dadurch aber war die Religion, obwohl ebenfalls zu einer „Institution der Subjektivität" geworden, in ihrer Selbstbindung an das alte Erbe und in der Bindung dieses Erbes an sich weithin jedenfalls nicht so sehr darauf bedacht, in die Gestaltung ihres Lebens Änderung zu bringen. Sie war eher darauf bedacht, wenn Änderung sich schon nicht vermeiden ließ, dann die mit Mühe errungene Gestalt als Maß sich vorzuhalten und zu behalten. Das gewährte zwar zu Zeiten jeweils Ruhe in zunehmend unruhiger Zeit. Aber die Entfernung zwischen Religion und derjenigen Kunst, welche in den unruhigen Zeitläuften mit der Geschichte des freien Selbstvermögens mitging, wurde dadurch auch zunehmend größer. Denn die Subjektivität der religiösen Institution ist von ihrem Bezug auf ihr geschichtliches Erbe her notwendig eine gemeinschaftliche, die glaubende Gemeinde. Wollte der Glaubende, statt mit der Gemeinde zu glauben, nur und allein als „Einzelner vor Gott", gerade vor dem menschgewordenen Gott, stehen, so wäre der Bezug zum geschichtlichen Ursprung abgebrochen und Weitergabe nicht mehr möglich. Die Subjektivität der Institution „Kunst" ist demgegenüber der Einzelne, der Kunstschaffende und -mitlebende, freilich nicht der wählerisch oder wahlos „Genießende". Kunst nimmt wohl die Gehalte aus einem sozialen Lebenszusammenhang und möglicherweise auch, jedoch nicht mehr notwendigerweise, aus einem religiösen und kirchlichen Lebenszusammenhang. Aber wie die Kunst dann die Gehalte freisetzt und aussetzt in das Symbol für und gegen diesen Lebenszusammenhang, um ihm im Bild vorzuhalten, was er sein soll und sein kann, und zwar wenn nötig durch Änderung, dies ist nicht durch das soziale Leben und seine Institutionen vorwegzunehmen und zu dekretieren. Wo sich Religion auf Kunst einläßt, herrscht aus dieser Entfernung und Spannung ein Risiko, zu welchem Religion verständlicherweise noch weniger bereit ist als außerreligiöse gesellschaftliche Institutionen. Zwar ragen auch in jüngster Zeit dennoch Werke christlicher und kirchlicher Kunst heraus als Dokumente, die zugleich mit der Botschaft des überlieferten Glaubens der Gemeinde die „weltliche" und religiös nicht einfach abzudeckende Selbsterfahrung des Menschen in der gegenwärtigen Lebenswirklichkeit künstlerisch zur Sprache bringen. Aber dann dokumentieren sie zugleich einen Glücksfall der Risikobereitschaft auf der einen und der individuellen Engagiertheit auf der anderen Seite. Aber das eine wie das andere gehört nicht in eine gemeinsame Selbstverständlichkeit hinein, in der sich Religion und Kunst ihrer selbst und ihres Verhältnisses zueinander bewußt wären.

Erst recht wächst die Spannung ins Äußerste, wenn die Kunst im Verfall oder in der Zerstörung des Natürlichen und Menschlichen, im Verlust anscheinend auch noch der letzten verbindlichen Gehalte weltlichen Selbstbewußtseins unvermögend wird, überhaupt noch „wohnliche Welt" für menschliches Leben symbolisch zu erbauen. Wenn sie aber Kunst ist, dann bleibt ihr das Vermögen, wenigstens dies noch selber zu sagen. Die christliche Religion aber will in der Bindung der Glaubensüberlieferung darauf insistieren, daß die Welt zwar nicht die ewige, aber doch die von Gott geschaffene vorläufige Wohnung ist, die deshalb so bodenlos schlecht wiederum auch nicht sein kann, und daß das menschliche Leben in dieser und mit dieser Welt zwar ins Unheil gefallen, aber „im Grunde" schon erlöst ist und seine schon geschehene Heilung nur in der Erhebung des Glaubens anzunehmen ist und in seiner Tat in die Welt und in die Gesellschaft hinein ausgewirkt zu werden braucht. Die Spannung zeigt sich also auch in der Widersprüchlichkeit, daß solche Kunst der Negation, solche Symbolik der Defizienz keine Gestalt mehr bildet, „die positiv" das Leben in die Fassung und Füllung der Vorbildlichkeit, Vollkommenheit und also „Schönheit" im vertrauten Sinn erheben könnte. Wogegen die Religion des christlichen Glaubens daran festhalten will, daß die Gestalt des Heiligen als der dichteste Sinn von Leben nicht anders denn „schön" sein könne und dürfe. Das Problem ist dann freilich das, ob und wie der Glaube der christlichen Religion zu seiner Erfahrung hin sich auch noch von solcher weltlichen Lebenserfahrung durch die Kunst etwas sagen lassen kann, die anscheinend den äußersten Widerspruch zu ihm bildet; und zwar weil allerdings diese Kunst die Widersprüchlichkeit der gegenwärtigen Wirklichkeit selbst in sich aufgenommen hat, die zu einer Welt der Unbehaustheit, zur Entmenschung des Menschen geworden ist. Der christliche Glaube und seine Religion aber lebt noch in Gemeinschaft, in der Gemeinde, und kann so überhaupt nur leben, und solange er lebendig ist hat er allerdings Wohnung und Heimstatt. So lange traut er sich auch zu, diesen seinen Lebensraum und darin Gottes Haus und Menschen Haus zu „gestalten'', also mit „Kunst''. Daß ihm dies in der Vergangenheit gelang, begründet zwar nicht Gewißheit für die Zukunft, aber trägt ein wenig bei zur Zuversicht. Im Überblick über die bisherige Geschichte des religiösen Bauens am Leben ist in der Tat das Schönste am Christentum die Religion, d.h. genauer seine Kunst der kultischen Gestaltung, der Architektur, Malerei, Plastik usw. im kirchlichen und öffentlichen und familiären Bereich. Aber der christliche Glaube mit seiner Religion hat allerdings seine eigene innere Widersprüchlichkeit. Und wenn er diese in seiner religiösen Gestaltung vergessen haben sollte, dann könnte ihm freilich die moderne Kunst an der Grenze einen Anstoß zur Bewußtwerdung geben. Anstoß geschieht freilich nur, wo empfunden wird, und Empfindung nur, wo keine Anästhesie herrscht. Denn der Glaube ist Glaubenserfahrung des Gekreuzigten und freilich des Auferstandenen, aber es ist der auferstandene Gekreuzigte mit den offenen Wunden. Das Heil, das in die Welt kam, hat das Unheil nicht glatt beseitigt, sondern in sich aufgenommen und ausgetragen, so daß das Gotteslob, das jetzt noch zu singen ist, kein Jubel sein kann, wenn in ihm nicht Klage und Schmerz mitschwingen. Denn der das Heil erwirkte und Gott lobte durch das Kreuz und Auferstehung, ist wohl mitten unter denen, die sich in seinem Namen versammeln, aber doch zugleich nur als der Aufgefahrene und Entschwundene. Nur ein solcher Glaube aber könnte umgekehrt zum Anstoß werden für die Kunst an der Grenze des Weltlich-Menschlichen, sofern sie sich nicht ihrerseits unempfindlich macht gegen eine Erfahrung und ein Leben, das aus der „Hoffnung wider alle Hoffnung'' lebt; gegen ein Leben, das in seiner Auferstehung, seiner Erhebung, den Tod nicht bloß abschüttelt, sondern an- und aufnimmt; gegen ein Leben, dem derjenige wirklich gegenwärtig ist, der nicht mehr da ist. Und wenn die Kunst an der Grenze den Anstoß solchen Glaubens empfände, könnte daraus, vielleicht, die Vermöglichkeit wachsen, auf neue Weise die künstlerische, die symbolische „Gestaltung" des religiösen Lebens in der Treue zum Ursprung und doch zeitgemäß, wenn auch nicht zeitkonform, hervorzubringen. Die periphere „Rolle" von Kunst und Religion in der zunehmend industrialisierten Lebenswirklichkeit wäre damit nicht „beseitigt", aber dies zu tun und beide wieder zu „zentralen" Gestaltungsweisen der „allgemeinen Kultur" zu befördern steht auch nicht in der vereinigten Macht beider. Wohl aber könnte in solcher Lebensgestalt gezeigt sein, daß die „Mitte" des Lebens durchaus nicht in der Zentrale der allgemeinen und öffentlichen gesellschaftlichen Vorgänge zu liegen braucht, die es nicht mehr gibt, sondern an jeder Stelle liegen kann, die von dem öffentlichen Lebensvorgang her gesehen als Peripherie erscheinen muß.

III.

1.

Das allgemeine gesellschaftliche Leben deckt sich im Zuge seiner Industrialisierung nicht mehr mit Gemeinde, weder mit religiöser Kult-, noch mit weltlicher Kulturgemeinde. „Gemeinden" werden zu Verwaltungseinheiten, und Kunst und Religion werden zu etwas, was unter dem Ganzen des zu verwaltenden, zu organisierenden Weltlebens auch noch mit vorkommt. Wo Problematik aufstößt an dem Fortschritt der alles verzehrenden Arbeitskultur, werden Schutzzonen eingerichtet, für Natur, für private Lebensentfaltung (wozu dann auch Religion und Kunst zählen), und dementsprechend für die Denkmäler der religiösen und weltlichen Kunstvergangenheit. Sie zeugen davon, wie Menschen jeweils ihr Wohnen bildeten in Domen, Palästen, Häusern, auf Straßen und Plätzen. Aber sie sind nicht mehr Stätten gegenwärtigen Lebens, auch wenn sie noch zu bestimmten Zwecken verwendet und verwertet werden. Selbst diese gegenwärtige Verwendung und Verwertung des

Vergangenen muß sich ökonomisch-rational, wenigstens „bis zu einem gewissen Grad", rechtfertigen lassen. Konflikte mit dem übergeordneten gegenwärtigen Realinteresse im Blick auf Zukunft sind unvermeidbar. Wo die Rechtfertigung über einen gewissen Grad hinaus und beim sogenannten besten Willen nicht mehr gelingt, müssen die Denkmäler, muß die Vergangenheit gegenwärtig der Zukunft weichen. Aber dies geschieht nicht in der selben Weise, wie einst in der Selbstverständlichkeit einer jeweils neuen Stilisierungskraft z. B. romanische Bauten gotisiert und durch gotische ersetzt wurden oder wie mit der Gotik im Barock verfahren wurde, zu Zeiten also, die keinen Vergangenheitsschutz nötig hatten, weil Kunst und Religion selber noch lebendig waren und das gemeinsame Leben bestimmten. Heute ist Vergangenheitsschutz nötig. Was so geschützt werden muß, bezeugt, daß es durch ähnliches nicht ersetzbar ist. Sind Kunst und Religion der Vergangenheit nicht mehr ersetzbar durch Kunst und Religion heute? Sind Kunst und Religion am Ende?

Hegel hatte dies von der Kunst gemeint, und damit auch die Religion mit getroffen. Kunst und Religion hatten ihre höchste Bestimmung darin, gültige Gestalt der Wahrheit aller Wirklichkeit zu sein. Nach dieser höchsten Bestimmung sind sie, so Hegel, vergangen. Die Erhebung des Lebens in seine vollkommene Fassung und Füllung kann nicht mehr in der religiös-gläubigen Vorstellung des wahren Heils erfolgen und nicht mehr im künstlerischen Bild der wahren Schönheit. Sondern dieses endgültige Wahrwerden des wirklichen Lebens könne jetzt nur mehr geschehen in der Weise des philosophischen, des absoluten Begreifens. Der Geist des Begreifens der Wahrheit umgreift und durchgreift auch noch Kunst und Religion. Sie werden dadurch nicht überflüssig und beseitigt, sondern sie bleiben einbehalten im Lebensvollzug als zwar untergeordnete und perspektivisch beschränkte Vergegenwärtigungsweisen, aber als perspektivisch beschränkte Vergegenwärtigungsweisen immerhin des ganzen und wahren, des geistig sich und alles begreifenden Lebens. Freilich, statt des umfassenden geistigen Begreifens in der Weise eines absoluten Wissens, eines Bewußtseins und Selbstbewußtseins philosophischen Charakters, gelangte eine andere Art Wissen und Begreifen zur Herrschaft. Was zur Herrschaft kam und von Hegel so nicht erwartet wurde, war das wissenschaftliche Begreifen und damit Technik und Industrie. Mit ihnen erlangt das Leben die Prägung als nicht rasten wollende Arbeit, worin Ruhe nur zum Grenzfall von Bewegung wird. Religion und Kunst aus ihrer Verständnisgeschichte her sind zwar auch Lebensbewegungen, aber nicht rastlose, sondern „ruhige", die in der Gestalt des heiligen und schönen Lebens dieses versammeln wollen. In der rastlosen Arbeitskultur aber werden sie zu Grenzfällen. Dahinein läßt sich aber zugleich auch eine Lebensweise fallen, die weniger von der Arbeitskultur her in die Rand- und Grenzzone vertrieben wird als sich vielmehr darin erst bildet, zur Kompensation der Enttäuschung, welche die Arbeitskultur dem Bedürfnis nach Sammlung und Erfüllung antut. Es ist das ästhetische Leben und sein ästhetisches Lebensverständnis. Ihm ausgesetzt sind dann insbesondere Religion und Kunst und ihre Geschichte.

Aus der Bewegung der rastlosen Arbeit sich zurückziehend, läßt es sich doch auch nicht ernsthaft ein auf die „ruhige" Bewegung des religiösen und künstlerischen Lebens. Es ist anästhetisch, unempfindlich gegen den Anspruch des religiösen und künstlerischen Werkes, sein Leben tätig zu verwandeln (Rilke: „Da ist keine Stelle, die dich nicht sieht: du mußt dein Leben ändern"). Es ist nur noch ästhetisch „genießend", statt miterbauend vielmehr nur „erbaulich". Es findet das religiöse Werk nur noch beeindruckend schön, ohne betroffen zu sein, daß in dieser Schönheit sich zur Anschauung bringt, wie der Glaube an das Heil um sein Heil ringt. Und es läßt sich gleicherweise von dem Werk aus der weltlichen Kunst beeindrucken, ohne doch ernsthaft betroffen zu sein, daß in seiner Schönheit vergegenwärtigt ist, wie der Mensch im Rückwurf auf sich selber darum ringt, was er und seine Welt in Wahrheit sind. Dem ästhetischen Genußleben und seinem Sinn wird die Geschichte und Gegenwart der Kunst und Religion zur Tafel, an der es seine Feinsinnigkeit bildet und seinen Bildungshorizont erweitert. Ohne Interesse an der Realität, die im Werk der Religion wie der Kunst vor Augen gehalten wird, werden ihm diese vielmehr nur interessant als Dokumente dafür, was menschliche Phantasie sei es gläubig-religiös sei es weltlich-künstlerisch sich alles bilden und einbilden kann. Kunst und Religion werden dem ästhetischen Bildungssinn „irgendwie" eins und jedenfalls zu phantastischen Ausdrücken menschlicher Einbildungskraft, durch die er sich bereichert. Aber feinsinnige Bildung, die sich mit der Realität der nüchternen Arbeitswirklichkeit nicht vermitteln kann und mit der Realität von Kunst und Religion nicht vermitteln will, sondern diese nur als Ausdrücke der Einbildungen des phantasierenden Geistes „versteht", bestätigt so noch einmal, was von der Rationalität der Arbeitswirklichkeit her diktiert wird: nämlich daß Kunst und Religion, realistisch betrachtet, Produktionen des Scheins und darin eins seien, in denen, weil nicht gearbeitet, also „nur" gefeiert werde.

2.

Daß Religion und Kunst aus der Geschichte des menschlichen Lebens und seiner Welt „irgendwie" eins seien, drängt sich freilich auf im Blick auf die ältesten und alten künstlerischen Urkunden. Sie sind gerade nicht nur Zeugnisse im Sinn des erst sehr späten europäisch-neuzeitlichen emanzipierten und autonomen Kunstverständnisses. Sie sind vielmehr ihrem Gehalt und ihrer Stilisierung nach Werke der Religion, magischer Rituale oder mythischer oder christlicher kultischer Wiederholung des Heilsereignisses. Im Kult allerdings fand der Mensch sein Wesen. Aber er fand es nicht, indem er allein es aus seiner Eigenmacht heraus zu suchen und über sich zu stellen hatte, sondern indem er es bildete im Unterschied zugleich zum Mächtigeren seiner selbst, zum Tiergott der Felsenhöhlen, zum Menschgott der griechischen Tempel, zum Gottmenschen der christlichen Dome. Noch die Andachtsbilder der mittelalterlichen christlichen Kunst gaben wenngleich nicht sakramentale Präsenz des Heils, so doch auch nicht nur vom sakramentalen Kult losgelöste Repräsentierung. Sie hatten Teil an der sakramentalen Präsenz und erhielten von diesem Bezug her die Macht der Heiligung. Alle Bildungen der mittelalterlichen christlichen Kunst sind so verstanden Bilder der Andacht. In der Religion geschieht wohl immer Identifikation, aber Identifikation gelingt nur mit dem Mächtigeren seiner selbst. Identifikation nur und allein „mit sich selbst" ließe alles beim alten. So wird sogenannte Kunstgeschichte allerdings lesbar durch und durch als Religions-, ja Kultgeschichte. Sie wird so lesbar jedenfalls bis zu jener Zeit, da sich die Kunst vom Kult und der Religion löste. Insofern ist die neuzeitliche Kunst dann nicht mehr einlinig verstehbar als Religions-, ja Kultgeschichte. Und dann allerdings muß diese Geschichte der Kunst erscheinen als Abfall, als Kunst, die von Anfang an ihre „Mitte" immer mehr verloren habe.

Aber die neuzeitliche Kunst ist nicht mehr unmittelbar kult- und religionsbezogen und ist deshalb auch nicht Kunst der Verlustgeschichte. Sie ist allerdings nicht mehr kultische und religiöse Andachtsbildung. Sie ist vielmehr Kunst aus der erfahrenen und bewußtgewordenen Eigenmacht des Menschen und seiner Welt, für sich selber der immer Mächtigere zu sein und darin sein Wesen zu haben. Identifikation geschieht jetzt mit dem, als was und wie der Mensch sich und seine Welt über sich selbst hinauswirft. Und eben dieses seiner selbst übermächtige Wesen des Weltmenschen wird in der Kunst vorgehalten. Wird die Figur des Menschseins, daß er das seiner selbst übermächtige Wesen ist, zurückprojiziert in die alte und älteste Geschichte, dann freilich wird alle Religionsgeschichte lesbar durch und durch nun als „Kunstgeschichte". Und wenn betont wird, daß die Kunst der neuzeitlichen Identifikation des Menschen mit sich über sich doch funktional dasselbe leiste wie die religiöse, die kultische Identifikation mit dem Gottmenschen und Gott in der christlichen Zeit, so kann schließlich auch die neuzeitliche Kunst noch Religion und Kult genannt werden. Sie muß dann allerdings erscheinen als diejenige Religion und derjenige Kult, worin der Mensch den Platz Gottes usurpiert habe, sich selbst als Gott über sich setzte und in der Kunst nur die Apotheose seiner selbst feiere, die Sakralisierung des Säkularisierten. Schließlich mag man in der neuzeitlichen Geschichte wenigstens vorübergehende Phänomene entdecken, die man mit dem Doppeltitel „Kunstreligion" am treffendsten zu bezeichnen meint. Die Kennzeichnungen schlagen ineinander um. Wer sich diesem Verwirrspiel verweigert, wird sich vielleicht der Verlegenheit bewußt, in der wir uns heute befinden und die zu den austauschbaren Benennungen verlockt. Es ist die Verlegenheit, daß es sich in Mittelalter und Neuzeit, auch wenn der Umbruch nicht eindeutig festzumachen ist, um zwei von Grund auf verschiedene Erfahrungen handelt, aus denen heraus sich der Mensch seines Wesens und seiner Welt bewußt wurde. Sie sind deshalb nicht aufeinander reduzierbar, auseinander herleitbar, ineinander glatt integrierbar oder gegenseitig je von einem „Standpunkt" aus „interpretierbar", ohne Verfälschung je der Eigentümlichkeit der anderen. Und doch leben wir in der Erinnerung an beide und noch in der Bestimmung durch beide, wenn auch unter den Bedingungen des heraufkommenden Industriezeitalters, unter denen solcher gedoppelten Erinnerung und Bestimmung Gefahr droht, die nicht einmal von den Betroffenen immer und überall in ihrem Charakter und ihrer Tiefe erkannt wird. Und so ist allerdings Besinnung auf beide in ihrem „Verhältnis" und im Verhältnis zu diesen Bedingungen nötig.

3.

In mehrfacher Weise konnte und kann vom christlichen Glauben her die Reflexion auf Religion und Kunst erfolgen, um die Entfernung beider zu überwinden und, wenn nicht die Religion der Kunst näher zu bringen, so doch die Kunst der Religion. Verwiesen wird dann etwa auf den Konsens darüber, daß Religion wie Kunst sich jedenfalls als Grundweisen verstehen, wie der Mensch in der Welt lebt, indem er sie schöpferisch gestaltet. Das Urbild aber solchen Lebens der schöpferischen Gestaltung ist in dieser Selbstreflexion der Religion Gott, der die Welt und den Menschen bildete, indem er sprach. So lebt alle menschliche Bildungs- und Verdichtungsmacht, also auch und insbesondere die Kunst, aus der Teilhabe an der göttlichen Macht des schöpferischen urbildlichen Wortes und führt den Auftrag nicht nur aus, sondern weiter. Gott ist dann gewissermaßen der ursprüngliche Künstler und die Welt jenes göttliche Kunstwerk, in das hinein der Mensch gehört mitsamt seiner Kunst, an diesem Werk im Auftrag, aber in Freiheit weiterzugestalten, konstruktiv doch freilich auch mit der bösen Möglichkeit der Destruktion. Daß aber gerade in diesem „im Auftrag, aber in Freiheit" die Verlegenheit sich meldet, wird kaum wahrgenommen. „Im Auftrag, aber in Freiheit", das könnte ebenso umgekehrt werden: in Freiheit, aber im Auftrag. Aber was soll damit gesagt sein in einer Situation, welche die Rede von „Kultur als christlichem Auftrag heute" als treffliche, aber peinliche Problemformulierung erfahren läßt, weil in aller Schärfe bewußt werden muß, daß „die Zeit des christlichen Glaubens", nämlich „die kleine Weile", und „die Zeit der Kultur" kategorial verschieden sind, und daß deshalb alle Versuche einer „Heimholung der Welt" scheitern müssen (vgl. O. Köhler, in: Kultur als christlicher Auftrag heute, hrsg. v. A. Paus, 1981, S. 25 ff)?

Kunst also sei freie Weiterführung des Schöpfungsauftrags an der Welt. „Schönheit" ist dann das Leuchten und Nachleuchten der Vollkommenheit göttlicher Schöpfung. Aber die Schöpfung, der Mensch und mit ihm die Welt, sind doch ins Unheil gefallen. In ihm erst herrscht die Not des Gestaltenmüssens, und damit allerdings beginnt auch erst die Geschichte des Gestaltenkönnens, der Kunst. Allein Not macht erfinderisch, aber auch nur insofern, als Hoffnung besteht. Eine andere Deutung rekurriert deshalb auf Erlösungshoffnung und auf das geschichtliche Heilsereignis und auf die endgültige Erlösung. Kunst ist zunächst dann die Gestaltung des Lebens in Sehnsucht nach Heil. Und nach dem Eintritt des geschichtlichen Heilsereignisses wird sie zur Gestaltung des Lebens in Sehnsucht nach dem endgültigen Heil. „Schönheit" ist so das Vorausleuchten, der Vor-Schein der Erlösung und dann der Vor-Schein der endgültigen Erlösung, des neuen Menschen auf der neuen Erde unter dem neuen Himmel.

Vor-Schein ist zwar nicht der leere Schein der Fiktion, Illusion. Aber er ist auch nicht die gefaßte und gefüllte Erscheinung der Realität, des menschlichen Lebens auf dieser Erde unter diesem Himmel. Diese hiesige Realität aber ist es doch, welche die Kunst je zu ihrer Zeit im Werk aufgehen läßt und versammelt. Sie tut dies zuletzt so, daß sie die Realität zeigt als das nichtmenschliche und totgelaufene Leben, das keines mehr ist, als die verwüstete Erde und als der entleerte Himmel. Und selbst dies will man dann nocheinmal in der Glaubensreflexion so ausgelegt und zurechtgelegt haben, daß also sogar die Kunst selbst es anschaulich beweise, was aus dem Glauben her immer schon zu wissen gewesen sei: Freiheit, welche die Bindung an Religion und an den darin verwalteten göttlichen Auftrag preisgibt, muß sich zuletzt selbst verlieren und in Un-Freiheit umschlagen.

Alle solche reflexiven Versuche tendieren danach, in ein christliches Religionsverständnis nachträglich einzuholen sowohl die vorchristliche wie die christliche „Kunst'' (die doch je in unterschiedlicher Weise Vollzug und Mitvollzug der Religion selber waren), und schließlich vor allem die neuzeitliche Kunst einzuholen, die allerdings nicht mehr Religion sein konnte und wollte. Und zwar ist es ein Verständnis, das sich selber, seine Religion und seinen Glauben, schon definitiv, wenigstens „im Grunde'' definitiv bestimmt wissen will. Aber so verfehlt diese Reflexion die Wahrheit der ältesten und alten wie die Wahrheit der neuzeitlichen Kunst. Und es verfehlt die Wahrheit auch seiner selbst: daß auch seine christliche Religion und sein christlicher Glaube im Grunde nicht definitiv bestimmt sind und nur ausgebreitet zu werden brauchten. Vielmehr ist selbst dies, was christliche Religiosität und was christliches Glauben als solche in der Geschichte bedeuten, einem Wandel unterworfen. Die „sich ändernden geschichtlichen Bedingungen'', die man noch zuzugeben bereit ist, sind nie nur äußere, Religion und Glauben nur an der Oberfläche betreffende Bedingungen, sondern sie treffen Religion und Glaube bis ins Mark.

Die Wahrheit der neuzeitlichen Kunst wird verfehlt, wenn nicht anerkannt wird, daß sie einer Lebenserfahrung der Freiheit als Subjektivität jeweils in neuen Anläufen Gestalt zu geben suchte. Freiheit und Subjektivität sind darin freilich nicht mehr verstehbar von Teilhabe und Auftrag und Bindung her, sondern Freiheit und Subjektivität in dieser Lebenserfahrung verstehen sich darin als Eigenmacht, als „Über''-sich-selbst-Bestimmung, Selbstbindung. Lebenserfahrungen dieser Art sind weder vorzuschreiben noch zu verbieten. Sie entziehen sich dem Vorwurf der Illegitimität. Sie sind freilich auch nicht zu legitimieren. Daß dies so ist, bringt aber erst und allein diese Geschichte der Freiheit als Subjektivität selber zum Bewußtsein. Wenn diese Geschichte der Freiheit als Subjektivität ihr Ende erreicht, spricht das nicht gegen diese Geschichte und dafür, daß sie hätte, bei gutem Willen, vermieden werden können oder sollen. Sie erreicht ihr Ende nicht als Strafe und „wegen'' der Loslösung aus vorgegebener Bindung, sowenig sie ihren Anfang nahm als sträfliche Loslösung aus solcher Bindung. Und wenn die Kunst an der Grenze dieses Ende aufzeigt, so könnte sich auch die Religion des christlichen Glaubens betroffen erfahren. Nämlich insofern, als ihr bewußt würde, daß auch Religion und Glaube in der Neuzeit institutionell die Eigenmacht und Selbstbestimmung in sich aufnahmen, die Macht der Bestimmung selbst darüber, was Teilhabe und Auftrag und Bindung, was Schöpfung und Erlösung, Gott und Welt und Mensch wenigstens im Grunde und darin ein für alle Mal seien.

Im „Verhältnis'' zwischen Religion und Kunst lassen sich diese nicht gegenseitig vereinnahmen. Und auch im Verhältnis beider zur herrschenden Wirklichkeit kann weder diese „zurückgeholt'' und integriert mehr werden, religiös oder künstlerisch, noch können Kunst und Religion in jene Wirklichkeit so einfach hineingebracht werden, die vom anonymen „Geist'' der ökonomischen Rationalität gewirkt ist. Eine bruchlos zusammenfassende Schau der Gesamtwirklichkeit, welche die Arbeitswirklichkeit und die „andere'' Wirklichkeit der Kunst und der Religion versöhnt zusammenfaßte, ist nicht mehr möglich, nicht in religiöser Anschauung und theologischen Theorien, nicht in der Kunstanschauung und in Kunsttheorien. Kunst und Religion könnten aus solcher Situation die Verpflichtung zur Bescheidenheit heraushören. Wohl aber wäre vielleicht auf eine andere, eine „nicht bruchlose'' Weise noch Gesamtwirklichkeit sichtbar zu machen und zu leben. Dann könnte, vielleicht, von dieser Sicht und diesem Leben her die Rationalität und Realität der Industriekultur gelöst werden, zwar nicht auf einmal und im ganzen, sondern in der Bescheidenheit von Ansätzen, von Versuchen. Eine solche, gerade „nicht bruchlose'' Weise hervorzubringen, wie die Gesamtwirklichkeit doch noch sichtbar gemacht und gelebt werden könnte, das wäre am ehesten zuzumuten der Kunst und der Religion. Dies bedeutete die Zumutung einer gegenseitigen Öffnung und Zuwendung zueinander, und also eines Verzichts auf Selbstbestimmung übereinander. Solcher Verzicht ist schwer. Aber nur die Kunst ist es, welche die Wirklichkeit in die Sichtbarkeit, ins Bild bringen kann, und sogar noch die Wirklichkeit in einer so äußersten Gebrochenheit, daß es nicht mehr schön ist. Und nur der religiöse Glaube ist es, der die Kraft finden kann, selbst noch durch die äußerste Gebrochenheit, den Tod des Lebens hindurch das Heil zu leben. Ob und wie solcher Verzicht und solche Zuwendung und Öffnung geschehen könnten und tatsächlich geschehen, ist freilich keine Frage allein des Bedenkens ihrer Nötigkeit.

Verzeichnis der wissenschaftlichen Veröffentlichungen von Prof. Dr. E. Neuhäusler

Die Wende vom Alten zum Neuen in der Bekehrung. Veröffentlichung der Missionsstudienwoche, Münster 1956.

Der Heilige Weg. Biblische Betrachtungen über den Passionsbericht der Evangelien, Düsseldorf 1959.

dass. in Englisch: The sacred Way, Baltimore 1960.

dass. in Holländisch: De heilige Weg. Wezemberg-Oppen 1962.

Anspruch und Antwort Gottes. Zur Lehre von den Weisungen innerhalb der synoptischen Jesusverkündigung, Düsseldorf 1962.

Exigence de Dieu et Morale Chrétienne. Etudes sur les enseignements moraux de la prédication de Jésus dans les synoptiques, Paris 1971.

Der Bischof als geistlicher Vater. Nach den frühchristlichen Schriften, München 1964.

Was ist Theologie? Hrsg. mit Elisabeth Gössmann, München 1966.

Que es Teologia? Hrsg. mit Elisabeth Gössmann, Ediciones Sigueme 1969.

Sehen und glauben. Biblische Betrachtungen, Düsseldorf 1968.

Diverse Aufsätze in Fach- und fachnahen Zeitschriften und in Lexikas.